$$\dot{D}$$

NICOLAS BEUGLET

LE CRI

roman

НИКОЛЯ БЁГЛЕ

КРИК

роман

Москва
ЦЕНТРПОЛИГРАФ

УДК 821.133.1-31
ББК 84(4Фра)
Б37

Художественное оформление
Е.Ю. Шурлаповой

Бёгле Николя

Б37   Крик: роман / Пер. с фр. О.А. Павловской. — М.: Центрполиграф, 2019. — 415 с. — (Иностранный детектив).

ISBN 978-5-227-08644-0

Психиатрическая больница «Гёустад» в Осло. На рассвете холодного зимнего дня одного из пациентов находят задушенным. Рот его открыт в безмолвном крике. Приехавшая на место происшествия инспектор полиции Сара Геринген сразу поняла, что столкнулась с делом из ряда вон выходящим. Вопросы возникают один за другим: что за странный шрам в виде числа 488 на лбу жертвы? Откуда взялись зловещие рисунки на стенах больничной палаты, где его содержали? Почему руководство больницы почти не обладает информацией о личности человека, который провел там больше тридцати лет? Так для Сары началось запутанное и крайне опасное расследование, которое заставит ее немало помотаться по миру: Париж, Лондон, вулканический остров Вознесения, заброшенные шахты Миннесоты, Ницца... Напарником ее окажется французский журналист Кристофер Кларенс, вместе с которым ей предстоит открыть ошеломляющую правду, похороненную в сверхсекретных лабораториях.

УДК 821.133.1-31
ББК 84(4Фра)

© ХО́ Editions, 2016
© Перевод и издание на русском
языке, «Центрполиграф», 2019
© Художественное оформление,
«Центрполиграф», 2019

ISBN 978-5-227-08644-0

КРИК

роман

*Трем моим любимым женщинам — Каролине, Еве
и Жюльетте. Ныне и во веки веков.*

Мои друзья пошли дальше, а я остался один и,
охваченный страхом, услышал несмолкаемый крик
природы.

*Эдвард Мунк о моменте, вдохновившем
его на создание серии картин «Крик».
Литературно-художественный
журнал «Ревю бланш», выпуск IX, 1895 г.*

ГЛАВА 1

Сара выскочила из квартиры, захлопнула дверь и застыла на месте — надо было отдышаться после собственных криков.

Тишину на этаже теперь нарушало только приглушенное бормотание телевизора, еще работавшего где-то у соседей в такой поздний час.

Сердце колотилось как бешеное. Сара медленно двинулась к лестничной клетке, не сомневаясь, что сейчас, вот сейчас Эрик выглянет в коридор, и позовет ее, и скажет, что любит, что никогда никого, кроме нее, не любил, а измена была ошибкой, слабостью и больше не повторится.

Система автоматического отключения света в подъезде закончила обратный отсчет — коридор погрузился в темноту. Сара остановилась. Нужно подождать еще чуть-чуть — и Эрик обязательно выйдет, начнет сбивчиво извиняться, она сделает вид, что почти простила его, и все будет как раньше.

Но легкую тревогу неуклонно вытеснял страх. Дверь квартиры оставалась закрытой, коридор тонул во тьме и безмолвии. Сара оперлась рукой о стену, глядя на тусклый оранжевый ореол подсветки выключателя, и несколько минут по привычке рисовала в воображении детскую комнатку — как чудесно там станет, когда появится малыш, — словно силой мечты можно было изменить ход событий. Нельзя, конечно, ничего изменить, но и тупо брести вперед, не разбирая дороги, как ошалевшая жертва автоаварии, невозможно.

Затаившись во мраке, Сара терпеливо ждала, убеждая себя, что Эрик боится продолжать разговор, пока она в бешенстве, вот и медлит, чтобы дать ей немножко остыть. В этот момент полоска света под дверью квартиры исчезла. Он не выйдет.

У Сары закружилась голова, пришлось прислониться к стене спиной и собраться с силами, прежде чем сделать вслепую несколько шагов к лестнице.

На первом этаже ветер осатанело штурмовал застекленные входные двери; за ними хлопья снега наперегонки летели по косой на фоне мертвенно-бледных пятен фонарей.

Сара, глубоко вдохнув, вытерла мокрые от слез веснушчатые щеки, подняла меховой воротник парки и вышла из подъезда. Мороз мгновенно пробрал до костей; рыжие пряди волос, заплясав на ветру, хлестнули по глазам. Тротуар уже завалило снегом, с которым в конце улицы храбро сражалась снегоуборочная машина, выстраивая на обочинах белые рассыпчатые стены. Городом Осло завладела зима.

Сквозь влажную пелену Сара скорее угадала, чем разглядела свой полноприводный внедорожник в нескольких метрах от подъезда и в облаках пара, рывками вылетавших изо рта, побрела к нему. Под каблуки набился снег — каждый неуклюжий шаг сопровождался унылым скрипом.

Подумалось вдруг: ведь Эрик не только не бросился ее догонять, чтобы попросить прощения, но даже не поинтересовался, куда она пойдет одна посреди ночи. Будто принял решение, что теперь они друг другу чужие и у каждого своя жизнь. Будто сегодняшний разговор стал всего лишь катализатором разрыва, который назревал долгое время. Как такое возможно после всего, через что они вместе прошли?

От шквала воспоминаний перехватило дыхание, подогнулись колени — последние годы семейной жизни снежным вихрем пронеслись в голове. Тот день, когда в белой палате, пропахшей эфиром, ей сообщили, что она бесплодна; внезапная слабость, упадок духа; слова утешения, сказанные Эриком, его надежда на лучшее; первые дозы кломида — препарата, стимулирующего овуляцию, и постыдный побочный эффект — недержание мочи; секс по расписанию, без желания, до отвращения; назойливое внимание озабоченных родственников: «Ну что? Когда же у вас будет малыш?» Через год малыша все еще не было, и от надежды мало что осталось. Первые сомнения Эрика, невысказанные, но угаданные безошибочно; новый курс лечения — болезненные инъекции «Гонал-Ф»; рождение второго ребенка у сестры; решение перейти к искусственному оплодотворению; редкие моменты интимной близости, приносящие все меньше удовольствия; тесный, выстуженный врачебный кабинет в восемь утра, ноги раздвинуты, муж мастурбирует рядом в закрытой кабинке, чтобы ей ввели сперму шприцем с катетером. Новая надежда, страх и очередное разочарование. Слезы. Нервное истощение. Потеря смысла жизни. Дурацкие советы со всех сторон — мол, просто надо успокоиться, стресс и опасения отрицательно сказываются на репродуктивной функции. Примерно так призывают к порядку детей, сторонящихся собак: дескать, животные нападают, когда чуют, что ты их боишься.

Еще было неотвязное желание все время перекладывать прелестные ползунки, крошечные носочки, разноцветные погремушки, собирающие пыль в пустой, безжизненной комнатке. И постоянный страх не найти в себе сил, чтобы все начать заново, если и в этот раз ничего не получится.

Сара осела в сугроб, обхватив руками живот. Хотелось почувствовать всем телом ледяное оцепенение — пусть мороз подействует как анестезия против душевной боли.

И тут в ночной тишине раздалась мелодия звонка.

Сара вскинула голову — подумала, что это звонит Эрик. Однако в следующую секунду на покрасневшем от холода лице отразилось разочарование: вызов поступил на рабочий мобильник.

Она достала телефон, посмотрела на экран и впервые за годы службы не ответила. Кое-как поднявшись, рванулась к внедорожнику, втиснулась за руль — торопливо, чтобы не передумать по дороге и не вернуться в сугроб, где можно заснуть сладким сном и больше не просыпаться. Надо было ехать к сестре, Сара уже завела двигатель, но рабочий мобильник опять затренькал. Если коллеги проявляют такую настойчивость, значит, случилось что-то серьезное. А разве может быть что-то серьезнее того, что сейчас произошло с ней?

Она опять проигнорировала звонок. Но телефон не унимался.

Облокотившись на рулевое колесо, Сара некоторое время боролась с собой, перебирая варианты действий, противоречившие один другому, потом все же дрожащей рукой приняла вызов:

— Слушаю.

От усилия, которое понадобилось приложить, чтобы протолкнуть это слово сквозь сдавленное горло, ее затошнило.

— Инспектор Герннген? — Голос был мужской, незнакомый и очень взволнованный.

— Да. — Она устало откинулась затылком на подголовник.

— Это офицер Дорн, административный район Сагене. Простите, что беспокою так поздно и так настойчиво, госпожа Герннген, но... Нас вызвали для освидетельствования смерти. Случай вроде бы банальный, только вот обнаружились некоторые обстоятельства... э-э, нестыковки... В общем, по-моему, тут необходимо ваше присутствие...

Сара слушала вполуха, тем более что патрульный говорил торопливо и бестолково — сложно было уследить за смыслом.

— Где, вы сказали, это произошло?

Офицер Дорн повторил, и она обессиленно закрыла глаза — полицейский назвал то самое заведение, где ей сегодня меньше всего хотелось бы оказаться.

— Так, а теперь успокойтесь и еще раз объясните мне, в чем несоответствие между тем, что сказал по телефону ночной надзиратель, и тем, что вы обнаружили на месте.

Пока мозг сам воспринимал и усваивал информацию, Сара лихорадочно подыскивала предлог, чтобы выторговать себе отсрочку — лишь бы не ехать на вызов сейчас.

— Понятно. А теперь уточните, что именно вас насторожило.

Как только офицер сообщил о «странных отметинах на лбу покойного» и путаных показаниях свидетелей, у нее наконец сработал профессиональный рефлекс. Пристроив телефон на бедре, она помассировала виски, потерла глаза, а когда снова поднесла к уху мобильник, ее голос уже не дрожал:

— Ладно, слушайте меня, офицер Дорн. Немедленно перекройте доступ к месту происшествия и вызовите криминалистов. Судмедэксперта я привезу сама.

Отложив телефон, Сара глубоко вздохнула, размышляя, справится ли она сейчас с расследованием. Физических сил у нее, конечно, хватит, но вот душевных — вряд ли. Особенно там, куда ей предстоит отправиться.

Сара скользнула взглядом по приборной панели внедорожника: минус 4 градуса, 5 часов 56 минут утра, 36 километров в час. За лобовым стеклом засыпанные снегом улицы походили на белые каньоны, из покатых стен которых торчали лишь боковые зеркала машин, припаркованных вдоль тротуаров. Никто из горожан еще не осмелился высунуть нос из дому, почти все окна квартир были черны. В свете фар Сара увидела указатель — она приближалась к Центральному вокзалу Осло, к месту встречи с судмедэкспертом, и только теперь подумала, что наверняка выглядит ужасно. Она вовсе не была кокеткой — наоборот, крайне редко пользовалась косметикой и надевала украшения, особенно на службе (никаких тональных кремов, теней, помад и колец, за исключением обручального), однако не любила выставлять напоказ свое эмоциональное состояние, а сейчас его трудно было бы скрыть. Поэтому пришлось воспользоваться остановкой на первом же светофоре, чтобы хорошенько разглядеть себя в зеркальце заднего обзора.

Саре показалось, что она постарела лет на десять. Глаза покраснели и опухли от слез, «гусиные лапки» морщин обозначились отчетливее, молочно-белая кожа, усеянная веснушками, приобрела болезненный, сероватый оттенок. На этот раз придется позволить себе небольшое жульничество. Она достала из бардачка заколку, айлайнер и флакончик с блеском, хранившиеся там на экстренный случай. Подвела глаза тонкими линиями, подчеркнувшими их голубизну, мазнула розовой кисточкой по губам и перехватила рыжую копну волос зеленой заколкой.

За последним поворотом на пути к вокзалу открылась круглая площадь перед главным входом, яркие оранжевые пятна фонарей сменились тусклым белым освещением. С судмедэкспертом Сара общалась раньше только заочно, но вычислила его сразу — он категорически не вписывался в окружающую обстановку. У эспланады Центрального вокзала была дурная слава: по ночам здесь собирались наркоманы и алкоголики, — так что единственный человек, уверенно сохранявший вертикальное положение, и оказался тем, за кем приехала Сара. Мужчина невысокого роста, в парке с низко надвинутым капюшоном и с чемоданчиком в руке, переступал на морозе с ноги на ногу, провожая взглядом каждую проезжавшую мимо машину. Сзади к нему приближалась шумная компания — то ли подвыпившая, то ли обкуренная.

Сара прибавила скорости и наклонилась над пассажирским сиденьем, чтобы открыть дверцу. В этот момент один разгильдяй отделился от группы и толкнул судмедэксперта в спину так, что тот пошатнулся. Компания радостно заржала. Сара, поспешно набрав код на электронном замке отделения для перчаток, выхватила оттуда служебное оружие и, припарковавшись, вышла из машины, а судмедэксперт, сумевший удержать равновесие, тем временем неторопливо направился к ней, будто ничего и не случилось. Шпана разразилась оскорблениями в его адрес, кто-то швырнул бутылку — она разлетелась вдребезги совсем рядом. Сара с пистолетом в опущенной к бедру руке, огибая внедорожник, обеспокоенно гадала, почему судмедэксперт не торопится — ей лучше, чем кому-либо, было известно, на что способны такие ночные банды.

Кто-то заплетающимся языком потребовал у «старикана» отдать чемодан и пообещал в противном случае выпотрошить его «как свинью». В этот момент Сара рассмотрела в свете фонаря лицо судмедэксперта: за пятьдесят, симпатичный, добродушный бонвиван, круглые щеки раскраснелись от стужи. Он невозмутимо махнул ей рукой в знак приветствия, продолжая все так же неспешно шагать по эспланаде. «Неужели не чувствует угрозы?» — удивилась Сара.

— Ну, короче, ты напросился, придурок! — заорал тот, кто требовал отдать чемодан, и с рычанием бросился догонять добычу.

Сара заметила, как у него в руке блеснуло лезвие, и машинально вскинула пистолет. А судмедэксперт и не подумал ускориться. Задержав дыхание, она прицелилась в ноги нападавшему и уже готова была выстрелить, но парень с ножом вдруг поскользнулся и грохнулся спиной на обледеневшие плиты эспланады.

Судмедэксперт тем временем добрался прогулочным шагом до внедорожника и вальяжно уселся на пассажирское кресло. Сара быстро вернулась за руль.

— Приветствую, инспектор Геринген, — улыбнулся толстячок, снимая перчатки. — Доктор Тобиас Ловструд к вашим услугам.

Не удостоив взглядом протянутую руку, она лишь едва заметно кивнула в ответ и, поправив зеркальце заднего обзора, принялась разворачивать машину. Ловструд, пожав плечами и украдкой разглядывая спутницу, скинул капюшон. Хулиганье на эспланаде энергично ругалось им вслед, размахивая кулаками.

— Простите, я, кажется, заставил вас понервничать. Но видите ли, бросившись бежать, я сразу оказался бы на лопатках, потому что там очень скользко, и шпана сыграла бы в футбол моей головой. Так что я решил идти медленно, уповая на алкоголь и непогоду. Удачное сочетание того и другого спасло мне жизнь: как и предполагалось, пьяные олухи не учли гололед. Однако знаете что? От судьбы в любом случае не убежишь. — Судмедэксперт сделал паузу и покосился на Сару, не проронившую ни слова. — Значит, правду о вас говорят... Вы молчунья. Ну да ничего, мне только дайте волю — буду болтать за двоих. Но если вас это раздражает — непременно скажите, не стесняйтесь, а то покойники меня разбаловали! — Довольный собственной шуткой, он качнул головой. — Кстати, спасибо, что сделали крюк, чтобы меня подобрать. Служебную машину просто так не получишь — пришлось бы заполнять кучу бумаг, и мы бы потеряли куда больше времени.

Ловструд наконец заткнулся, поскреб лысую макушку, потом открыл чемоданчик, достал платок и высморкался. Сара узнала характерный запах камфары — патологоанатомы мажут этим веществом ноздри, чтобы нейтрализовать трупную вонь во время вскрытия.

Она опустила стекло на пару сантиметров и включила поворотник, выруливая на Третье кольцо — по нему на север Осло можно было добраться быстрее, чем по центральным улицам.

— Знаете, мне ужасно приятно познакомиться с вами лично. Я о вас столько слышал! И должен сказать по секрету, представлял вас совсем не такой. — Ловструд добродушно рассмеялся.

Имя Сары Геринген впервые прозвучало в его отделе, когда ее назначили на дело Эрнеста Янгера — серийного убийцы, позднее получившего кличку Санитар. До этого в расследовании целых два года не было никаких подвижек, лишь росло количество жертв — к тому моменту, когда за него взялась Сара, погибли уже шесть женщин. Норвежская полиция сгорала от стыда, а инспектор Геринген как раз недавно заявила о себе, блистательно раскрыв другое убийство и проведя арест преступника, выследить которого было чрезвычайно сложно. В итоге руководство решило воспользоваться ее аналитическими способностями и служебным рвением в деле, не дававшем покоя всему Осло.

Она начала с того, что приказала провести повторные вскрытия по более точному и подробному протоколу, чем в первый раз. Ловструд, в ту пору новоиспеченный главный врач Института судебно-медицинской экспертизы, помнил, как возмущались коллеги внезапно привалившей дополнительной работой. Но, читая их отчеты, он вынужден был признать, что появились новые данные в списках веществ, обнаруженных на телах жертв. Одно из этих веществ присутствовало во всех списках и дало совершенно иное направление расследованию.

До сих пор Ловструд никогда не видел Сару, она представлялась ему сущей мегерой и страшнючим чучелом. Теперь же выяснилось, что он был очень далек от истины. Эта женщина пробудила в нем любопытство, и ужасно захотелось ее разговорить — хотя бы для того, чтобы услышать голос.

— Скажите-ка, а Янгера, случайно, не в «Гёустаде» держат? Если так, вот уж он обрадуется встрече с вами!

Это была одна из причин, по которым Сара отчаянно не желала соглашаться на просьбу офицера Дорна. Еще меньше ей хотелось обсуждать эту тему с кем бы то ни было.

Судмедэксперт искоса поглядывал на нее, но по бесстрастным голубым глазам, устремленным на дорогу, невозможно было догадаться, занята ли она своими мыслями или просто игнорирует его. Впрочем, Тобиас Ловструд был не из тех, кто легко сдается.

— У меня еще не было случая выразить вам свое восхищение. Лихо вы расправились с этим психопатом Янгером! Просто удивительно, как вы додумались провести параллель между следами детергента, обнаруженными на телах жертв, и присутствием машины скорой помощи на месте каждого похищения. Сколько же свидетельских показаний вам пришлось перелопатить, чтобы установить, что эту машину видели за несколько минут до исчезновения женщин! Думаю, не все свидетели припомнили о ней в первую очередь.

«О, далеко не все!» — ответила бы Сара, будь у нее желание поддерживать разговор. «Скорая помощь» появилась в большинстве показаний лишь после того, как она лично опросила всех свидетелей по второму разу, а до этого ей пришлось потратить много часов, выискивая в записях и отчетах самые незначительные совпадения. Тогда-то она и заметила, что несколько человек вскользь упомянули машину медицинской службы, просто как деталь фона.

— А это ваше, так сказать, силовое вторжение к Янгеру в день ареста! — не унимался доктор Ловструд. — В полиции многие здоровенные мужики до сих пор под впечатлением от того, как вы вломились туда первой и скрутили убийцу. Похоже, в ФСК[1] вы времени даром не теряли!

— Сейчас меня больше волнует, *что* мы с вами найдем на месте происшествия.

Голос Сары впервые прозвучал в салоне внедорожника — Тобиас Ловструд даже вздрогнул от неожиданности, смутился и на некоторое время притих.

Она терпеть не могла упоминаний о своей службе в спецназе. Бойцы их подразделения имели отличную физическую подготовку, но были недостаточно хорошо оснащены для быстрого реагирования на террористические акты, и, по мнению Сары, массовый расстрел, устроенный Андерсом Брейвиком[2], стал тому трагическим доказательством. Их получасовое опоздание на остров Утёйя из-за проблем с моторной лодкой стоило жизни еще тридцати подросткам. Сара и многие ее соратники винили именно себя в том, что число жертв двойного теракта Брейвика достигло семидесяти семи. После этого постыдного поражения она покинула ФСК и перешла на службу в полицию в должности инспектора. Саре казалось, что дедукция и проницательность помогут ей спасти больше человеческих жизней, чем плохо организованные боевые операции.

С четырехполосного Третьего кольца внедорожник свернул на сельскую извилистую дорогу и погнал дальше среди прогнувшихся под снегом елей. Сара включила полноприводный режим и зажгла противотуманные фары. Здесь, на северной окраине, снег уже не валил стеной, зато клубился густой

---

[1] Ф С К (Forsvarets Spesialkommando, FSK) — норвежский спецназ, контртеррористическое спецподразделение. (*Примеч. авт.*)

[2] Б р е й в и к А н д е р с Б е р и н г (р. 1979) — норвежский националист и протестантский фанатик, устроивший взрывы в центре Осло и стрельбу в молодежном лагере Норвежской рабочей партии на острове Утёйя 22 июля 2011 г. (*Здесь и далее примеч. пер.*)

туман. На термометре было минус три градуса, лобовое стекло обросло по контуру кристалликами инея.

Судмедэксперт с интересом озирался:

— Да уж, в такие места меня по работе еще не заносило. Наверное, дело будет из ряда вон...

Сара молча заправила за ухо рыжую прядь, прошуршав паркой. Тобиас помассировал затылок и опять умолк, увлеченный пейзажем за окном.

Они ехали по лесистой, почти необитаемой местности — лишь изредка за деревьями мелькали дачные особнячки. На развилке Сара свернула на дорогу, убегавшую в густую чащу. Фары с трудом справлялись с плотным туманом, то и дело натыкаясь лучами на сугробы, едва ли не достигавшие крыши машины. Время от времени впереди проступали контуры деревьев, растопыривших ветви, будто костлявые пальцы, испачканные сахарной пудрой. Скрипел под колесами снег с наледью. А потом вдруг туман слегка рассеялся, и впереди возник величественный силуэт здания.

К небу возносилась готическая башня из кирпича, увенчанная металлическим куполом со стрелой колокольни; под ней, будто ночные стражи, расходились в стороны, смутно проступая в зябкой дымке, два крыла с узкими оконцами; крыши тонули в темноте. Здание могло бы показаться заброшенным, если бы по фасаду не скользили голубые пятна света от прожекторов двух патрульных машин и фургона криминалистов.

Сара остановила внедорожник, но мотор по-прежнему глухо рокотал под капотом, из выхлопной трубы вырывались облачка пара.

— Кажется, добрались, — пробормотал доктор Ловструд, и Саре показалось, что его голос неуверенно дрогнул.

Внедорожник, снова тронувшись с места, вкатился под арку ворот из кованого железа. Мелькнула вывеска, почти засыпанная снегом: «Психиатрическая больница «Гёустад».

Глава 2

Сара заглушила мотор. Снаружи подстерегал мороз, как свора собак, готовая растерзать добычу.

— Ну, идемте. — Тобиас Ловструд отважно покинул теплый салон и поспешил ко входу в заведение, проклиная сквозь зубы собачий холод.

Сара некоторое время посидела, вцепившись в рулевое колесо и стараясь унять бешеное сердцебиение дыхательной гимнастикой. Но упражнение возымело обратный эффект — началась паническая атака, тревога сдавила горло, будто незримый палач медленно и с удовольствием принялся душить жертву.

«Почему? Почему именно сегодня я оказалась в этом месте?..»

Набрав код на электронном замке, Сара открыла отделение для перчаток, достала оттуда наручники и засунула их в задний карман. За пистолетом НК Р30 лежали фонарик, зеленая упаковка жевательной резинки и пузырек с транквилизатором. Она ненадолго задержала взгляд на оружии, затем взяла из пузырька одну таблетку, закинула ее в рот и заперла бардачок. Подтянула повыше ворот свитера, застегнула парку до самого верха и вылезла из машины.

В нескольких метрах впереди судмедэксперт буксовал в снегу, окутанный облачками пара. Сара двинулась за ним по протоптанной дорожке; полицейские прожекторы и свет, падавший из нескольких окон, создавали стробоскопический эффект.

Вдруг с первого, неосвещенного этажа из какой-то палаты раздался дикий вопль.

— Ого! — выдохнул Ловструд, с которым Сара уже поравнялась. — Мне, конечно, каждый день приходится иметь дело с покойниками, но, честно говоря, не знаю, хватило бы у меня духу работать в психушке. Особенно в этой...

Из курса судебной психиатрии Сара помнила, что заведение «Гёустад» побило европейский рекорд по числу лоботомий. В сороковых годах этой операции подверглись здесь три сотни пациентов — тогда считалось, что состояние больных, страдающих шизофренией, эпилепсией и депрессией, можно облегчить повреждением нейронных связей на определенном участке мозга. Варварская процедура состояла в следующем: инструмент, похожий на нож для колки льда, вводили между верхним веком и глазным яблоком; когда кончик ножа упирался в кость глазной впадины, по рукоятке били хирургическим молотком, острие протыкало кость и проникало в лобную долю; далее совершались вращательные движения рукояткой для рассечения нервных волокон мозга. В большинстве случаев пациенты получали лишь местную анестезию и теряли сознание от боли или от судорог, вызванных разрывом нервных волокон. Те, кто не умер во время операции, превращались в овощи, лишенные эмоций, воображения, стремлений и желаний, но врачи, практиковавшие лоботомию, считали их исцеленными, ведь основные симптомы — агрессивность, тоска, припадки — действительно исчезали. Душевнобольных, которые теперь уже не представляли опасности ни для себя самих, ни для общества, отправляли по домам.

Позднее Сара узнала, что американское правительство в те годы увидело в лоботомии прекрасную возможность сократить время пребывания пациентов в государственных психиатрических клиниках, а соответственно, сэкономить бюджетные средства. Так что этот способ «лечения» был одобрен на официальном уровне и широко пропагандировался.

Решив, что, чем раньше она войдет в «Гёустад», тем раньше оттуда выйдет, Сара ускорила шаг и обогнала менее проворного судмедэксперта. Под резным портиком ей показалось, будто сейчас она переступит порог церкви. Подавив нараставший в глубине души страх, Сара решительно толкнула створку двойной деревянной, украшенной изысканной резьбой двери и очутилась в вестибюле с высоким, как у собора, сводом. Напротив нее, шагах в двадцати, находилась внушительная стойка администратора из красного дерева, слева от стойки уходила вверх винтовая лестница. В глубине вестибюля была застекленная дверь, за которой маячили люди в белых халатах. Одуряюще пахло детергентом.

Девушка-администратор — совсем молоденькая, от силы лет двадцати — при виде посетителей поднялась из-за стойки. Неуместная в подобных обстоятельствах улыбка на ее губах лишь подтверждала и без того очевидное отсутствие опыта.

Каблуки тяжелых ботинок Сары простучали по черным и белым мраморным плитам пола, уложенным в шахматном порядке. Она молча протянула девушке удостоверение инспектора Национальной службы уголовного розыска.

— Здравствуйте, госпожа Геран... ой, простите, Геринген. Профессор Грунд ждет вас у себя в кабинете. — Администратор указала рукой в сторону винтовой лестницы и встала, собираясь проводить гостей, но Сара сухо проговорила:

— Пусть выйдет к нам.

— Э-э... хорошо, я позову его. — Девушка, сев на стул, набрала номер на стационарном телефонном аппарате.

Сара тем временем осмотрелась и поняла, что запах детергента и еще какой-то бытовой химии — не единственная причина ее дискомфорта. Больница как будто увязла в прошлом. Если бы не компьютерный монитор на стойке, можно было бы подумать, что на дворе конец XIX века. Ступени лестницы, тоже из красного дерева, потемнели от времени, сводчатый потолок нависал над головой церковным куполом, а шахматный пол лишь усиливал впечатление, что действие происходит в позапрошлом столетии.

Застекленные двери в глубине вестибюля опять привлекли ее внимание — за ними санитары рассаживали за столиками пациентов в светло-зеленых робах. Возможно, среди этих больных находился тот, чей душераздирающий крик она слышала, подходя к крыльцу. Кто из них? Сутулый низенький мужчина с резкими движениями и бегающим взглядом, молодой парень, неуклюжий и сонный, или та женщина лет сорока? Пациентка с ввалившимися щеками и спутанными волосами печально сидела одна в сторонке. Сара перехватила ее взгляд и не увидела в глазах ни намека на безумие — там были только одиночество и тоска.

Женщина смотрела на нее несколько секунд, затем отвернулась, а у Сары вдруг защипало веки от навернувшихся слез. В этот момент ее окликнули:

— Инспектор Геринген!

Еще одна дверь в вестибюле, металлическая, была открыта, и к Саре быстрым шагом направлялся мужчина лет сорока с рыжеватой бородкой. На нем была голубая форменная рубашка с черными погонами.

— Офицер Дорн, — представился он взволнованно. — Это я вам звонил.

Сара его сразу вспомнила — однажды этот полицейский привел в управление своих мальчишек, рыженьких близнецов, которые хотели посмотреть, где работает папа, и ей понравилось, как серьезно и толково он объяснял, чем занимаются разные сотрудники.

Она поприветствовала Дорна кивком, и тот, наслышанный о ее стиле поведения, ничуть не удивился молчанию. Помимо прочего, он знал, что инспектор Геринген не утруждает себя политесом и предпочитает сразу переходить к делу. Бросив взгляд на администратора, Дорн заговорил, понизив голос, так что судмедэксперту пришлось подойти ближе и вытянуть шею.

— В общем, так. В пять двадцать три утра поступил вызов от Аймерика Гроста, ночного надзирателя этой больницы. Он сильно нервничал, путался в словах, но в конце концов с грехом пополам сообщил, что один из пациентов только что покончил с собой. Поскольку связаться с директором заведения Гросту не удалось, он принял решение позвонить в полицию. Когда мы прибыли сюда, парень встретил нас с виноватым видом, попросил прощения за ложную тревогу и сказал, что на самом деле пациент умер от обычного инфаркта.

Сара нахмурилась:

— А что навело этого Гроста на мысль о самоубийстве пациента?

— У них тут повсюду камеры наблюдения. Парень сидел в комнате с мониторами и вдруг увидел, что один больной схватил себя за горло, задергался, а потом вдруг обмяк и больше не шевелился. Грост в панике попытался связаться с двумя дежурными санитарами — они не ответили; затем набрал номер директора — тот был недоступен. Тогда он позвонил в полицию и описал то, что произошло у него на глазах: пациент сам себя задушил.

— Санитары подтвердили? — спросила Сара.

— Не совсем. Оба выполняли свои обычные обязанности, когда услышали крики. Один делал кому-то из пациентов укол и не мог прервать процедуру, второй сразу побежал на крик, но опоздал — кричавший уже был мертв.

— А почему они не ответили на вызов Гроста? Не услышали, что ли?

— Услышали, но проигнорировали. Как я уже сказал, один был занят, а второй подумал, что пациент важнее, и помчался в палату, да все равно не успел.

— Но это же ерунда какая-то! — вмешался судмедэксперт. — Человек не может сам себя задушить. Как только он потеряет сознание, это вызовет расслабление мышц, и пальцы на шее разожмутся. Что за чушь! — Он посмотрел на Сару, будто в поисках поддержки, но она сделала Дорну знак продолжать.

— То же самое мне сказали санитары, как только мы приехали. Они пришли к выводу, что у пациента случилась паническая атака, а за ней последовал сердечный приступ. Но Грост, ночной надзиратель, работает тут совсем недавно. Он переполошился и, не спросив их мнения, позвонил нам в полной уверенности, что видел самоубийство. Вот так мы здесь и оказались.

— Однако если у пациента была, как считают санитары, паническая атака, то какая-то уж невероятно мощная, — заметил Тобиас. — Вы представляете себе, что должно происходить у человека в голове, чтобы он начал душить себя голыми руками?

Дорн посмотрел на него с некоторым раздражением, но Сара, разделявшая недоумение судмедэксперта, вопросительно уставилась на полицейского.

— Я указал на это обстоятельство санитарам, — пожал плечами тот. — Они напомнили мне, что мы находимся в психиатрической лечебнице, а следовательно, в приступах безумия у здешних постояльцев нет ничего удивительного.

Дорн неловко замолчал, а доктор Ловструд испустил тяжелый вздох, всем видом давая понять, что его зря побеспокоили посреди ночи.

— Ну да, я, наверное, тоже поторопился бить тревогу, — повинился Дорн. — Но вообще-то, инспектор, я позвонил вам потому, что все здесь здорово нервничали и показания давали как-то неуверенно, когда мы прибыли. Я подумал, лучше будет провести расследование. И потом, не знаю... даже если сейчас их объяснения кажутся вполне логичными, мне все же не нравится, как изменилась версия событий между звонком Гроста в полицию и нашим приездом сюда. Да еще эти отметины на лбу пациента... В общем, по-моему, здесь все очень странно.

Сара тоже считала, что ситуация не вполне ясна, хоть и не видела в ней пока ничего особенно подозрительного.

— Где сейчас эта троица ночных дежурных?

— Санитаров Элиаса Лунде и Леонарда Сандвика мы сразу разделили, на случай, если вы захотите их допросить. Надзиратель Аймерик Грост тоже ждет вас в отдельной комнате. Сами увидите — он совсем молод, в «Гёустаде» работает пару недель. Криминалисты уже осматривают палату, в которой умер пациент, — как вы и велели, я их сразу вызвал. Директор больницы, кажется, только что приехал, у меня еще не было времени с ним поговорить. Прошу прощения, мне, наверное, все-таки не следовало устраивать панику по телефону...

Сара на него не сердилась — она очень даже одобряла тех, кто предпочитает сомнение слепой уверенности. Да и если хорошо подумать, лучше уж ей сейчас быть здесь, чем рыдать на груди у сестры. По крайней мере, Сара попыталась себя в этом убедить.

Она хотела попросить офицера Дорна проводить ее в палату, где находился труп, но тут на винтовой лестнице из красного дерева показался высокий мужчина в темно-сером костюме. Он энергично сбежал по ступенькам, и Сара рассмотрела его повнимательнее: худощавое удлиненное лицо, очки, элегантная седина на висках. Прямой и решительный взгляд из-под густых бровей говорил о том, что этот человек привык командовать.

— Профессор Ханс Грунд, — представился он Саре и Ловструду официальным тоном. — Я директор этого учреждения. Весьма сожалею, что вас напрасно побеспокоили, но к чести своих сотрудников должен сказать, они стремились поступить как лучше.

Директор только тут понял, что Сара и не думает вынимать руку из кармана куртки, чтобы пожать его протянутую ладонь, и несколько стушевался. Но таково было одно из ее правил — никогда не вступать в физический контакт с людьми, имеющими прямое или косвенное отношение к расследованию. Многочисленные психологические исследования доказывали, что даже легкое прикосновение к человеку может повлиять на объективное суждение о нем. Однако профессионализм профессионализмом, а распоследней невежей Сара все-таки не была, поэтому коротко кивнула профессору в знак приветствия.

Пока Грунд тянул к ней руку, она успела разглядеть его кисть и заметила, что ноготь на большом пальце обкусан до крови. Поскольку с другими пальцами все оказалось в порядке, можно было заключить, что у профессора нет привычки грызть ногти, а значит, он сделал это под влиянием сильных эмоций, вызванных сегодняшним происшествием.

— Доктор Ловструд, судмедэксперт, — разрядил обстановку Тобиас, увидев, что Ханс Грунд смущен молчанием дамы из полиции.

— Очень приятно, — кивнул тот. — Простите, что не смог оказать вам должный прием, но я весьма удручен смертью своего пациента, пусть и от естественных причин.

— Где тело? — спросила Сара.

Директор обиженно нахмурился:

— Насколько я понимаю, вы намерены действовать по протоколу до конца, раз уж вас сюда вызвали? Что ж, много времени это у вас не займет. Прошу за мной.

Он направился к металлической двери, открыл ее висевшим на шее магнитным пропуском и первым переступил порог. Сара, судмедэксперт и офицер Дорн последовали за ним по коридору. Здесь к детергенту примешивался слабый запах эфира. Не замедляя шага, Ханс Грунд на секунду обернулся к Саре:

— Полагаю, в подобных заведениях вы, как и все люди, чувствуете себя неуютно, инспектор. Помнится, в первое время на стажировке в психиатрической больнице я и сам задавался вопросом, гожусь ли для своего ремесла. Но впоследствии понял, что сомневался в себе лишь потому, что плохо понимал душевнобольных людей. Досконально изучив их патологии и механизмы мышления, я почувствовал, как неприязнь к ним уступает место искреннему участию и желанию помочь.

«Если бы ты знал, почему мне здесь на самом деле неуютно, давно бы заткнулся», — хотелось Саре сказать, но она по обыкновению не стала тратить слова попусту. От ее молчания директор окончательно пришел в замешательство.

Они шагали по коридору с натертым до блеска полом; с обеих сторон были двери палат, большинство которых пустовали. Вдруг издалека донеслись возбужденные голоса — профессора Грунда это, казалось, не обеспокоило, но Саре все-таки пришлось прибавить шагу, чтобы не отстать от него. У помещения, откуда донесся шум, он остановился и попросил подождать его минутку.

Это была комната отдыха, судя по тому, что за несколькими столиками пациенты играли в карты. Человек в светло-зеленой робе отбивался от двух санитаров, которые изо всех сил старались его удержать. Он кричал, что не будет принимать пилюли — его, мол, хотят отравить, ему от этой дряни каждый раз кажется, будто он сейчас сдохнет.

Директор невозмутимо приблизился с таким видом, словно точно знал, как успокоить буяна. Сара с любопытством ждала, как он все уладит.

— Привет, Геральт, — сказал Ханс Грунд.

Человек задергался сильнее — лица санитаров уже побагровели от злости и напряжения. Директор сделал им знак отпустить пациента, и тот, суматошно заметавшись, вдруг успокоился. Отодвинув от стола два стула, Грунд усадил пациента напротив себя, после чего они принялись о чем-то шептаться, как добрые приятели. С того места, где стояла Сара, разговора не было слышно, но, к ее удивлению, через минуту Ханс Грунд и нервный Геральт уже вовсю улыбались друг другу. Директор протянул пациенту стакан с водой, и тот покорно запил лекарство. Они обменялись рукопожатиями, и Грунд вышел из комнаты отдыха.

— Труп дальше по коридору, — бросил он через плечо своим спутникам.

По дороге Дорн дал Саре электронный пропуск, позволявший открывать любые двери в заведении, и рацию с наушником: больница была огромная, быстрая связь могла упростить общение. Сара не собиралась задерживаться здесь надолго, но на всякий случай взяла и то и другое — вдруг пригодится.

Проходя мимо открытой двери палаты, она услышала рыдания — какая-то женщина причитала: «Где мой малыш?» — и словно удивлялась, не получая ответа. Саре стало не по себе, захотелось заглушить это жалобное бормотание собственным голосом.

— У покойного была сердечная недостаточность? — спросила она.

— Да, но он находился под наблюдением врачей, — отозвался профессор. — К сожалению, в его возрасте уже нельзя предотвратить неизбежное.

— Сколько ему было?

— Под восемьдесят.

Дорн их обогнал и открыл дверь в другой коридор, очень длинный, с современной отделкой — свет неоновых ламп отражался от пола, выложенного плиткой ПВХ. В конце коридора была еще одна дверь, возле нее стояли на посту двое полицейских.

— Почему этот пациент оказался здесь? — спросила Сара, которой нужно было составить впечатление о жертве до того, как она увидит труп.

— Из-за рекуррентного расстройства личности, сопровождавшегося бредом и паранойей. Но по сравнению с другими нашими пациентами он был относительно спокойным.

— Если верить вашему надзирателю, этот человек пытался себя задушить. По-моему, такое поведение необычно даже для душевнобольных, — заметила Сара.

Директор поправил узел галстука.

— Вы правы, меня это тоже озадачило. Раньше у него не случалось подобных панических приступов.

— Возможно, это побочный эффект какого-то препарата?

— Не исключено, конечно, но я так не думаю. Он принимал одни и те же лекарства много лет, и никаких противопоказаний у него не было. Мы такие вещи строго отслеживаем.

— Тогда ошибка в дозировке?

Грунд покачал головой:

— Инспектор, я в первую очередь врач и очень серьезно отношусь к медикаментозному лечению пациентов. Персонал об этом знает. С тех пор как меня назначили директором больницы, здесь ни разу не было ошибок в дозировке. Я не утверждаю, что это в принципе невозможно, но вероятность крайне мала.

За дверью очередной палаты мужской голос выводил нежную мелодию, которая вдруг закончилась грязными ругательствами — виртуозно построенная многоэтажная словесная конструкция настолько восхитила доктора Ловструда, что он вполголоса повторил высказывание пациента, одобрительно крякнув. А Сара заметила, что директор даже не улыбнулся — наоборот, явно был раздосадован. Достав из кармана пиджака блокнот, он записал номер палаты и время.

— Возможно, санитары, дежурившие этой ночью, все-таки допустили халатность по отношению к погибшему пациенту и не решились вам в этом признаться из страха потерять работу, — предположила Сара. — Как и те, кто, наверное, забыл дать лекарство вот этому... оратору.

Директор уставился на нее с недоумением:

— Я не знаю, как складываются отношения с начальством у вас в полиции, но здесь я не строю из себя тирана. Мы одна команда, и для персонала я скорее тренер, чем судья. Когда у кого-то из сотрудников возникает проблема, он приходит ко мне за советом. Если бы Леонард и Элиас совершили ошибку, они бы честно обо всем рассказали. Нет, вполне очевидно, что пациент умер своей смертью. Я уверен, здесь нечего расследовать, но вы, разумеется, можете убедиться в этом самостоятельно.

— Последний вопрос. Сколько секторов в вашем заведении?

— Три. В секторе А содержатся больные, не представляющие угрозы ни для себя самих, ни для окружающих. Обитатели сектора B требуют более пристального внимания и не могут жить в больших группах. Сектор C отведен буйнопомешанным, хотя мне не нравится этот термин. Скажем, опасным душевнобольным. Сегодняшний инцидент произошел в секторе А, и, кстати, мы уже пришли.

Двое полицейских заслоняли дверь и расступились, только когда Сара показала им удостоверение инспектора полиции Осло.

— Проходите, инспектор Герринген, — кивнул здоровенный блондин с коротким бобриком. На бейдже, прикрепленном к офицерской куртке, значилась фамилия Нильсен.

Сара провела электронным пропуском по считывающему устройству, раздался скрежет замкового механизма, и дверь открылась. За ней в полумраке тонул еще один коридор. Неоновые лампы на потолке не горели, единственным источником света здесь было странное синеватое сияние, исходившее из палаты слева.

— Они еще с полилайтом[1] не закончили, — прокомментировал судмедэксперт.

Директор устремился было за ним с Сарой, но белобрысый гигант заступил ему дорогу:

— Прошу прощения, это охраняемое место происшествия.

Замок снова проскрежетал, на этот раз у Сары за спиной. Из палаты, заполненной синим светом, появилась белоснежная мумия, положила на больничную каталку пластиковую пробирку, прилепила к ней этикетку и вернулась обратно. Сара подошла к каталке — помимо пробирок, там обнаружились чистые перчатки и бахилы. Пока Ловструд доставал из чемоданчика стерильный комбинезон с капюшоном и облачался в него, Сара быстро экипировалась и нырнула в палату — в свете полилайта казалось, будто она погрузилась в аквариум. Двое криминалистов, в таких же белых комбинезонах, как у судмедэксперта, были заняты работой в лазурном полумраке. Один, опустившись на корточки рядом с кроватью, ухватил что-то с пола пинцетом и положил в пробирку. У второго, в очках с оранжевыми стеклами, на плече висело устройство, похожее на маленький радиатор, и он методично обводил стены, пол и потолок синеватым лучом, исходившим из трубки, прикрепленной к корпусу этого аппарата.

На полу желтые таблички с номерами обозначали местоположение вещественных доказательств. Одна из них стояла рядом с человеком, неподвижно сидящим на полу у изножья придвинутой к стене кровати. Черты его лица невозможно было рассмотреть в синем полумраке.

Сара приблизилась. Помещение представляло собой куб. Кровать была привинчена к левой стене, у противоположной находились унитаз и раковина; других предметов обстановки здесь не было.

---

[1] П о л и л а й т — осветительный прибор, применяемый криминалистами для поиска вещественных доказательств: отпечатков пальцев, биологических жидкостей, пороховых следов и т. д.

— Я закончила, — сообщила женским голосом мумия, державшая полилайт, погасила синий луч и протянула руку к электрическому переходнику. — Внимание, включаю!

Свет четырех полицейских портативных прожекторов, расставленных в углах, залил палату, и Сара наконец разглядела мертвеца — босого, в светло-зеленой больничной одежде.

Он сидел лицом к ней, прислонившись спиной к кровати и вытянув ноги в сторону выхода. Голова свесилась набок, морщинистая кожа посерела. Вытаращенные глаза смотрели в пространство, будто увидели там что-то чудовищное; разинутый рот застыл в беззвучном крике, обнажились в оскале гнилые зубы, был виден язык, уже распухший. Сальные жидкие пряди волос прилипли ко лбу.

Сара несколько секунд рассматривала эту жуткую картину в целом, затем наклонилась, чтобы изучить синяки на одутловатой шее — это определенно были отпечатки пальцев, сдавливавших горло. Старик, похоже, не притворялся, когда себя душил.

В палату вошел облаченный в комбинезон Тобиас Ловструд:

— Ну-с, что у нас тут, госпожа инспектор?

Сара затянутым в перчатку указательным пальцем отвела со лба мертвеца пряди волос — и поняла, что имел в виду офицер Дорн, когда говорил о «странных отметинах».

На обескровленном лбу были три шрама длиной в полпальца. Они почти сливались по цвету с кожей — различить очертания удалось лишь по белой каемке и легкой неровности. Шрамы, расположенные в ряд, образовывали число 488.

ГЛАВА 3

Судмедэксперт присел рядом с покойником на корточки и провел пальцем в перчатке по трем цифрам.

— Это очень старые рубцы, и нанесены они, похоже, не из любви к искусству скарификации. Сомневаюсь, что этот человек по своей воле попросил вырезать число у него на лбу. — Доктор Ловструд посветил фонариком трупу в глаза и в уши. — На глазных яблоках лопнули несколько капиллярных сосудов из-за компрессии верхних дыхательных путей, но слишком мало для смерти от удушья. В ушах нет крови, лицо не побагровело... — Он пощупал шею над кадыком. — Похоже, и подъязычная кость не сломана. Смерть от удушения с большой вероятностью можно исключить. — Затем он внимательно осмотрел конечности и сосредоточенно проговорил: — Пока не вижу никаких ран и следов ударов, ничего, кроме вот этих кровоподтеков на сгибе левой руки, но сюда ему кололи препараты, так что появление синяков вполне естественно... На данный момент это все, что я могу сказать.

— А причина смерти? — осмелилась спросить Сара.

— Могу перечислить десяток, вплоть до пищевого отравления. С точностью отвечу только после токсикологической экспертизы и исследования внутренних органов. Раз уж вы почему-то заинтересовались этим делом.

— Обменяйтесь сведениями с криминалистами и убедитесь, пожалуйста, что отпечатки пальцев на шее принадлежат жертве. После этого можете отвезти тело в лабораторию. И сообщите мне о результатах вскрытия.

Тобиас с некоторым удивлением качнул головой:

— А вы молодец. Подумали, что его мог душить и кто-то другой. — Он одобрительно хмыкнул. — Мало кто из ваших коллег проявил бы внимание к таким деталям.

Сара пропустила комплимент мимо ушей. В ожидании информации от экспертов она собиралась расспросить директора больницы о шрамах на лбу у пациента, а перед тем как выйти из палаты, окинула ее последним взглядом, чтобы лучше запомнить место происшествия.

Один из криминалистов, стоя у каталки, перебирал пластиковые пакеты с уликами.

— Вы сняли отпечатки пальцев с шеи жертвы? — спросила Сара.

— Конечно, дактилоскопические пленки здесь. — Эксперт указал на плексигласовую коробку с этикеткой «Жертва». — Папиллярный рисунок проступает довольно четко.

Сара повернулась ко входу в палату, чтобы передать информацию судмедэксперту, но тот уже успел к ним присоединиться:

— Я слышал, инспектор. Тут есть все, что мне нужно.

Сара, сняв перчатки, бросила их в желтый контейнер со значком биологической опасности, туда же отправила бахилы и решила еще разок заглянуть в палату, где сидел мертвый пациент. Что-то ее тревожило, но она никак не могла понять, что именно.

Стоя на пороге, она обвела глазами убогое помещение — кровать, унитаз, раковина... и вдруг до нее дошло. В палате не было ни полотенца, ни умывальных принадлежностей, а на кровати отсутствовало покрывало. Как будто здесь никто и не жил.

Директор Грунд ждал за дверью коридора. Увидев Сару, он нервно поправил очки и развел руками, будто говорил: ну, убедились, что расследовать нечего?

— Где вещи жертвы? — спросила Сара.

— Какие вещи?

— Не знаю — полотенце, покрывало, сменная одежда, зубная щетка, мыло...

— Вынужден вам напомнить, инспектор, что это не обычная больница, — сурово взглянул на нее поверх очков профессор. — Нам приходится ограждать пациентов от любых возможностей совершить самоубийство. Мне это казалось само собой разумеющимся.

— Сектор А предназначен для пациентов, которые не представляют опасности ни для себя, ни для окружающих. Вы сами так сказали десять минут назад.

Ханс Грунд схватился за узел галстука и повел шеей. Его губы на секунду скривились в гримасе, но Сара не поняла, что это было — неловкость лжеца, пойманного на слове, или раздражение начальника, чье время попусту тратит дотошная сотрудница полиции.

— Верно, я так сказал. Но у нас тут не завод по конвейерному производству здоровых людей из психически больных. Вступив в должность директора «Гёустада», я счел своим долгом ввести гибкую систему правил, подходящих к каждому конкретному случаю, и сделал это с единственной целью, которой является благо моих пациентов. Четыре-Восемь-Восемь, как его здесь называли, нужна была спокойная, умиротворяющая обстановка, такая, как в секторе А, где больные не агрессивны. Однако порой у него обострялись суицидальные наклонности, и это нельзя было игнорировать. Так что в случае с ним я пошел на компромисс: сектор А, но палата как в секторе В.

Ханс Грунд, вопреки ожиданиям Сары, говорил настолько невозмутимо и уверенно, что его речь казалась вполне убедительной. К тому же Сара видела, как он утихомирил упрямца, не желавшего пить лекарство, и должна была признать, что, судя по всему, профессор искренне заботится о своих пациентах. Однако оставалось еще немало тревоживших ее вопросов.

— Вы упомянули прозвище пациента — Четыре-Восемь-Восемь. А как его звали на самом деле?

Грунд поморщился и смущенно потер подбородок.

— Гм... Вообще-то понятия не имею.

Видимо, у Сары на лице отразилось удивление, потому что профессор поспешил добавить:

— Понимаю, это действительно странно, но я объясню вам, в чем дело. Только не здесь, пожалуйста. Идемте в мой кабинет.

Они пошли обратно теми же коридорами.

— Видеокамеры установлены во всех палатах? — спросила Сара.

— Да, но запись мы не ведем из этических соображений. Уважаем частную жизнь пациентов, даже самых опасных.

— Почему сегодня ночью надзиратель не сумел до вас дозвониться?

— Я был в самолете. Возвращался с конференции по психиатрии, которая проходила в Соединенных Штатах. Так что не обессудьте — из-за смены часовых поясов пока еще плохо соображаю.

Они миновали узкий проход с застекленными дверями, ведущими во внутренний двор, и поднялись по винтовой лестнице на второй этаж. Теперь Саре почудилось, будто она и правда попала в XIX век, преодолев временной барьер, — вперед уходил коридор с потемневшим от времени деревянным паркетом, беленными известью стенами и высоким сводчатым потолком, с которого свисали люстры из кованого железа с плафонами в форме тюльпанов.

Директор открыл одну из многочисленных дверей в этом коридоре из другой эпохи и сделал приглашающий жест:

— Прошу вас.

Переступив порог, Сара постаралась сдержать возглас изумления.

Первым сравнением, пришедшим в голову, была королевская часовня. Напротив входа, в глубине кабинета, возвышался монументальный рабочий стол, достойный называться алтарем. За ним поблескивало узкое окно, обрамленное портьерами, которые прекрасно справились бы с ролью занавеса на сцене какого-нибудь театра. Над окном висело деревянное распятие, а дальше взгляд возносился к высокому потолку с крестообразными балками.

У левой стены, в алькове, устроенном между огромными книжными шкафами, стоял на дискосе серебряный потир[1]. Почетное место на правой стене было отведено картине, на которой сразу привлекал к себе внимание центральный персонаж — мертвенно-бледный голый человек был изображен спиной к зрителю; стоя в лодке, он погружал багор в темные воды реки. По сторонам от кормчего сидели две зловещие фигуры в длинных одеждах и с лицами, скрытыми в тени капюшонов.

---

[1] Д и с к о с и п о т и р — христианские литургические сосуды, блюдо на подставке и чаша на высокой ножке.

Обстановку дополнял шкаф из мореного дерева с дверцами, покрытыми затейливой резьбой; с того места, где стояла Сара, сюжет рельефов было не разглядеть.

В кабинете слабо пахло сигарами. Дымчато-снежный рассвет мешался с тусклым сиянием лампы под зеленым абажуром, стоявшей на рабочем столе. Директор зашагал к нему по мягкому ковру, расшитому мифологическими сюжетами. Он сосредоточенно смотрел себе под ноги, будто обдумывал речь.

— Вы верующая, госпожа инспектор?

«Ничего себе вопрос», — подумала Сара. Она пришла сюда не ради теологических дискуссий, однако боялась спугнуть профессора Грунда — пока он расположен к беседе, нужно ее поддерживать, чтобы выудить что-нибудь полезное, — поэтому решила ответить, но с привычной краткостью:

— Я думаю, опасно выбирать веру в ущерб стремлению к свободе.

Директор, только что усевшийся за стол и рассеянно вертевший в руках плексигласовый куб для фотографий, с удивлением вскинул голову:

— Должно быть, вы много читали и думали на эту тему, чтобы сформулировать такой емкий ответ.

— Разумеется. Но сейчас я бы с удовольствием почитала досье мертвого пациента.

— Да-да, конечно. Простите, я не зря упомянул про смену часовых поясов — голова совсем не работает... И должен вам признаться, эта внезапная смерть потрясла меня сильнее, чем кажется, но перед сотрудниками нужно было сохранять лицо.

Ханс Грунд поднялся и открыл резной шкаф. Теперь Саре удалось рассмотреть рельеф: с дверцы злобно гримасничали демоны и огорченно хмурились ангелы вперемежку. Директор достал с полки тонкую картонную папку и протянул ее Саре.

Не дожидаясь приглашения, она села в кресло около стола и, заправив рыжую прядь за ухо, склонилась над досье пациента 488.

В папке оказался всего десяток листов — отчеты о различных курсах лечения, направленных на снижение агрессивности, несколько примечаний о его необычной молчаливости и никаких упоминаний ни о личности пациента, ни о причине его помещения в психиатрическую больницу «Гёустад».

— Почему так мало записей? — спросила Сара.

Директор отвел глаза и откашлялся.

— Послушайте, буду с вами честен. Я не знаю, кто он, и никто о нем здесь ничего не знает. Поэтому личное дело такое тонкое.

— Но вы обещали все объяснить.

— Этот человек поступил в «Гёустад» тридцать шесть лет назад с полной ретроградной амнезией, сопровождавшейся параноидальным бредом. Его привезла полиция, как мне сказали, — он был задержан за агрессивное поведение на улице. При нем не было документов, и он не мог назвать своего имени.

Сара села поудобнее.

— Значит, за тридцать шесть лет ни о нем самом, ни о том, что с ним случилось, так ничего и не выяснилось?

Ханс Грунд покачал головой.

— И никто его не искал?

— Никто. Полиция довольно долго пыталась установить его личность по спискам пропавших без вести за несколько лет, но тщетно. Мы тоже разыскивали родственников или знакомых — никто не откликнулся. В общем, поскольку этот человек мог быть опасен для себя и окружающих, его оставили здесь. Вот такая печальная история — пришел один, без памяти, и умер в одиночестве, никто о нем не вспомнит.

— Откуда взялись шрамы у него на лбу? Вам они не кажутся странными?

— Я не сомневался, что вы об этом спросите. Шрамы уже были, когда его привезли. Но ни моему предшественнику на посту директора, ни мне так и не удалось узнать, что означают цифры. Пациент никогда не говорил, как они появились.

Сара могла бы удовольствоваться этими ответами, поехать в Главное управление полиции, дождаться отчета от судмедэксперта и закрыть дело с вердиктом «естественная смерть одинокого безымянного больного с амнезией». В конце концов, она здесь не для того, чтобы копаться в биографии жертвы и расшифровывать значение старых шрамов; ей всего лишь нужно выяснить, что произошло в палате — самоубийство, убийство или безвременная кончина от инфаркта. Однако просто необходимо было устроить директору хорошую встряску. Все, что он говорил, звучало вполне правдоподобно, вот только Саре хотелось выманить его из зоны комфорта — ей казалось, профессор Грунд чувствует себя слишком вольготно и со своего директорского поста видит в ней рядового сотрудника, от которого надо поскорее отделаться.

— Почему вы обгрызли ноготь до крови?

В глазах профессора мелькнула растерянность — Сара это заметила, хотя он сразу заморгал, сделав вид, будто у него болят глаза от быстро меняющегося освещения.

— Эта история может получить неприятные последствия, инспектор. Вам, так же как и мне, прекрасно известно, что долгие годы о «Гёустаде» ходила дурная слава. Одна из моих задач — создать больнице достойную репутацию, продолжив дело своего предшественника. А сегодня, выйдя из самолета, я узнал, что к нам приехала полиция, и с ужасом подумал, что инцидент наверняка будет предан огласке. Несколько броских заголовков в газетах — и все наши усилия пойдут прахом. — Он взглянул на обкусанный ноготь и пожал плечами. — Согласен, для директора психиатрической клиники это не лучший способ справиться с переживаниями, но все мы люди, в конце концов. У каждого свои слабости, верно?

Сара не знала, как отнестись к такому ответу, но продолжать разговор на эту тему уже не было сил. Так или иначе, придется ехать в управление, писать рапорт, а потом остаться наедине с собой и со своей собственной драмой. При мысли об Эрике она почувствовала, что сейчас опять начнется паническая атака, и уже собиралась распрощаться с директором, но в этот момент в наушнике прозвучал голос Тобиаса Ловструда:

— Инспектор Геринген!

— Слушаю вас.

Судмедэксперт говорил быстро и озабоченно, и сразу стало ясно почему. Выслушав его, Сара тоже занервничала.

— Поняла, сейчас спущусь.

Достав из заднего кармана рацию, она связалась с офицером Нильсеном и попросила его подойти к кабинету директора.

— Какие-то проблемы? — встревожился Грунд.

Сара, не удостоив его ответом, вышла в коридор дожидаться полицейского. Через минуту светловолосый гигант уже был на месте, и, приказав ему глаз не спускать с профессора до новых указаний, она поспешила на первый этаж.

* * *

Когда Сара в бахилах и перчатках снова вошла в палату, Тобиас и двое криминалистов уже уложили труп на каталку и собирались застегнуть патологоанатомический чехол.

— Надеюсь, вы не ошиблись, — сказала Сара.

Судмедэксперт поблагодарил криминалистов за помощь, и те разошлись паковать свое оборудование.

— Я делаю выводы, только когда не сомневаюсь в предпосылках, инспектор. Мне самому не верится, но таковы факты: тело жертвы сюда перенесли.

Сара машинально взглянула туда, где недавно сидел мертвый старик.

— Почему вы так думаете?

— Потому что расслабление сфинктера мочевого пузыря post mortem[1] произошло в другом месте. Можете сами убедиться: штаны жертвы пропитаны мочой, но ни на полу под ним, ни где-либо еще в этой палате следов мочи не обнаружено. А судя по пятну на штанах, лужа должна была натечь приличная. Старик умер не здесь. Его сюда принесли через несколько минут после смерти.

Сара выхватила из кармана парки рацию.

— На связи инспектор Герринген. Всем офицерам полиции приказ никого не выпускать из больницы и никого не впускать. Офицер Дорн, вызовите подмогу, надо усилить охрану места преступления. Офицер Нильсен, оставайтесь с директором, не отходите от него ни на шаг.

В наушнике затрещало, и раздались голоса:

— Офицер Дорн. Вас понял.

— Офицер Нильсен. Вас понял.

— Офицер Сольберг. Принято.

Сара снова взглянула на судмедэксперта:

— Вы проверили следы удушения? Это пальцы жертвы, как и утверждает надзиратель?

Тобиас приподнял подбородок мертвеца, чтобы лучше была видна шея.

— Вот эти отметины — от мизинца и указательного пальца правой руки. Если бы его душил кто-то другой, синяки были бы расположены иначе. Он действительно...

---

[1] После смерти (*лат.*).

— Пытался сам себя задушить голыми руками, — подхватила Сара. — Но кто-то мог убить старика, а потом инсценировать суицид, прижав его руки к шее, чтобы остались отпечатки.

— Замысловато, но возможно. Однако доказать это вряд ли удастся — криминалисты сказали, на теле пациента нет никаких следов, кроме этих. Ни на руках, ни на шее. Так что версия весьма маловероятная.

У Сары в голове закружились вопросы. Прежде всего требовалось ответить на главный: если тело жертвы переместили, значит, хотели что-то скрыть, но зачем тогда было вызывать полицию? Она вспомнила слова Дорна о том, что санитары и надзиратель пребывали в смятении, когда приехал патруль. Все трое суетились и мямлили, как будто... Внезапно она поняла: надзиратель поднял тревогу по глупости. Он не должен был этого делать, потому что другие сотрудники больницы собирались скрыть смерть пациента. Вот почему показания Гроста изменились к моменту приезда офицера Дорна.

Но где же старик умер?

— План действий меняется, — сказала Сара судмедэксперту. — Чтобы сэкономить время, сделайте все приготовления для токсикологического анализа прямо здесь, пока мы ждем машину для перевозки, а как только тело окажется в лаборатории, приступайте к вскрытию, я даю разрешение. Результаты нужны как можно скорее. И не забудьте заняться шрамами на лбу — постарайтесь узнать о них побольше.

— Постараюсь.

Сара снова включила рацию.

— Офицер Дорн, где сейчас находятся двое санитаров и ночной надзиратель?

— В старом секторе В. Выйдите из сектора А, и направо.

— А директора вы не арестуете? — поинтересовался Тобиас.

На подобные вопросы Сара никогда не отвечала, но судмедэксперт был ей симпатичен.

— Во-первых, я не уверена, что Ханс Грунд в курсе этой инсценировки. А во-вторых, он очень умен и, если все же замешан в убийстве, едва ли быстро расколется. Слабое звено нужно искать среди его сотрудников.

Сара вышла из палаты. На обратном пути по коридору она ускорила шаг и неожиданно заметила, что температура воздуха повысилась, как будто в больнице все отопительные приборы включили на максимум. Пришлось снять парку и подвернуть высокий ворот свитера. У выхода из сектора А уже трудно было дышать, она махнула электронным пропуском по считывающему устройству, шагнула в открывшийся проем и чуть не столкнулась с офицером Дорном, отпрянув в последний момент.

— Инспектор, вы хорошо себя чувствуете? — озабоченно нахмурился он.

Не похоже было, что ему жарко, значит, тревожное состояние, которое она пыталась подавить психическими средствами, проявилось физически — ее бросило в жар не от причуд отопления. Сара с сомнением подумала, уж не переоценила ли она себя, взявшись за расследование сразу после того, что случилось между ней и Эриком. Чтобы скрыть смятение, она отвернулась, заправляя за уши непокорные волосы.

— Где свидетели?

— Каждый из троих в отдельной палате дальше по тому коридору. Офицер Сольберг их сторожит.

Сара свернула в указанном Дорном направлении.

Стены в старом секторе В были выкрашены в противный грязно-зеленый цвет, местами краска облупилась, на полу лежали клубы пыли, отчетливо пахло плесенью. Офицер полиции Сольберг оказался совсем молоденьким; он стоял посреди коридора с грозным видом, заложив руки за спину.

— Кто где? — лаконично спросила Сара.

— Санитар Элиас Лунде в первой комнате. Леонард Сандвик во второй. Аймерик Грост, ночной надзиратель, в третьей, — отрапортовал Сольберг.

Один из этих троих, а скорее все трое были замешаны в перемещении трупа. Зачем им это понадобилось? Хотели скрыть медицинскую ошибку, как Сара уже сказала директору, и действовали по своей инициативе? Или выполняли распоряжение Ханса Грунда? С какой целью?

Поблагодарив офицера Сольберга, она быстро проанализировала ситуацию. Несомненно, слабым звеном в этой троице должен оказаться ночной надзиратель. Старшие товарищи ему, конечно же, объяснили, что он совершил большую ошибку, преждевременно позвонив в полицию, и наскоро сочинили байку для протокола. Сейчас он наверняка уже взвинчен до предела и лихорадочно пытается увязать то, что наболтал по телефону, с тем, что ему велели говорить прибывшим полицейским, в более или менее логичный рассказ. Вероятность того, что парень расколется, очень высока.

Сара без стука вошла в третью комнату. Молодой человек лет двадцати пяти с короткими кудрявыми волосами сидел за пластмассовым столиком, обхватив руками голову. Неожиданное вторжение заставило его вздрогнуть; на Сару уставились настороженные круглые глаза.

— Имя, фамилия, возраст? — отрывисто произнесла она, усевшись напротив на ржавый металлический стул и рассматривая юное, еще не совсем оформившееся лицо.

— Э-э... Аймерик Грост, двадцать шесть лет.

— Я вас слушаю.

— Ладно... А с чего начать?

Сара пожала плечами.

— Ну, это... — заговорил Аймерик, — в общем, сегодня ночью на экране видеонаблюдения я заметил, что происходит какая-то ерунда — один пациент, тот, который умер, вцепился себе в горло обеими руками и орет. Ну, то есть крика не слышно было, но рот разинут. А потом он так разинутым и остался. Я подумал — трындец старику. Позвонил санитарам — они не ответили. Набрал директора, а он недоступен. Тогда... ну, я слегка запаниковал и решил следовать инструкциям, как нас на курсах учили. Позвонил в полицию и сказал, что видел, как у нас один пациент наложил на себя руки. Ну, он ведь держался руками за шею, понимаете? — Парень замолчал, ожидая реакции инспектора, но не дождался и, гулко сглотнув, подытожил: — Вот.

Пауза затягивалась. Аймерик поерзал на стуле, который в ответ противно заскрежетал.

— Господин Грост, я настоятельно советую вам сказать правду. Мы имеем дело с тем, что все больше и больше походит на замаскированное убийство, поэтому должна вас предупредить: если вы к этому причастны и если выяснится, что вы солгали полиции, самые лучшие годы жизни вам придется провести в тюрьме.

— Я... я рассказал все как было! Честное слово, ничего не выдумал!

— Как отнесся директор к тому, что вы позвонили в полицию?

— Он сказал, я правильно поступил, хотя, по его мнению, толку от этого никакого, потому что у пациента был обычный инфаркт.

— Вас угрозами заставили солгать мне?

— Что?! Я не лгу, клянусь вам! Почему вы так говорите? — Парень вскочил из-за стола, изображая праведный гнев. — Я честно рассказал, что видел! И я не идиот! Вы хотите, чтобы я в чем-то признался, но я ничего плохого не сделал!

— Ладно, ладно, Аймерик. Вы правы, извините меня. Постараюсь вас больше не злить, — улыбнулась Сара, довольная, что довела уровень нервозности свидетеля до нужного градуса.

Молодой надзиратель перевел дух и плюхнулся на стул в полной уверенности, что худшее уже позади.

— Буду с вами откровенна, Аймерик, — продолжила Сара доверительным тоном, — я подозреваю во лжи вовсе не вас, а санитаров Элиаса Лунде и Леонарда Сандвика. Мне кажется, они вас обманули... и полицию тоже.

— Ну, тут уж я не знаю. Не могу вам сказать.

— Конечно... А вы не замечали в их поведении ничего странного? Вы же сидите в комнате с экранами видеонаблюдения и знаете обо всем, что происходит по ночам в больнице. Может, вам на глаза попадалось что-то такое...

— Я тут недавно работаю, а эти санитары не всегда дежурят ночью. Но вообще я ничего подозрительного не видел.

— А с пациентом, который умер, вы были знакомы?

— Нет... Знаю только, что его тут называют Четыре-Восемь-Восемь из-за шрамов на лбу.

— И вы никогда не заходили в палаты к больным?

— Только не к тем, кого держат в секторе С, туда соваться опасно.

В секторе С. Сара затаила дыхание. Профессионального опыта ей хватило, чтобы не выдать свою реакцию на только что услышанное от Аймерика. Сам он, похоже, пока не заметил своей ошибки.

— А что, в секторе С пациенты такие уж буйные, несмотря на лечение?

— Ну, так про них говорят.

— А сколько их там, в секторе С?

— Их... — Аймерик Грост вдруг осекся и, смертельно побледнев, уставился на Сару. В глазах парня был страх. Он понял, что проговорился: предполагалось, что пациент 488 умер в палате сектора А. За страхом последовала паника. Аймерик вскочил, бросился к двери, но она оказалась запертой.

Сара, поднявшись, молча подошла к нему.

— Клянусь, я ничего не сделал, — забормотал молодой надзиратель. — Это они велели мне соврать. Но я не знаю, что там произошло на самом деле! Ничего не знаю!

Сара достала из заднего кармана наручники и надела их парню на запястья.

— Весьма сожалею, Аймерик. Офицер Сольберг!

Надзиратель разрыдался. Сара, передавая его из рук в руки вошедшему полицейскому, сказала:

— Назовите мне номер палаты пациента Четыре-Восемь-Восемь в секторе С.

— Я... я не знаю...

— Аймерик, поздно юлить. Так или иначе вы пойдете под суд. Вопрос только в том, насколько суровым будет приговор. Чем больше вы мне сейчас расскажете, тем лучше для вас.

— Кажется... кажется, старик был в палате С32, недалеко от Янгера. Но он мог умереть из-за того, что с ним делали в другом месте.

— В смысле?

— За ними с Янгером приходили каждую ночь. Они кричали, что не хотят никуда идти, но их утаскивали силой. Может, старику стало плохо там, куда их отводили. Только вот я не в курсе, на том этаже нет камер.

— Кто приходил за Янгером и стариком?

— Не знаю, я должен был выключать видеонаблюдение в секторе С в определенное время. Пожалуйста, поверьте, я больше совсем ничего не знаю! Вы скажете судье, что я сотрудничал со следствием?

Сара коротко кивнула в ответ и обратилась к Сольбергу:

— Отвезите господина Гроста в Главное управление и заключите под стражу. Я потом его еще раз допрошу.

Она стремительно вышла из комнаты, на ходу вызвав по рации офицера Нильсена и приказав ему вместе с директором прийти к сектору С. Затем туда же отправила криминалистов, попросив снова распаковать оборудование.

Закончив отдавать распоряжения, Сара почувствовала, что совсем выбилась из сил, и на несколько секунд прислонилась к стене коридора. Ее вдруг охватила слабость, ноги отказывались идти дальше. Она попыталась собраться с духом: «Нельзя впадать в истерику... Только не сейчас!»

Глава 4

Сара подошла к бронированной двери сектора С. Двое криминалистов уже были на месте, и теперь ей удалось рассмотреть их лучше — оба были в комбинезонах с откинутыми капюшонами, медицинские маски болтались на шее. Худой брюнет с очень строгим видом стоял рядом с женщиной лет тридцати, которая пристально смотрела на инспектора. Неужели заметила, как у нее трясутся руки, до того как Сара успела засунуть их в карманы джинсов?

Пока они ждали офицера Нильсена и директора, у Сары пискнул мобильный — пришло сообщение.

«*Привет, сестрица. Ты не забыла, что у Мойры сегодня пятый день рождения? Ждем вас к семи часам. Я тебя люблю. До вечера!*

P. S. В аттаче фотка, которую я недавно нашла. На ней тебе тоже пять лет!»

В надежде, что это поможет справиться с дурнотой, она увеличила прикрепленный к тексту снимок. На экране появились мордашки двух рыженьких девочек в веселом свете пяти свечей на торте. Прижавшись щека к щеке, девочки собирались задуть огоньки, но не выдержали и прыснули от смеха и теперь хохотали, показывая молочные зубы.

Сара тут же пожалела о том, что открыла снимок, — паническая атака накатывала мощной волной, и уже не было ни энергии, ни времени справиться с ней.

— Ваши дочки? — спросила криминалист.

Ее голос прозвучал словно сквозь вату. Сара почувствовала покалывание в кончиках пальцев рук и ног, все вокруг показалось вдруг чуждым, незнакомым, ее охватило парализующее ощущение катастрофы, страшного поражения, в которое превратилась взрослая жизнь, столь далекая от детских мечтаний.

В горло как будто воткнули металлический прут, перекрывший дыхание. Высоко держа голову, Сара ринулась к тому коридору, из которого вышла, — в суматохе истерических мыслей она вспомнила, что проходила там мимо туалета. Опасение грохнуться в обморок под ошеломленными взглядами криминалистов и вот-вот подоспеющих Нильсена с директором придало ей сил. Но дверь коридора, в который она хотела вернуться, в этот момент открылась, и в проеме возникла высокая фигура профессора Грунда; за ним маячили широкие плечи полицейского.

— Может, вы наконец объясните, что происходит? — раздраженно спросил Грунд.

Не обратив на него внимания, Сара промчалась мимо, отыскала дверь туалета, бросилась в первую же кабинку, захлопнула створку и, дернув задвижку, опустилась на крышку унитаза. Плотно сжав губы и размеренно дыша через нос, попыталась унять сердцебиение, но грудь разрывалась от боли. В ушах громыхали крики Эрика: «Все кончено, Сара! Мы сами все испортили! Наш брак превратился в чертов проект по зачатию ребенка!» Так муж оправдывался за измену и за то, что решил ее бросить.

Да, возможно, она слишком хотела ребенка и забыла обо всем остальном. Она так яростно сражалась со своим телом и укрепляла дух, чтобы не дрогнуть в этом испытании, что для Эрика у нее уже ничего не оставалось. Но она всегда готова была его выслушать и попытаться понять. Всегда. Так почему же он не поделился с ней собственными переживаниями до того, как сделалось слишком поздно?

В глубине души Сара знала ответ на этот вопрос, и боль стала еще острее. Не поделился просто потому, что не видел необходимости.

— Инспектор, у вас все хорошо? — донесся из коридора зычный голос офицера Нильсена.

Сара перепугалась, что ее застанут в таком психологическом раздрае, и от страха в голове слегка прояснилось. В хаосе эмоций мелькнула разумная мысль: работа — последнее, что ей еще дорого в жизни, остается лишь ухватиться за нее, как потерпевший кораблекрушение мореход хватается за обломок мачты.

— У вас точно все в порядке? — не отставал полицейский.

— Не отходите от директора!

— Слушаюсь!

Через три минуты Сара, опустошенная, но внешне невозмутимая, вернулась к бронированной двери. Криминалисты, офицер Нильсен и директор дружно уставились на нее. Она не дала им времени на расспросы.

— Профессор, кто находится в секторе С?

— В секторе С?..

По обыкновению Сара не стала повторять то, что собеседник и так прекрасно слышал. Она молча ждала ответа.

— Я, кажется, уже говорил, что там мы содержим пациентов, которые считаются опасными для общества. Сейчас в этом секторе только один человек, и вы с ним знакомы лучше, чем я. Его зовут Эрнест Янгер. Он еще спит, ему назначен очень... интенсивный курс лечения.

— Номер его палаты?

— С27. Вы что, хотите осмотреть сектор С? Зачем? Вы разбудите пациента, а его не так-то просто утихомирить, знаете ли!

Сара провела электронным пропуском по считывающему устройству. Над дверью зажглась зеленая лампочка, раздался металлический щелчок, и бронированная створка открылась.

— Вы пойдете со мной, — бросила Сара директору.

Она вошла в коридор сектора С первой; Грунд, качнув головой, двинулся следом, за ним — Нильсен, не спускавший глаз с директора, и криминалисты.

Коридор без окон, выстеленный резиновым линолеумом, слабо освещали неоновые лампы. Сара насчитала шесть палат, больше похожих на камеры; на каждой двери стояла буква «С», сопровождавшаяся цифрами. В углу потолка над входом в коридор торчала камера видеонаблюдения.

У двери с табличкой «С27» Сара остановилась и подняла задвижку смотрового глазка.

Помещение было меньше, чем палаты в секторе А, и в нем, как и в коридоре, не было окон. Голая лампочка под потолком бросала резкий, холодный свет на умывальник, унитаз, стол, стул и привинченную к правой стене койку. На койке, уткнувшись лбом в стену, лежал худой светловолосый мужчина. При воспоминании о том, на какие зверства способен этот хрупкий, изящный человек, Сара поежилась.

— Любуетесь старым знакомцем? — шепнул у нее за спиной директор.

Сара резко опустила задвижку и пошла дальше по коридору.

— Здесь больше никого нет, — бросил ей в спину Грунд. — Как я уже говорил, Янгер — единственный пациент в этом секторе.

Сара шагала вперед, не оборачиваясь.

— Откройте эту дверь, — указала она на камеру с табличкой «С32».

Директор схватился за узел галстука, и на этот раз было ясно, что он пытается скрыть волнение. Кроме того, властное лицо заметно побледнело.

— Зачем? Там пусто.

Сара, вместо ответа, посмотрела на часы.

Грунд, нервно облизнув губы, достал из кармана связку ключей, вставил один из них в замок и два раза повернул, после чего со вздохом толкнул дверную створку.

Внутри было темно. Попросив у криминалистов еще пару перчаток и бахилы, Сара щелкнула выключателем, который обнаружился слева от входа в палату-камеру, и ошеломленно замерла.

Каждый квадратный сантиметр выбеленных стен был покрыт граффити: крошечные черные символы неопределенных очертаний сталкивались, налезали друг на друга, водили хороводы в головокружительном графическом хаосе. Как будто палату наводнили полчища неведомых паразитов и застыли на стенах, готовые к бою.

Сара затянутым в перчатку пальцем провела по стене, вглядываясь в замысловатый узор и пытаясь различить в нем какие-нибудь привычные формы, но видела лишь нагромождение пятен и загогулин.

— Мне нужны фотографии всей разрисованной поверхности стен. — Она посмотрела на пол. — И поищите здесь следы мочи.

Криминалисты, надев капюшоны и маски, вошли в палату и занялись делом.

— Что означают эти рисунки? — спросила Сара директора.

— Понятия не имею. Их автор — пациент, когда-то занимавший эту палату. Его тут давно нет.

Саре даже не нужно было оборачиваться, чтобы почувствовать, как он занервничал.

— Почему вы же вы не покрасили стены?

— Когда-нибудь этим займемся. Как я уже сказал, почти весь сектор С пустует, а у меня не хватает персонала, чтобы навести тут порядок. У нас пока другие приоритеты.

— Он умер здесь?

— Что?..

Сара, покосившись на офицера Нильсена, удостоверилась, что гигант не зевает и готов задержать директора, если тот попытается удрать.

— Я знаю, что пациента Четыре-Восемь-Восемь держали в этой палате. Почему вы хотели нас убедить, что он умер в секторе А?

— Да что вы несете?! — вспылил директор. — Четыре-Восемь-Восемь действительно жил здесь, но два дня назад мы перевели его в сектор А, поскольку пришли к выводу, что он больше не опасен.

— Куда Янгера и Четыре-Восемь-Восемь отводили по ночам? Что вы с ними делали?

Директор остолбенело уставился на нее:

— О чем вы говорите?

— Отчего на самом деле умер старик, у которого, как вы утверждаете, случился инфаркт? Зачем вы перенесли тело в другую палату? Хотели скрыть эти рисунки? Почему?

— Так, послушайте, инспектор, раз уж вы решили дать волю своему воображению, начиная с этой минуты я буду отвечать на вопросы о покойном пациенте только в присутствии адвоката.

Сару это заявление не удивило.

Она вышла из палаты, сделав офицеру Нильсену и директору знак следовать за ней, и остановилась у двери с табличкой «С27».

— Почему вы поместили Янгера в этот сектор, господин Грунд? Потому что здесь охрана надежнее или есть другая причина?

Профессор раздраженно фыркнул:

— Какие еще причины вам нужны? Позвольте напомнить, что Эрнест Янгер изнасиловал и замучил десяток женщин в машине скорой помощи несколько лет назад. Страдания каждой из них перед смертью длились пять дней. Так что да, он в этом секторе, потому что здесь охрана надежнее. И других причин нет. К чему вы клоните?

— Когда он должен проснуться?

— Не знаю... Часа через три-четыре. А что?

Сара не ответила, с удовлетворением наблюдая, как в поведении и выражении лица директора все отчетливее проступает страх.

— Послушайте, как бы там ни было, я должен вас предупредить, что Янгер все еще очень агрессивен, несмотря на лечение. Зачем он вам понадобился?

— Он знал пациента Четыре-Восемь-Восемь и мог видеть или слышать то, что поможет нам прояснить обстоятельства смерти. Кроме того, у Янгера, в отличие от вас, нет причин меня обманывать. Открывайте дверь.

Коренастый санитар с массивной шеей и оттопыренными ушами вышел из палаты Эрнеста Янгера, вытирая пот со лба.

— Пациент проснулся. Смирительная рубашка надета, — доложил он и шумно перевел дух.

Ханс Грунд шагнул к Саре:

— Инспектор Геринген, Янгер не впадает в буйство только потому, что ему колют успокоительное и он уже несколько лет не видел женщин. Не провоцируйте его. И позвольте мне вмешаться, если я замечу, что он начинает терять контроль.

— Офицер Нильсен, проводите господина директора в его кабинет и оставайтесь с ним до моего возвращения. — Сара взялась за дверную ручку. — Я не хочу, чтобы он был здесь.

— Простите, вы серьезно? — Грунд схватил ее за локоть, но, получив в ответ пристальный, тяжелый взгляд, тотчас отдернул руку и попятился.

Сара, еще раз смерив его взглядом, вошла в палату и чуть не задохнулась от острого запаха пота, смешанного с парами эфира. Пациент по имени Эрнест Янгер неподвижно лежал на койке в позе эмбриона спиной к посетительнице. Длинные, обернутые вокруг корпуса рукава смирительной рубашки были завязаны на животе.

— Привет, Эрнест.

Пациент медленно повернулся на голос, и она снова увидела лицо, которое так потрясло ее при первой встрече. Чудовище обладало задорной мальчишеской внешностью — нежная розовая кожа, золотистые кудри, округлые щечки. Почти ангел.

Он смотрел на Сару и улыбался, демонстрируя щель между передними зубами, придававшую ему совсем уж невинный и простодушный вид. Янгер был похож на деревенского парня, который всю жизнь провел на свежем воздухе и не боится разрушительного действия времени.

Сара опустилась на привинченный к полу стул за низким столиком в двух метрах от койки и закинула ногу на ногу.

Янгер не отрывал от нее взгляда. Вначале Сара увидела в его глазах привычный мужской интерес — на нее так смотрели многие. Но через секунду он перестал сдерживаться, и глаза полыхнули хищной похотью.

Янгер, неуклюже приподнявшись, сел на краю койки, покусывая нижнюю губу.

— Эрнест, вы знакомы с пациентом из палаты С32?

Он задумчиво уставился в потолок, будто припоминая.

— Инспектор Гериген... До чего ж непредсказуема жизнь! Вы и представить не можете, какое удовольствие доставили мне своим неожиданным визитом!

Сара прекрасно понимала, что может означать слово «удовольствие» в устах этого извращенца.

— Я здесь не по вашу душу, Эрнест.

— Да что вы? Какая жалость, а я уж думал, посидим, с наслаждением вспомним наше общее прошлое, — промурлыкал Янгер, откровенно раздевая ее взглядом.

Несмотря на весь свой опыт, Сара поморщилась от отвращения — то, что сейчас делал Янгер, на ее профессиональном языке называлось «визуальным изнасилованием».

— Я пришла поговорить о пациенте, которого здесь называли Четыре-Восемь-Восемь. Вы его знали?

— Четыре-Восемь-Восемь? О да, еще бы... А почему вы говорите о нем в прошедшем времени? — жизнерадостно поинтересовался Янгер.

— Он умер, — сказала Сара. — Вы были друзьями?

— Умер? Ну надо же! А что с ним случилось?

— Пока неизвестно. Но вы могли бы нам помочь. Вы хорошо его знали?

— Мы были добрыми приятелями, хотя за четыре года он не сказал мне ни слова.

— Четыре-Восемь-Восемь был здесь этой ночью?

— Да. И как всегда, кричал. Своим особенным криком, жутким таким... Реально жутким. Вам ли не знать, что уж я-то к крикам привычный, всяких наслушался. Но поверьте, оттого, как вопил этот старик, даже меня до печенок холод пробирал.

— Он кричал каждую ночь? Вы знаете почему?

— Может, и знаю. — На этот раз в улыбке Янгера не было ничего невинного, но в следующую секунду его лицо снова стало по-мальчишески обаятельным.

— Господин Янгер, — жестко сказала Сара, — что вам известно о пациенте Четыре-Восемь-Восемь?

— Вы, наверное, желаете знать, кто его убил?

— Убил? Вы считаете, это было убийство?

— Хочешь меня расколоть, сука легавая?! — вдруг заорал Янгер.

Сара машинально отпрянула, сердце отчаянно заколотилось. Подобного поведения надо было ожидать, и все же внезапная вспышка ярости у серийного убийцы, который прежде казался вполне безмятежным, застала ее врасплох. Она решила зайти с другой стороны:

— Эрнест, я знаю, что каждую ночь вас и Четыре-Восемь-Восемь куда-то уводили и, вероятно, делали что-то плохое. Расскажите мне об этом — возможно, я сумею вам помочь.

— Его убил черный сон. Я следующий.

— Черный сон? Что это такое?

Янгер оскалился, втиснув язык в щель между зубами, и все его лицо перекосилось от бешенства.

— Тебя я тоже вылечу, сука! — прорычал он и резко вскочил, будто в тощем теле рывком распрямилась пружина.

Сара с трудом заставила себя усидеть на месте.

— Вылечу, как остальных баб! Поиграем с тобой в больничку в моей «скорой»! — Его лицо разгладилось, оскал вновь сменился ангельской улыбкой. Янгер тихонечко опустился обратно на койку. — Не волнуйтесь, госпожа Геринген, курс лечения будет очень эффективным, вы поправитесь, — ласково заверил он и посмотрел с сочувствием санитара.

В свое время Сара не раз допрашивала Янгера и уже сталкивалась с такими припадками безумия, поэтому знала, что нельзя показывать свою растерянность и упускать инициативу в разговоре.

— Эрнест, что такое «черный сон»?

— Директор не тот, за кого себя выдает, — гневным шепотом сообщил Янгер. — Он главный сумасшедший во всей психушке.

Сара мысленно подобралась. Она слышала шумное дыхание убийцы, отмерявшее время, как обратный отсчет.

— Что с вами делал профессор Грунд?

— Ты меня любишь?

— Эрнест, только я могу избавить вас от страданий, которым вы тут подвергаетесь. Давайте не будем тратить время впустую.

— Никто меня не любит. И не любил никто, вот и приходилось заставлять их признаваться в любви. Так здорово было слышать, как они шепчут ласковые словечки всего через несколько минут после того, как прошли мимо меня по улице, даже не удостоив взглядом.

— А теперь директор вас самого заставляет делать то, что вам не нравится, верно?

— За дурака меня держишь? Я же вижу: ты тут добренькую разыгрываешь, чтобы меня расколоть, а как только получишь то, за чем пришла, свалишь отсюда и думать обо мне забудешь, как те, другие. Поэтому знаешь что? Раздевайся! И скажи, что ты меня любишь. — Теперь Янгер смотрел исподлобья, шарил взглядом по всему ее телу, почти прижав подбородок к груди; его дыхание стало тяжелым и прерывистым.

— Эрнест, я не такая, как другие. У меня есть обыкновение выполнять свои обещания. И если я сказала, что смогу избавить вас от страданий, значит, и правда смогу. Помогите мне, и я даю слово, что помогу *вам*. Почему вы сказали, что директор — сумасшедший?

— Раздевайся! — выпалил Янгер, засучив ногами.

Сара, немного поколебавшись, медленно подвернула рукава свитера на несколько сантиметров, открыв запястья; тонкую, почти прозрачную, молочно-белую кожу на них густо усеивали веснушки.

Янгер вытаращил глаза.

— Что он с вами делал? — невозмутимо повторила Сара.

— Еще! Подними повыше!

— Если хотите увидеть больше, сначала ответьте на вопрос.

Психопат озверело застучал пяткой в пол.

— Не со мной, с Четыре-Восемь-Восемь! Ему ставили укол, я видел, а потом увозили куда-то смотреть черный сон — старик сам так говорил. И после этого он разрисовывал стены!

— Вы знаете, с какой целью директор проводил над ним опыты?

У Янгера начался нервный тик — задергались веко и уголок рта; он все сильнее впивался зубами в нижнюю губу.

— Если хочешь, чтобы я что-нибудь сняла, будь умничкой и расскажи мне все, что знаешь, — проворковала Сара.

Взгляд убийцы затуманился — он погрузился в фантазии, о которых ей страшно было даже думать, глухо рычал и перебирал ногами, будто сдерживал желание наброситься на нее.

— Янгер...

— Ты мне все равно не поверишь!

— Говори! — Сара впервые повысила тон.

— Снимай всё! — рявкнул Янгер, в котором уже не осталось ничего от наивного мальчишки. Он задергался в смирительной рубашке и принялся раскачиваться всем корпусом вперед-назад.

— Что за эксперименты ставил директор на пациенте Четыре-Восемь-Восемь? Ты знаешь что-то конкретное? — спросила Сара, покосившись на дверь.

— Знаю только, что для его экспериментов нужен был именно Четыре-Восемь-Восемь, больше никто не годился. Это всё!

И тут Янгер прыгнул на Сару. Она вскочила в то же мгновение, увернулась, и убийца, налетев на привинченный стул, грохнулся на пол. Сара схватила его под мышки, вздернула на ноги, впечатала в стену и прижала голову, расплющив щеку.

— Остынь, Янгер. Сейчас я выйду из палаты, а ты будешь тихонечко стоять здесь, пока за мной не закроется дверь. Ясно тебе?

Он захрипел в знак согласия. Сара чуть ослабила захват.

— Не переживай, рыженькая. Больше всего на свете я хочу, чтобы над Хансом Грундом кто-нибудь поиздевался так же, как он издевался над нами. Отомсти ему за меня, ага?

Когда Сара, отпустив его, отошла назад, Янгер сполз по стене на пол и вскинул на нее голубые глаза обиженного ребенка:

— Вот было бы здорово пообщаться с тобой у меня в «скорой». Уж ты-то не стала бы визжать и хныкать, как те сучки.

Сара медленно попятилась к выходу. Нащупала за спиной дверную ручку, подергала ее — створку тотчас распахнули с другой стороны. Как только она выскочила в коридор, коренастый санитар поспешно захлопнул дверь и запер замок. Офицер Сольберг таращился на инспектора так, как будто она вернулась с того света.

— Подкрепление уже прибыло? — спросила Сара.

— Нет еще.

— Тогда оставайтесь здесь, пока вас не сменят.

Она связалась по рации с Нильсеном, который поднялся на второй этаж вместе с директором.

— Ханс Грунд может оказаться опасен, будьте с ним осторожны, офицер. Я сейчас приду.

— Вас понял.

К директорскому кабинету Сара почти бежала. Взлетела по винтовой лестнице, промчалась по коридору и только потянулась к дверной ручке, как створка распахнулась изнутри от удара ногой. Сара от неожиданности дернулась назад, пошатнулась, чуть не упав. Прямо перед ней мелькнуло лицо Ханса Грунда — он бросился к лестнице. Едва удержав равновесие, Сара выхватила из кармана рацию.

— Всем офицерам! Грунд бежит к сектору А! Он опасен и, возможно, вооружен!

Она заглянула в кабинет — офицер Нильсен сидел на полу, привалившись к книжному шкафу и держась рукой за голову; из-под ладони текла кровь. Рядом с ним валялся увесистый плексигласовый куб для фотографий, угол которого тоже был испачкан кровью. Офицер сделал знак, что с ним все в порядке, и Сара с облегчением кинулась догонять Грунда, на бегу проговорив в рацию:

— Пошлите кого-нибудь в кабинет директора! Офицер ранен!

Отличная физическая подготовка сделала свое дело — прыгая через две ступеньки, она услышала внизу, совсем рядом, топот и тяжелое дыхание, а с последней ступеньки соскочила в тот момент, когда Ханс Грунд исчезал за дверью под лестницей. Оттолкнув не успевшую закрыться створку локтем, Сара помчалась по длинному грязному коридору. Профессор был всего в десятке метров от нее. Он вдруг остановился и обернулся, засовывая руку во внутренний карман пиджака.

Только тут Сара вспомнила, что оставила пистолет в машине.

ГЛАВА 5

Сара приготовилась уворачиваться от пуль. Но Ханс Грунд достал из кармана не оружие, а ключ, присел на корточки, вставил его в замочную скважину в полу, рывком откинул крышку люка и исчез в проеме. Рванувшись вперед, Сара последние метры проехала по полу, одну ногу подогнув под себя, другую вытянув вперед, и успела подсунуть ступню под опускавшуюся крышку. Откинув ее, осторожно заглянула в люк — директор как раз спрыгнул с последних перекладин вертикальной лестницы, задрал голову, увидел преследовательницу и в следующую секунду исчез из поля зрения. Сара, быстро спустившись по ступенькам, очутилась в подвале с бетонными стенами, тускло освещенном красной аварийной лампой под потолком. Фигура директора маячила впереди; оттуда раздался скрежет замка.

Из открытого дверного проема, в который устремился Ханс Грунд, в коридор пролился бледный свет. Сара ринулась туда, ударом ноги отбила створку, которая закрывалась за директором, и, пригнувшись, заглянула в помещение.

В центре стояли две пустые больничные каталки; с их металлических бортиков свисали кожаные ремни с пряжками. В изголовье каждой каталки на подставках поблескивали замысловатые аппараты с циферблатами и пучками проводов.

Сара успела осмотреться краем глаза, но все ее внимание было приковано к директору — тот замер в левом дальнем углу помещения у шкафа с распахнутыми стеклянными дверцами. Все-таки оружия у него не было — иначе давно бы в нее выстрелил.

— Не двигайтесь! — приказала Сара и сделала шаг вперед.

Грунд, что-то пробормотав сквозь зубы, внезапно протянул руку в шкаф и дернул за рычаг устройства, стоявшего на полке.

Что это за устройство, Сара поняла слишком поздно.

Оглушительно грянул взрыв, и в воздух выплеснулись клубы огня.

Сара бросилась на пол. По спине и затылку прокатилась жаркая волна, в ушах адски загудело. Кислорода уже не хватало, она думала, сейчас загорится одежда, но все же, закрывая лицо предплечьем, подняла голову, чтобы оглядеться. В лицо дохнуло как из пекла — стены комнаты были охвачены пламенем. Где-то вдалеке захлебывалась воем сирена пожарной сигнализации, но автоматическая система тушения огня не сработала — Ханс Грунд все предусмотрел.

Изогнувшись на полу, Сара обернулась и различила в дыму позади дверной проем. В коридор огонь еще не перекинулся. Директор лежал в углу, возле шкафа, лицом в пол. Инстинкт самосохранения приказывал ей немедленно развернуться и ползти к выходу, но чувство долга победило: Сара, пригибаясь, добралась до неподвижного Грунда, перевернула тяжелое тело, ухватила под мышки и, пятясь, поволокла за собой.

Она сделала всего несколько шагов — начался приступ кашля, пришлось остановиться. Воздух обжигал лицо, дым лез в глаза и не давал дышать. Сара пригнулась ниже — над полом еще оставался кислород — и снова потянула директора, замычав от натуги. До двери оставалось всего метра два, но выпрямиться она не могла, иначе задохнулась бы.

Тогда Сара легла на спину, втащила безвольное тело на себя и, отталкиваясь ногами, поползла дальше. Макушка Грунда у нее на животе представляла собой черно-багровое кровавое месиво: ожоговые пузыри полопались, обгоревшие пряди волос прилипли к открытым ранам. Сара не знала, жив он или нет, но бросать его не собиралась.

Дверной порог она преодолела, издав обессиленный хрип. Вылезла из-под своей ноши, кое-как встала и снова взяла директора под мышки. В этот момент от жара лопнула неоновая лампочка под потолком, брызнув фонтаном искр и осколков.

Сара не успела закрыться рукой — правый глаз обожгло. Охнув от боли, она выпустила Грунда и прижала ладонь к лицу.

— Инспектор здесь! — раздался сверху крик.

Через несколько секунд здоровым глазом Сара увидела бегущего к ней офицера Нильсена. Из раны на голове у него до сих пор шла кровь.

— Инспектор, скорее, к лестнице!

Он накинул ей на плечи огнеупорное одеяло и, обняв, потянул за собой, но Сара высвободилась.

— Нет! Возьмите директора!

— Что?! Все здание уже горит! Нужно уходить!

Из люка в потолке донесся голос Дорна:

— Быстрей! Вы сейчас окажетесь в ловушке!

— Мне нужно допросить Ханса Грунда! Я хочу знать, что здесь произошло! Нильсен, поднимите его, я дойду без вашей помощи!

Гигант озадаченно уставился на Сару с высоты своих метра девяноста, раздумывая, стоит ли выполнить приказ или лучше вырубить начальницу, вынести ее отсюда и тем самым спасти. Затем перевел взгляд на Грунда, лежавшего на пороге охваченной огнем комнаты, и понял, что инспектор Герринген сама дотащила его до этого места, рискуя жизнью. Устыдившись, Нильсен, бормоча проклятия, бросился к директору и взвалил его на плечо. Сара уже поднималась по перекладинам.

— Огонь повсюду! — Дорн протянул ей руку.

Ухватившись за его ладонь, Сара выбралась на первый этаж и ошеломленно огляделась: из-под дверей палат вырывались языки огня, коридор наполовину заволокло густым дымом.

Дорн, низко пригнувшись, сделал Саре знак следовать за собой и побежал. Она бросилась за ним, прикрывая рот и нос сгибом руки. Правый глаз не открывался, боль сделалась острее.

— Вы ранены? — обернулся к ней на бегу Дорн.

Сара не услышала. Коридор превратился в преисподнюю — гудел огонь, двери трещали, надрывалась пожарная сирена. Здоровый глаз заливало по́том; не глядя под ноги, Сара споткнулась об обгоревший труп какого-то пациента. Чуть дальше дым рассеялся, и она заметила открытую дверь — в палате на полу, прижимаясь спиной к стене, сидела женщина, парализованная ужасом. Та самая, лет сорока, с печальным лицом, которую Сара видела из вестибюля за застекленными дверями.

— Здесь женщина! Живая! — закричала она.

В ту же секунду коридор наполнился оглушительным треском.

— Инспектор, потолок сейчас обрушится! — выпалил Нильсен, бежавший за ней с Грундом на плече.

Сквозь рев пламени снова прорвался треск, а за ним последовал гулкий стук.

Сара метнулась в палату к оцепеневшей женщине. Сдернула с кровати простыню, обмакнула ее в воду в унитазе и накинула пациентке на голову. Но когда она попыталась увлечь женщину за собой к выходу, та начала вырываться. Оказалось, пациентка выронила что-то из рук — Сара краем глаза заметила упавшую на пол фотографию, на которой та улыбалась, прижимая к себе двоих детишек.

— Пригнитесь и бегите за мной!

Женщина все же послушалась, они вместе пересекли порог, побежали дальше, спотыкаясь о разломанные балки, охваченные огнем, — потолок рушился, вниз летели большие куски штукатурки и настила. Сквозь дыры над головой был виден потолок второго этажа, который тоже грозил проломиться.

— Постарайтесь не дышать глубоко — обожжете легкие! — крикнула Сара. — Бегите изо всех сил!

Пациентка вдруг застыла на месте, завороженная пожаром. Мокрая простыня на ней уже дымилась. Сара схватила женщину за руку и дернула за собой, чуть не сбив с ног. Они, задыхаясь, вывалились в вестибюль, Сара с разбегу плечом ударила в двустворчатую входную дверь — та с грохотом распахнулась — и ледяной воздух, еще недавно обжигавший кожу не хуже огня, теперь принес невероятное облегчение.

Отбежав метров на двадцать от крыльца, Сара выпустила руку пациентки и, опершись о дерево, согнулась пополам, пытаясь отдышаться. По лицу градом катил пот. Женщина, которую она спасла, обессиленно повалилась в сугроб.

Рядом шумно дышал офицер Дорн.

— Вы в порядке? — прохрипел он.

У Сары энергии хватило лишь на кивок. Она привалилась спиной к стволу дерева и сползла по нему на снег.

Вдалеке выли сирены приближавшихся пожарных машин. Вокруг суетились медсестры и санитары, пытаясь успокоить и собрать в группу четыре десятка взбудораженных пациентов, спасенных ими из пылающей больницы. Все топтались, метались, прыгали на подтаявшем снегу, перемешанном с грязью.

— Не надо сидеть на земле, — ласково сказала Сара женщине. — Офицер Дорн, позаботьтесь о ней.

Полицейский, подняв пациентку на ноги и сняв с нее обгоревшую простыню, накинул ей на плечи свою форменную куртку. Женщина медленно подняла голову и теперь переводила оторопелый взгляд с него на Сару и обратно.

— Помощь скоро подоспеет, все будет хорошо, — успокоил ее Дорн и повернулся к Саре: — Инспектор, у вас правая сторона лица обожжена...

— Где Нильсен с директором? — спросила она, озираясь.

— Вот же они.

Сара в суматохе бегства и с одним здоровым глазом не заметила, что офицер Нильсен их почти догнал. Сейчас великан шел к ним, перекинув через плечо обмякшее тело Ханса Грунда. Сара с трудом поднялась на ноги, сняла парку и накинула ее на директора под недоумевающими взглядами полицейских, затем пощупала пульс. Он был жив.

— Санитары Элиас Лунде и Леонард Сандвик спаслись? — спросила Сара.

— Да, — кивнул Нильсен. — Сольберг вывел их из здания, когда начался пожар, и посадил в первую подоспевшую машину подкрепления. — Он указал на полицейский фургон с зарешеченными окнами, возле которого стоял на страже Сольберг. Правда, все его внимание было поглощено исполинским пожаром — уже весь «Гёустад» был охвачен огнем.

В этот момент в распахнутые ворота въехали четыре пожарные машины и затормозили одна за другой, взвихрив снежное облако. За ними следовали три автомобиля скорой помощи. Пока команда пожарных раскатывала шланги, к Саре и полицейским подошел их капитан:

— Сколько человек осталось в здании?

— Несколько десятков, — ответил Дорн. — Если не больше. Ужасная трагедия.

Сара кивнула на Ханса Грунда:

— Прежде всего надо спасти этого человека. Он виновник пожара и подозреваемый в убийстве, поэтому должен выжить, чтобы ответить за свои преступления. Пусть его немедленно везут на «скорой» в больницу.

— Гм... ладно, — кивнул капитан, предварительно обменявшись взглядами с Дорном и Нильсеном — хотел удостовериться, что у инспектора не снесло крышу от потрясений и ее приказ действительно нужно выполнить. Затем он махнул рукой группе санитаров из ближайшей «скорой» и побежал к своей команде отдавать распоряжения.

— И вот этой женщиной, пожалуйста, тоже займитесь, — попросила Сара подошедших врачей, указав на свою подопечную, снова осевшую в сугроб.

Над женщиной тотчас склонилась пожилая медсестра, закутала ее в теплое одеяло, вернув Дорну полицейскую куртку, помогла подняться и повела к машине скорой помощи. Остальные уже укладывали на носилки Ханса Грунда. Его тоже накрыли теплым одеялом, и Сара забрала свою парку.

Она попросила обоих офицеров проводить директора до городской больницы.

— Когда приедете, возьмите его под охрану. Оставайтесь там — один в коридоре, один в палате. И пожалуйста, держите меня в курсе состояния Грунда. Нужно допросить его как можно скорее. Офицер Нильсен, не забудьте показать врачам рану на голове.

Полицейские немедленно зашагали к медицинскому фургону, в который санитары уже установили носилки с директором.

Сара позволила себе минутную передышку, и горло сдавило — уже не от дыма, а от чувства вины. Как можно было допустить такую трагедию? Прокручивая в голове события, предшествовавшие взрыву, она даже не заметила, как к ней подошла пожилая женщина-врач, а когда та потребовала показать ожог, покорно подставила лицо. Врач посветила в закрытый правый глаз цилиндрическим фонариком, тщательно осмотрела веки и вдруг, без предупреждения, резким движением раздвинула их пальцами. Сара, зашипев от боли, дернулась в сторону, а в следующий миг обнаружила, что прозрела на оба глаза.

— Прошу прощения, но, если бы я сказала, что собираюсь сделать, вы бы мне не позволили, — хмыкнула врач. — Итак, у вас с правой стороны больше нет ни брови, ни ресниц, а кожа вокруг глаза обожжена, но не слишком серьезно. Похоже, вам повезло — радужная оболочка и зрачок не пострадали. Придется какое-то время каждый день смазывать веки заживляющим гелем, но никаких последствий быть не должно, за исключением эстетического неудобства в течение пары месяцев.

Сара механически кивнула — ей было наплевать на свою внешность. Поблагодарив врача, которая посоветовала сегодня же сходить к офтальмологу для более подробной консультации, она заметила, что к «Гёустаду», вереща сиренами и разливая вокруг волны света из мигалок, подъехали сразу пять патрульных машин. По ее знаку из первой машины выскочил капитан полиции — худой мужчина лет сорока с помятым и заспанным лицом; видимо, внезапный приказ поднял его с постели.

— Офицер Карлк, — представился он, подбежав.

Сара, вкратце изложив ситуацию, дала указания:

— Двух санитаров, которые сейчас находятся в том фургоне, нужно немедленно доставить в Главное управление. Я их допрошу, но сначала мне надо в больницу, чтобы... Короче, вы поняли. Оцепите здание и, как только пожар будет потушен, отправьте туда криминалистов. Сомневаюсь, что остались какие-то вещдоки, но пусть проверят на всякий случай. И постарайтесь подготовить отчет к моему приезду в управление.

Капитан пообещал все выполнить, и Сара побрела к своему внедорожнику. Прибыли еще несколько машин пожарной и спасательной служб, вздымая фонтаны снега из-под колес. Синие лучи прожекторов смешались в один вихрь с оранжевыми отсветами пламени, пожиравшего «Гёустад».

Когда подоспел грузовичок телевизионной съемочной группы, у Сары в кармане завибрировал мобильник — звонил Стефан Карлстрём, ее начальник.

Сара села за руль, устало захлопнула дверцу и переключила звонок на автоответчик. Измотанная до предела, откинулась затылком на подголовник. По позвоночнику бежали ледяные мурашки, сердце бухало в груди глухо и обессиленно.

Сегодня ночью ей некого будет обнять, не к кому прижаться, чтобы выплакать боль. Никто, утешая, не станет рассказывать ей о будущем, о новых мечтах и планах. Сегодня ночью она останется одна, и единственное, что ее сможет отвлечь от личной драмы, — это работа, дело, которое уже оказалось самым жестоким и странным в ее карьере.

Осознав вдруг, что жалуется на судьбу, когда десятки людей погибли и погибают прямо сейчас в горящем здании у нее на глазах, Сара выругала себя за эгоизм.

В стекло дверцы постучали. Ей радостно улыбалась дамочка с микрофоном, за которой стоял оператор с камерой.

— Инспектор Геринген, это был поджог? Что здесь произошло? Почему полиция не предотвратила преступление? Вы были здесь в момент возгорания?

Сара понимала, что нужно остаться и выпроводить отсюда журналистов, потом дождаться экспертов и руководить поиском улик, но у нее не было на это сил. Она завела мотор и помчалась прочь, думая лишь об одном — поскорее оказаться как можно дальше от пылающей больницы.

Остановившись на первом светофоре, она отправила эсэмэску начальнику — пообещала приехать в управление сразу после того, как наведается к офтальмологу, — и, открыв отделение для перчаток, достала оттуда пузырек с транквилизатором.

Глава 6

В ожидании приема у офтальмолога в Центральной больнице города Осло Сара успела хорошенько рассмотреть себя в зеркале. На правой стороне лица действительно не было ни брови, ни ресниц, а веки опухли и покраснели. На секунду она задумалась, что сказал бы Эрик, встретив ее сегодня вечером дома в таком виде.

— Инспектор Геринген, прошу вас, проходите, — выглянул из кабинета пожилой врач с кустистыми бровями.

Пока Сара смирно сидела в кресле для пациентов, он тщательно осмотрел и обработал ожог. Заканчивая накладывать мазь вокруг правого глаза, озабоченно спросил:

— Как вы себя чувствуете?

Она хотела ответить, что чувствует к себе жалость — к женщине, которую заботит мнение мужчины, изменившего ей и бросившего ее накануне ночью.

— Никогда не чувствовала себя такой красоткой.

— Вы действительно очень красивая, — улыбнулся врач. — Вашему мужу повезло.

Сара, спохватившись, что забыла снять обручальное кольцо, поблагодарила за комплимент едва заметным кивком.

— К сожалению, как минимум на месяц вам придется забыть о косметике. За это время должны отрасти ресницы и бровь. И не забывайте смазывать кожу вот этим средством раз в день.

Сара взяла рецепт, сказала спасибо и покинула кабинет. Теперь, когда она знала, как странно выглядит, ей казалось, что на нее все таращатся. В лифте она сразу встала спиной к зеркалу, а когда в кабину вошла молодая пара, стыдливо отвернулась.

На улице стало еще хуже. Ее обогнал какой-то мужчина, заглянул в лицо и, нахмурившись, зашагал быстрее, как будто был разочарован, близко рассмотрев женщину, чья фигура издалека почудилась ему привлекательной. При других обстоятельствах Сара этого и не заметила бы, но сейчас пренебрежительный мужской взгляд ее уязвил.

В салон своего внедорожника она бросилась, как в убежище, отогнула солнцезащитный козырек, еще раз осмотрела себя в маленьком зеркальце. «Может, сделать перманентный макияж? Заодно неплохо бы нарастить ногти...» Сара сняла заколку — рыжие волосы рассыпались по плечам, — затем уложила длинные пряди так, чтобы они скрывали правую половину лица, захлопнула козырек и поехала в управление.

В половине десятого она уже входила в величественное здание Главного управления полиции Осло. Здесь царила страшная суета из-за пожара в «Гёустаде», на нее никто не обращал внимания. За исключением Стефана Карлстрёма — тот разговаривал с офицером в вестибюле, но, как только вошла Сара, отослал подчиненного и направился к ней.

Стефан на голову возвышался над остальными сотрудниками управления. Плечи устрашающей ширины, коротко стриженные волосы с сединой, цепкий взгляд, легкая, стремительная походка — весь его облик внушал впечатление, что этот человек — скорее полевой командир, чем кабинетный начальник. Стареющее лицо в соответствии с чином хранило суровое выражение, но при виде Сары на нем отразилось искреннее участие. Стефан внимательно осмотрел ее правый глаз, затем, не сказав ни слова, жестом позвал за собой.

— Шеф, вас требует министр внутренних дел. Переключить звонок в кабинет? — подбежал к нему молодой полицейский.

— Нет, скажите, у меня собеседник на другой линии, я перезвоню, как только закончу разговор.

— Слушаюсь! — невозмутимо кивнул молодой человек — видимо, был привычен к неудобным приказам руководства.

Пропустив Сару в кабинет, Стефан закрыл дверь и опустил жалюзи на застекленной стене, чтобы избавиться от взглядов сотрудников. Только после этого он порывисто шагнул к Саре, словно отец, одновременно разгневанный и счастливый оттого, что дочь наконец-то вернулась после ночных приключений.

— Три вопроса. Первый: ты в порядке? Второй: почему ты мне не позвонила? Могла бы хоть сообщить, что ты жива! И третий: что происходит?

— Прости, не было времени держать тебя в курсе, — вздохнула Сара. — Да, я в порядке, мне крупно повезло с командой — парни меня спасли. А что происходит, честно говоря, сама пока не знаю. И нам понадобится немало времени, чтобы разобраться.

— Что с глазом?

— Ничего, легкий ожог. Выгляжу как распоследняя уродина, но мне наплевать.

Стефан пожал плечами:

— Видал я тебя и в худшей форме, когда мы работали в ФСК. Но ты никогда не выглядела уродиной.

Сара, смутившись, на секунду опустила глаза. Она ничуть не стыдилась близких отношений со Стефаном, которым сама же и положила конец давным-давно. Дело было в другом — сегодня ей меньше, чем когда-либо, хотелось задаваться вопросом, правильно ли она по жизни выбирает мужчин.

— Ладно, извини, я просто расчувствовался, увидев тебя живой и относительно невредимой. Не надо было этого говорить. Поэтому скажу вот что: сегодня ты всем доказала, что не изменяешь своей привычке очертя голову бросаться в пекло. В буквальном смысле.

Сара сделала вид, что шутка ее позабавила, и поправила волосы, чтобы они получше закрыли правую половину лица.

— Ну, давай рассказывай, — потребовал Стефан.

Она вкратце изложила хронологию событий, а когда закончила, начальник с озабоченным видом поерзал в кресле.

— Ты права, с наскока разобраться в этой чертовщине не получится. Какой у тебя план?

— Попробую расколоть санитаров Лунде и Сандвика. Проанализирую рисунки из палаты жертвы и допрошу директора Грунда, когда он придет в себя.

— Хорошо. Со своей стороны могу предложить следующее... — Стефан облокотился мускулистыми руками о стол. — Я отправил людей разбираться с пожаром, жертвами и всей кутерьмой. Тебе этим заниматься не придется. Твоя задача — расследование убийства пациента. Знаю, ты не любишь работать в команде, но, поскольку дело назревает масштабное, я нашел тебе помощника.

— Кого? — забеспокоилась Сара.

— Норберта Ганса.

Она с облегчением вздохнула.

— Я знал, что тебе понравится! — заулыбался Стефан, глядя на нее с нежностью, но скорее отцовской, чем романтической. — Норберт — парень скромный, толковый и не ноет из-за переработки. Еще тебя приятно удивит, что он уже отчасти ознакомился с делом благодаря капитану Карлку, который привез сюда двух санитаров. Кстати, они в твоем полном распоряжении. Кроме того, я думаю, Норберт уже проявил инициативу и предпринял некоторые шаги, чтобы сэкономить тебе время.

Сара молча поднялась с кресла.

— Подожди! Сара, ты не обязана заниматься этим расследованием. Если... скажем так, психоневрологический антураж тебя напрягает, я могу поручить дело кому-нибудь другому.

— Нет.

— О'кей... Ну, береги себя. Хорошо?

Сара кивнула, хотя именно сегодня не смогла бы поклясться, что выполнит обещание. Уже взявшись за дверную ручку, она обернулась:

— Можешь на меня положиться. Как всегда, — и вышла из кабинета, так и не сказав Стефану, что рада его присутствию в своей жизни больше, чем он думает. Пусть даже для нее их связь осталась в прошлом.

— Инспектор Геринген!

В коридоре ее поджидал Норберт Ганс, молодой человек, похожий на идеального банковского клерка: в безупречном костюме, собранный, со скупыми жестами. Больше всего Сара ценила в нем то, что он знал о ее презрении к пустой болтовне и в разговорах быстро переходил к делу.

— Рад снова поработать с вами. Обыски у санитаров, надзирателя и директора уже в полном разгаре.

— Хорошо. Фотографии стен из палаты С32 получены?

— Загружаются на ваш компьютер. Файлы тяжелые, в высоком разрешении, все будет готово через полчаса.

— Где Элиас Лунде и Леонард Сандвик? Мне надо их допросить.

Норберт Ганс повел инспектора к допросным комнатам, расположенным на подземном этаже здания. По дороге она налила себе крепкого черного кофе — уже жалела, что приняла таблетку транквилизатора, потому что препарат подействовал как снотворное, а тревожность не снял. «Идеальное состояние для того, чтобы вести допрос», — иронически подумала Сара.

Выпив кофе одним глотком, она снова поправила волосы с правой стороны и вошла в комнату к Элиасу Лунде.

Санитар, парень лет тридцати, сидел за пластиковым столом; свет от лампочки под потолком падал на круглое азиатское лицо с матовой бледной кожей.

— Я инспектор Геринген, — сказала Сара, опустившись на стул напротив.

Молодой человек затравленно уставился на нее.

— Ваше имя?

— Элиас Лунде.

Она достала блокнот и сделала пометку.

— Хорошо. А теперь, господин Лунде, я попрошу вас забыть о пожаре и сосредоточиться на событиях, предшествовавших смерти пациента, которого вы в «Гёустаде» зовете между собой Четыре-Восемь-Восемь.

— Погодите... Мне бы очень хотелось забыть о пожаре и вообще о чем прикажете, но все-таки что там произошло? Все вдруг загорелось, раз — и уже полыхает, как будто коридоры облили бензином... Это же невозможно!

Сара молча буравила его взглядом, выработанным за годы службы специально для таких случаев. В этом взгляде не было ни грамма сочувствия.

Элиас Лунде опустил глаза.

— Итак, расскажите мне, что произошло этой ночью.

Санитар нервно покусал костяшку большого пальца и заговорил:

— В общем... я, как обычно, делал ночной обход в секторе А и вдруг услышал крик. Почти сразу зазвонил дежурный телефон на этаже, но я был слишком далеко от него и решил бежать туда, откуда кричали, в палату Четыре-Восемь-Восемь. Вы правы, мы так его и зовем. Он сидел на полу, привалившись к кровати. Я сразу понял, что старик мертв, — он был белый как бумага и не дышал, а рот... рот был разинут, вот как-то так. — Элиас изобразил гримасу мертвеца и продолжил: — А руками он цеплялся за шею, будто душил себя... Честно, я слегка сдрейфил, когда его увидел... Не знал, что делать. А потом до меня дошло, что у него случилась паническая атака, за которой последовал сердечный приступ.

— Что было дальше?

— Мне вспомнились полицейские сериалы — там всегда говорят, что на месте происшествия нельзя ничего трогать, поэтому я сразу вышел в коридор. Тут подоспел Леонард, а за ним Аймерик, надзиратель из комнаты видеонаблюдения. Аймерик сказал нам, что уже сообщил в полицию о самоубийстве пациента. Мы-то с Леонардом понимали, что это чушь, но еще раз звонить вам и объяснять, что парень ошибся, побоялись — вы бы подумали, что мы и сами тут психи.

Сара одобрительно кивнула, чтобы вдохновить свидетеля на дальнейшее повествование.

— Ваш коллега Леонард добрался до палаты позже, чем вы. Почему?

— Он колол пациентам снотворное, эта процедура требует последовательности и сосредоточенности, нельзя прерываться.

Сара еще раз кивнула, что-то записав в блокноте.

— Давно вы работаете в «Гёустаде», господин Лунде?

— Пять лет. Если точно, с десятого февраля две тысячи одиннадцатого.

— Расскажите мне о пациенте Четыре-Восемь-Восемь.

Санитар поскреб в затылке, как будто его внезапно укусил комар.

— Ну, вообще-то о нем мало что известно. Он страдал амнезией и ни с кем не разговаривал.

— То есть за пять лет вы ни разу не слышали его голоса?

— Только когда он кричал.

— А эти цифры, «четыре, восемь, восемь» у него на лбу? Вы знаете, откуда они взялись?

— Понятия не имею. Другие санитары говорили, что шрамы уже были, когда он поступил в «Гёустад».

— Сколько раз к нему приходили посетители за то время, что вы там работаете?

— Посетители? — удивился Элиас. — На моей памяти ни разу. И мне говорили, что его никто не навещал в больнице все тридцать с чем-то лет. Или сорок.

Регистрационные журналы наверняка сгорели в пожаре, так что Сара понимала — проверить слова санитара вряд ли удастся.

— А кто вам об этом говорил?

— Ну, многие. Например, Леонард. Он там очень давно работает и знает больше, чем я.

Сара, скользнув взглядом по торсу Элиаса, заметила, что он дышит слишком учащенно для человека, который спокойно сидит на стуле.

— Это Леонард велел вам перенести труп в другое место?

Задавая вопрос, Сара внимательно следила за реакцией санитара, и та не замедлила проявиться: глаза расширились, он слегка подался назад.

— Я... не понял... Мы не переносили тело. Я ведь уже сказал — ничего в палате не трогали.

— Тело перенесли из сектора А в сектор С, господин Лунде. У нас есть доказательства. А кроме дежурных санитаров, то есть вас с Леонардом Сандвиком, никого из персонала на этаже не было.

Элиас снова впился зубами в большой палец, затем сбивчиво заговорил:

— Послушайте, я... Честное слово, я тут ни при чем. Клянусь! Я сделал, как велел директор, вот и всё!

— Вы перенесли тело?

— Да... Да, мы с Леонардом получили от директора приказ перенести Четыре-Восемь-Восемь из палаты С32 в сектор А.

— Зачем?

— Директор не хотел, чтобы кто-то увидел рисунки.

— Почему не хотел?

— Не знаю... Мне платят за то, чтобы я работал и не задавал лишних вопросов, а я и так не задаю — мне не нужны проблемы. И потом, что это меняет? Я рассказал вам правду — прибежал на крик, но было слишком поздно. Разница только в том, что это случилось в палате С32, а не в секторе А.

— Что вы увидели в палате С32?

— Я ведь уже сказал. Делал обход, услышал крик... Чудовищный, невозможный крик... Я говорю «невозможный», потому что никогда не думал, что человек способен издавать такой звук. Он начинался, как... как хриплое покашливание, как будто старик прочищал горло, а закончился визгом на каких-то запредельно высоких нотах. Впечатление было, что мне иголки воткнули в барабанные перепонки... Со стариком такое часто случалось, но на этот раз он сам себя превзошел. Я решил все-таки сбегать к нему, взглянуть на всякий случай, но, когда прибежал, он сидел с разинутым ртом и выпученными глазами, держась за горло... — Элиас Лунде перевел дыхание. — Я тут навидался психов за пять лет, но пациента, который пытался бы себя задушить голыми руками, еще не встречал.

— Что было дальше?

— Аймерик сказал нам с Леонардом про звонок в полицию. А потом позвонил директор и велел перенести тело в сектор А, пока полиция не приехала. Мол, там почище, чем в секторе С.

Сара записала показания в блокнот, затем снова посмотрела на Элиаса:

— Эрнест Янгер сказал мне, что по ночам вы куда-то уводили его и пациента Четыре-Восемь-Восемь для проведения... опытов. Кто этим руководил?

Элиас Лунде в отчаянии закрыл лицо руками и помотал головой:

— Блин, вот дерьмо... Я ничего об этом не знаю! Да, иногда нам приказывали привести этих двух пациентов в подвальный этаж, но дальше директор уже занимался ими самостоятельно, нам он не разрешал входить в палату. И кстати, не очень-то хотелось. Даю вам слово, я больше ничего не знаю! Если б знал, сказал бы, чтобы выбраться из этого дерьма...

— Вы заметили что-нибудь странное в поведении Четыре-Восемь-Восемь за последние несколько дней?

— Вроде нет...

— Подумайте.

— Ох... Ну, может, он был взбудоражен больше, чем обычно. И этот крик... Он часто кричал без видимого повода, но сегодня ночью...

— Ладно, спасибо, — подвела итог Сара. — Мне придется продлить ваше содержание под стражей еще на сутки.

Выходя и запирая за собой дверь, она слышала, как санитар сокрушенно бормочет под нос проклятия.

Сара выпила еще кофе, собралась с мыслями и наведалась ко второму свидетелю.

Леонард Сандвик, сутулый седой человек лет шестидесяти, кругами ходил по комнате. Мешки под глазами, взгляд усталый и встревоженный, сразу отметила Сара. Попросив его сесть, она тоже устроилась за столом и велела подробно рассказать о том, что произошло ночью.

— Попробую... — вздохнул Сандвик. — Но сначала скажите, сколько пациентов и сотрудников больницы сумели спастись из пожара.

— Пока не известно. Рассказывайте.

Санитар качнул головой — мол, понял, не я здесь задаю вопросы, — и заговорил по существу:

— Я делал инъекции снотворного пациентам с бессонницей. Было, кажется, около пяти утра. Вдруг раздался крик, жуткий вопль, но я не мог отреагировать сразу — нужно было закончить процедуру. Да и надо сказать, пациент Четыре-Восемь-Восемь у нас славился своими криками, орал не в первый раз, так что меня это не сильно обеспокоило. А потом зазвонил дежурный телефон, и я понял, что возникла проблема. Прибежал в палату и увидел Четыре-Восемь-Восемь — рот разинут, глаза выпучены, руками за горло держится. Мертвый.

— Когда вы поступили на службу в «Гёустад», господин Сандвик?

— Э-э... очень давно. Погодите-ка, вроде бы...

— Вспоминайте, не торопитесь.

— Вспомнил! Двадцать второго ноября семьдесят девятого года, тридцать шесть лет назад. — Он вздохнул. — Да-а, тридцать шесть с лишним, надо же... И как-то ухитрился не спятить за эти годы...

— Значит, вы работали в «Гёустаде», когда туда привезли пациента Четыре-Восемь-Восемь?

— О нет, он уже был там, когда меня наняли.

— Правда? Директор сказал мне, что Четыре-Восемь-Восемь тоже провел в «Гёустаде» тридцать шесть лет.

— Ну, может, его привезли незадолго до моего прихода, но он точно уже был там. Поверьте, уж это я хорошо помню — Четыре-Восемь-Восемь в первое время неслабо портил мне жизнь.

— Вы наблюдали за этим пациентом тридцать шесть лет. Что можете о нем сказать?

— Да немного. Грустный, молчаливый, несчастный человек...

— Он всегда находился в палате С32?

Вопрос застал санитара врасплох. Сара, до этого смотревшая в блокнот, вскинула глаза в ожидании ответа, который запаздывал. Леонард Сандвик покусал нижнюю губу с видом человека, почуявшего неприятности, но все же кивнул, отведя взгляд:

— Да, в С32.

— Нелегко, наверное, было инсценировать его смерть в секторе А.

— Слушайте, не знаю, что вам там наговорил Элиас, но... Поверьте, мы с ним всего лишь выполняли приказ директора. Господин Грунд велел перенести тело — мы перенесли. И поступили так только потому, что боялись потерять работу. Пусть это и неправильно. Мне скоро шестьдесят, другое место я не найду, а мне семью кормить надо. Понимаете? Если б я послал шефа к черту с его приказами, он выставил бы меня за дверь!

— Почему директор решил перенести тело?

— Он сказал, нужно позаботиться о репутации больницы — дескать, в секторе С мрачно и грязно... Но я с вами согласен, тут дело нечисто.

— С какой целью директор ставил опыты на пациентах, которых вы по его приказу приводили на подвальный этаж?

— Вы и об этом узнали? Извиняюсь, не в курсе. Единственное, что могу сказать, — это что Четыре-Восемь-Восемь в последний раз был в подвале два дня назад. Я сам его туда привел, ждал в коридоре и услышал крик... честное слово, прямо-таки нечеловеческий. Я чуть не обделался от страха.

«Опять этот нечеловеческий крик», — мысленно отметила Сара. Показания свидетелей обросли странными подробностями, но это не помогло ей продвинуться в расследовании.

— Кто-нибудь навещал пациента Четыре-Восемь-Восемь в «Гёустаде»? — спросила она.

Леонард Сандвик цинично хмыкнул:

— Как это ни печально, никто. За тридцать шесть лет я не видел ни одного посетителя, желавшего пообщаться с нашим крикуном. Он старел в одиночестве, день за днем, в своей палате... Инспектор, что теперь со мной будет?

Интуиция подсказывала Саре, что от Сандвика она больше ничего не добьется — либо он уже рассказал все, что знает, либо они с Элиасом Лунде ловко ее обманывают.

— Госпожа инспектор, можно мне позвонить жене? — спросил санитар с отчаянием человека, осознавшего, что его жизнь пошла прахом.

— Позвоните через два часа, когда в вашем доме закончится обыск. Вы останетесь под стражей еще на сутки.

Сандвик подавленно уставился в пол.

Закрыв за собой дверь, Сара подозвала офицера Ганса.

— Что-нибудь выяснили? — спросил он, запирая замок.

— Оба санитара признались в том, что перенесли труп в другую палату, но всю ответственность перекладывают на директора. И уверяют, что не знают, с какой целью Ханс Грунд ставил опыты на пациентах в подвале больницы. Отчет о вскрытии еще не готов?

— Пока нет. А Ханс Грунд не вышел из комы.

— Съезжу-ка я... — Сара не договорила — пришлось опереться рукой о стену и закрыть на секунду глаза, чтобы справиться с головокружением.

— Вам плохо? — забеспокоился помощник.

— Нет, все в порядке, просто последствия пожара. Съезжу-ка я перекусить.

— По-моему, вам лучше поехать домой и отдохнуть.

— Времени нет, — отрезала Сара.

К своему внедорожнику она шла, осторожно ступая, а сев за руль, поднесла руку к ключу зажигания и замерла. Было одиннадцать утра, сил никаких не осталось. Что делать дальше? Погрузиться в работу, чтобы не думать о личной жизни, и рассчитывать на допинговый эффект адреналина, а потом грохнуться в обморок где-нибудь посреди управления в окружении обалдевших коллег? Мало того что это не пойдет на пользу ее репутации, так ей же еще на дверь укажут — принудительно отправят в отпуск, отстранив от расследования. А это худшее, что сейчас с ней может случиться. Именно сейчас.

Тогда, наверное, надо часок поспать. А где? В машине? Здесь не удастся толком отдохнуть. Дома? От одной только мысли о доме у Сары начинался приступ паники. У сестры? Но у нее сейчас не хватит энергии ни на объяснения, ни на то, чтобы сдержать истерику. Да и отлучаться надолго в разгар расследования нельзя. Однако организм не оставлял ей выбора: руки и ноги мелко дрожали, горло сводило от подступавших рыданий.

В этот момент завибрировал мобильник на пассажирском сиденье — пришла эсэмэска. На экране со всем цинизмом высоких технологий высветился отправитель: «Любимый».

«Когда у тебя будет время уладить формальности по поводу развода?»

Телефон выскользнул у Сары из рук. Двигаясь, как проржавевший автомат, она завела мотор, и внедорожник, развернувшись в тени огромного здания Главного управления полиции, помчался к скромному отелю на окраине Осло.

Глава 7

Сара проснулась внезапно. Сердце колотилось так, что казалось, сейчас затрещат ребра. Рядом на подушке звенел мобильный телефон. В руке она сжимала листок, на котором, перед тем как заснуть, набросала лицо старика с широко открытым в крике ртом и надписью на лбу «488». Но рисунок был едва различим, словно тонул в сумерках, хотя предполагалось, что сейчас самый разгар дня.

«Обожженный глаз воспалился! В рану попала инфекция! Я слепну!» — с ужасом подумала Сара. Потянулась к телефону, но как раз в этот момент звонок оборвался. Сквозь пелену она прочитала на экране имя судмедэксперта, а потом взгляд упал на время.

Рывком вскочив с кровати, Сара бросилась к окну и отдернула занавеску, чуть не сорвав ее с карниза, — сумеречная дымка перед глазами получила мгновенное объяснение, а другое опасение, из-за которого бушевало сердце, подтвердилось: со зрением все в порядке, просто на улице ночь. Фонари печально освещали неоновую вывеску отеля «Харальдшейм», в котором она сняла номер. Снова шел снег.

Было 23:36. Переизбыток эмоций в сочетании с лексомилом вырубил ее почти на двенадцать часов.

В журнале мобильника оказались десяток пропущенных вызовов и семь сообщений — текстовых и голосовых. Сара накинула парку, сбежала по лестнице, бросила ключ на стойку портье и выскочила в ледяную темноту, на ходу читая эсэмэски.

Первая была от айтишников — ее извещали, что фотографии стен палаты С32 загружены и доступны по ссылке с телефона. Вторая пришла около пяти часов от помощника, Норберта Ганса. Он писал, что пожар потушен, в здании найдены шестнадцать погибших, но пока не установлено, кто из них пациенты, кто сотрудники «Гёустада», а санитарам Элиасу Лунде и Леонарду Сандвику разрешили позвонить домой и все еще держат под стражей.

Третья, полученная около 20:00, тоже была от Норберта. Он беспокоился из-за того, что от Сары нет вестей, и сообщал, что госпожа Грунд рвалась к мужу в больницу, но ее не пустили в интересах следствия. Сара мысленно одобрила это решение и открыла голосовую почту.

На первых же словах она хлопнула себя по лбу и пробормотала сквозь зубы: «Вот черт!»

«Привет, это я. Мы всё еще ждем тебя на праздничный ужин, Мойре уже не терпится. Это ее день рождения, но она приготовила подарок для тебя и очень хочет его вручить. Все время спрашивает, когда же ты придешь. Надеюсь, у тебя все хорошо. До скорого!»

Сара открыла дверцу внедорожника, села за руль и уже по тону сестры поняла, что будет в следующей записи.

«Так, Сара, уже двадцать один тридцать, Мойре пора укладываться! Она оставила корону, которую сама сделала специально для тебя, под дверью своей комнаты и думает, что ты придешь за подарком, пока она будет спать. Бедняжка, конечно, ужасно расстроилась, но вроде бы не обиделась на тебя. В общем, нам всем жаль, что ты пропустила ее пятый день рождения. Наверно, ты еще на работе и просто забыла... Вот даже интересно, как это Эрик столько лет терпит твой эгоизм!»

Сара включила громкую связь, положила телефон на сиденье и уставилась в окно. На стекле расплющивались снежные хлопья.

«Ох, Сара, прости меня за то, что я наговорила... Это было глупо и вообще неправда. Я ужасно за тебя беспокоюсь! Скажи, что ты не пострадала при пожаре в «Гёустаде»! Перезвони мне, пожалуйста. Целую тебя».

Последнее голосовое сообщение было записано в 23:34.

«Инспектор Геринген, Тобиас у аппарата. Слушайте, я тут только что закончил вскрытие... Задача оказалась потруднее, чем мне представлялось. Причина смерти... несколько неожиданная. Перезвоните скорее, а лучше приезжайте в лабораторию — по телефону будет сложно объяснить».

Сара включила зажигание, и внедорожник покатил к Университетской больнице Осло, расположенной в нескольких сотнях метров от «Гёустада». По дороге она позвонила Норберту Гансу и соврала, что провела весь день в библиотеке Психологического института — искала информацию по психопатологиям, которыми можно было бы объяснить смерть пациента 488, в какой-то момент потеряла счет времени, а когда спохватилась, возвращаться в Управление было уже поздно; поскольку читальный зал находится в подвальном помещении, мобильная связь там не работает, так что все сообщения она якобы получила только что, когда вышла на улицу.

Помощник, похоже, не удивился такому объяснению и заметил, что его обязанность как раз в том и состоит, чтобы у инспектора хватало времени спокойно поразмыслить над расследованием. Убирая мобильник в карман, Сара подумала, что Норберт, конечно, очень любезен, но еще одно такое исчезновение на целый день он ей не простит.

Едва припарковавшись на больничной стоянке, она отправила эсэмэску сестре:

«Дико извиняюсь, что пропала на весь день! Пожар в «Гёустаде» был настоящим кошмаром, я только что оттуда вырвалась. Со мной все в порядке. Расцелуй от меня Мойру в обе щечки и, пожалуйста, спрячь корону, которую она для меня сделала. Скажи, что это я приходила ночью и забрала. А когда завтра приеду, ты мне ее тайком передашь ;-).

P. S. Я тоже приготовила подарок для Мойры. Надеюсь, ей понравится. Я вас люблю».

Сара нажала на иконку «Отправить» и открыла сообщение со ссылкой на фотографии, сделанные криминалистами. Перейдя по ссылке, пролистала снимки трупа и палаты в секторе А, добралась до рисунков из палаты С32 и сильно увеличила изображение, пытаясь различить на нем хоть какие-то внятные формы. Зачем директору понадобилось скрывать от посторонних взглядов эти каляки-маляки? Придется уделить им потом побольше времени, наверняка там что-то есть, а сейчас ее ждет Тобиас.

Накинув на голову подбитый мехом капюшон, Сара поспешила ко входу в то крыло Университетской больницы, где размещался Институт судебно-медицинской экспертизы.

В такой поздний час в заведении должна была царить тишина, но сюда привезли пострадавших на пожаре в «Гёустаде», расположенном по соседству, и больничный персонал, не отпущенный по домам после рабочего дня, суетился в коридорах и палатах. Из открытых дверей выскочила медсестра, случайно толкнув Сару, а когда повернулась на бегу, чтобы извиниться, чуть не опрокинула каталку с укрытым простыней трупом — вероятно, одной из жертв пожара, — которую санитар вез в морг.

В этой суматохе Сара кое-как добралась до судебно-медицинского сектора. Здесь никого не было, даже стало слышно, как каблуки ботинок глухо цокают по линолеуму. В лабораторию она вошла без стука.

На смотровом столе лежал обнаженный труп пациента 488. На дальней стене, прикрепленные к панели с белой подсветкой, висели рентгеновские снимки грудной клетки. Рядом стоял металлический столик с инструментами для вскрытия, еще блестевшими от крови.

Тобиас Ловструд, сидевший за компьютером, обернулся, услышав шаги.

— Инспектор Геринген! Рад вас видеть в столь поздний час! Неужто я удостоен чести быть причисленным к кругу избранных, которым даруется такая милость? Кстати, как вы себя чувствуете?

Сара прислонилась к стене.

— Тобиас, вы позвали меня, чтобы рассказать о причине смерти пациента. Итак, отчего он умер?

— Ну да, верно, я и забыл, что вы отвечаете только на один вопрос из трех. Но смею заверить, то, что вы сейчас узнаете, вызовет у вас целую лавину вопросов! Очень неожиданное дело. И даже невероятное! Сейчас я вам все покажу...

Судмедэксперт устремился к письменному столу, на котором были разложены фотографии жертвы в разных ракурсах, сразу отложил в сторону те, где крупным планом были сняты шрамы на лбу, и продолжил:

— Причину его смерти можно назвать самой ужасной из тех, что только можно себе представить, и при этом самой непостижимой. Однако сначала мне придется объяснить, как я пришел к такому выводу, иначе вы мне не поверите. — Тобиас ткнул пальцем в фотографию шеи. — Начнем по порядку. Этот человек определенно пытался себя задушить, но, как мы и предполагали, умер не от нехватки кислорода. Вскрытие показало, что подъязычная кость действительно цела, а трахея почти не повреждена. То есть присутствуют лишь поверхностные следы удушения, которое началось, но не было доведено до конца.

Сара качнула головой в знак согласия.

— Далее я занялся версией, предложенной санитарами «Гёустада», то есть начал искать признаки внезапной остановки сердца. На сердечной мышце обнаружились зоны некроза и фиброза, что однозначно свидетельствует об инфаркте.

Сара открыла рот, чтобы задать вопрос, но Тобиас ее опередил.

— О, я знаю, что вы сейчас скажете! — воскликнул он. — «Отличная работа, дорогой Тобиас, однако в конечном итоге любая смерть наступает из-за остановки сердца, так что это ничего не объясняет. Быть может, дорогой Тобиас, ты догадался, чем именно была вызвана остановка сердца в данном случае?» Вы ведь это хотели спросить, верно?

Сара едва заметно кивнула, усаживаясь на край письменного стола.

Тобиас указал на рентгеновский снимок грудной клетки:

— Закончив с сердцем, я заметил пятна на легких. Видите, вот они, здесь и здесь. Анализ крови показал, что это проявления силикоза. Иными словами, в легких присутствует минеральная пыль, которой пациент Четыре-Восемь-Восемь где-то надышался много лет назад. Но она, разумеется, не могла вызвать инфаркт и стать причиной смерти — единственным неприятным последствием для него был кашель. Зато в результате анализа крови открылись еще два странных обстоятельства, весьма меня заинтриговавшие. В крови жертвы содержится большое количество вещества, которое мне удалось идентифицировать только благодаря многолетнему опыту работы. Вам чертовски повезло нарваться на старую калошу вроде меня! О да, повезло во всех отношениях! Небось сорокалетние разгильдяи только и думают, как бы заставить вас улыбнуться и провести с ними ночь?

Сара с удовольствием улыбнулась бы судмедэксперту, но на душе было слишком уж муторно.

— Что за вещество, Тобиас?

— Препарат под названием ЛС-34, который сейчас уже не производится. В конце шестидесятых годов он изредка использовался в психиатрии. Изредка, потому что это лекарство считалось нестабильным, а его применение — рискованным. ЛС-34 запретили сорок один год назад, так что его присутствие в организме нашего покойника, да еще в такой концентрированной дозе, весьма удивительно.

— Но насколько я понимаю, причиной остановки сердца стал не этот препарат, ведь вы упомянули о *двух* странных обстоятельствах.

— И всё-то вы подмечаете, инспектор Геринген! Честное слово, будь я помоложе лет на десять, непременно рискнул бы пригласить вас на романтический ужин!

Сара вежливо качнула головой.

— Простите, — смутился Тобиас, — мне просто необходимо было немного отвлечься, прежде чем перейти к сути...

Сара тем временем записала в блокнот название препарата. Судмедэксперт был слишком болтлив, на ее вкус, но она отдавала должное его опыту и логическому мышлению, а потому внимательно слушала в ожидании выводов.

Тобиас снял с вертикальной подставки пробирку с желтоватой жидкостью и поднял ее на уровень глаз инспектора.

— Причина смерти содержится здесь, в плазме крови. Помимо ЛС-34, анализ выявил аномально высокий уровень кальция. В медицине это называется острая гиперкальциемия. Вот она-то, вероятнее всего, и стала причиной остановки сердца.

— А откуда у него в крови взялось столько кальция?

Тобиас вскинул руку, призывая Сару проявить терпение, поставил пробирку на место и оперся о край стола. Вид у него теперь был сосредоточенный.

— Как раз к этому я и перехожу. У гиперкальциемии может быть множество причин. Например, передозировка препаратов, содержащих витамин D++. Но вряд ли этого пациента лечили от рахита. Также маловероятно, что он в огромных количествах пил молоко. Вымывание кальция из костей я тоже исключаю, поскольку не нашел признаков остеопороза и разрушения костной ткани.

— Что же остается?

Сара отметила, что по мере объяснения Тобиас неосознанно понижал голос и делался все бледнее. До этого он стоял, опираясь о стол, теперь ему пришлось сесть.

— Сара, вы помните, какое выражение лица было у несчастного старика, когда мы его впервые увидели?

Она прекрасно помнила взгляд, устремленный в пустоту, рот, разинутый в немом крике, и охватившее ее от этого неприятное чувство, потому молча кивнула.

— Значит, вы помните, что на его лице отразилось сильнейшее эмоциональное переживание, — подытожил Тобиас. — В подобных стрессовых ситуациях нервная система вырабатывает адреналин, который заставляет тело быстрее реагировать на внешние раздражители. Под влиянием адреналина в клетках сердечной мышцы высвобождается большое количество ионов кальция, необходимых для ее сокращения и, соответственно, снабжения кислородом всей мышечной системы. К сожалению, если ионов кальция слишком много, сердечная мышца сокращается, а расслабиться не может. В результате наступает смерть. Такой запредельный уровень ионов кальция вероятен лишь в одном случае.

— В каком?

Тобиас покачал головой, будто в подтверждение собственному выводу, в который и сам никак не мог поверить.

— Когда человек в буквальном смысле до смерти напуган. — Он посмотрел Саре в глаза и жестко добавил: — Жертва умерла от страха, госпожа инспектор.

Сара почувствовала неприятный озноб.

ГЛАВА 8

В кафетерии больницы пахло горячим кофе, в ночной тишине бормотал динамик мобильного телефона — буфетчица с заспанными глазами смотрела кино онлайн, сидя за прилавком. В глубине зала единственный клиент, мужчина в больничном халате, обхватив руками чашку, исходившую паром, задумчиво глядел в окно. Хлопья снега разбивались о стекло и осыпались на карниз.

Сара, опустившись на банкетку, смахнула со стола хлебные крошки, поставила на него кофе и достала блокнот из внутреннего кармана расстегнутой парки — решила позволить себе небольшую передышку, чтобы подытожить собранные на данный момент сведения. В голове назойливо крутились вопросы: что могло напугать пациента 488 до такой степени, чтобы он попытался покончить с собой? Что или кто? Намеренно или случайно? И еще эти его постоянные вопли, упоминавшиеся сотрудниками «Гёустада», — как будто он давно кричал от страха... Из слов обоих санитаров и Янгера можно было заключить, что в последние дни характер криков изменился — они сделались громче и отчаяннее, словно страх постепенно нарастал и достиг пика минувшей ночью. Возможно, виной тому были инъекции ЛС-34, но вряд ли это единственное объяснение. Янгер сказал, что их погружали в «черный сон» и что именно с «черным сном» связаны рисунки пациента 488. Якобы старик помнил свои видения. Но что он видел?

Сара отхлебнула кофе и отложила авторучку. Исписанные страницы блокнота пестрели стрелками и вопросительными знаками. Так она ни до чего не додумается, нужно начинать с нуля...

На данный момент было известно, что пожилой мужчина с амнезией провел в психиатрической больнице «Гёустад» тридцать шесть лет и умер от страха в своей палате. Ханс Грунд, директор заведения, распорядился перенести тело в другое место, чтобы полицейские не увидели стены, снизу доверху покрытые рисунками, содержание которых вызывает недоумение. Также неясны происхождение шрамов, составляющих число «488» на лбу пациента, и суть экспериментов, проводившихся над ним и Янгером в подвальном помещении больницы. Директор, опасаясь ареста, привел в действие взрывной механизм и целую систему поджога, заранее установленную в здании. «Гёустад» уничтожен. Что Грунд хотел скрыть таким радикальным способом?

Сара рассеянно следила за полетом снежинок, задумавшись о том, в каком кошмаре жил пациент 488. Он столько лет страдал, а прошлой ночью для него все закончилось ужасной смертью. «Кто он? — пронеслось в голове. — Какой была его жизнь до «Гёустада»? Есть ли у него семья — жена, дети? Как я могла не заметить, что Эрик мне изменяет?»

Сара побледнела. Последний вопрос, неуместный и неожиданный, всплыл из подсознания против ее воли. Она выровняла дыхание и попыталась снова вернуться к мыслям о расследовании. Записала в блокнот две задачи: допросить директора, если он выживет, и найти того, кто поставлял в «Гёустад» ЛС-34. Либо где-то сохранились старые запасы, и тогда этот след ни к чему не приведет, либо некая фармакологическая лаборатория до сих пор производит и продает запрещенный препарат. Но из-за пожара вероятность найти хоть какую-то зацепку крайне мала. Нет, пока что единственный ориентир — это Ханс Грунд. Она вытащила поджигателя из огня для того, чтобы он ответил за преступление, и теперь не позволит ему просто так ускользнуть на тот свет.

Захлопнув блокнот, Сара одним глотком допила остатки кофе и позвонила офицеру Нильсену. Он сказал, что профессор Грунд находится в палате 523.

На пятом этаже она долго шла по длинному коридору — здесь разместили всех пострадавших в «Гёустаде». Двери почти везде были открыты, чтобы медперсонал мог беспрепятственно бегать из одной палаты в другую, и порой оттуда доносились стоны и причитания. Сара машинально бросала взгляд в каждый открытый проем и вдруг узнала знакомую фигуру. Женщина, которую она спасла во время пожара, сидела в кресле для посетителей, и что-то в ее облике неуловимо изменилось. Заметив Сару боковым зрением, она посмотрела ей в лицо — и вдруг улыбнулась с искренней благодарностью, а ее глаза ожили и уже не казались слепыми и печальными. Слегка махнув ей рукой, Сара продолжила путь, поймав себя на том, что тоже улыбается от радости.

Массивный силуэт офицера Нильсена она разглядела издалека. Полицейский ни разу не покинул сторожевой пост с тех пор, как получил приказ охранять подследственного. На голове у гиганта была повязка, под глазами залегли тени от усталости, но он уверенно стоял посреди коридора, заложив руки за спину и широко расставив ноги.

— Грунд очнулся? — спросила Сара.

— Нет, инспектор. Врачи погрузили его в искусственную кому.

— Каковы прогнозы?

— По-моему, не очень оптимистичные...

Сара мысленно выругалась, но на ее лице не отразилось и тени эмоций. Она жестом показала Нильсену, что хочет войти в палату.

— Помещение стерильное, инспектор. Вам нужно надеть сначала вот это, — он кивнул на контейнер с бахилами, — а в «предбаннике» вы увидите халат, шапочку и латексные перчатки.

Натянув защитные чехлы из полиэтилена на ботинки, Сара открыла первую дверь, накинула халат, убрала волосы под шапочку, сунула руки в перчатки и, толкнув вторую дверь, вошла в палату.

Офицер Дорн, сидевший у окна, сразу вскочил и вытянулся по струнке в присутствии начальства; рядом с ним на подоконнике выстроились в ряд пять пустых бумажных стаканчиков из-под кофе.

Кровать была окружена прозрачным пластиковым занавесом, доходившим до пола. Сара приблизилась. Ханс Грунд лежал на животе; его спину, голову и руки полностью скрывали белые бинты. Плавно поднималась и опускалась гармошка аппарата искусственного дыхания; на штативах для внутривенных вливаний висели три емкости с раствором, от них к рукам профессора тянулись катетеры. Электрокардиографический монитор фиксировал 112 ударов сердца в минуту.

— А это что? — поинтересовалась Сара, указывая на оранжевый полиэтиленовый пакет, пристроенный возле стаканчиков.

— Это вещи, которые при нем нашли, — сказал Дорн. — По крайней мере то, что от них осталось. Я не открывал.

Развернув пакет, Сара вытряхнула его содержимое на подоконник, и полицейский бросился собирать свои стаканчики. Теперь перед ними лежали электронный пропуск Грунда с логотипом «Гёустада», связка ключей, блистер с таблетками ксанакса, пустой на три четверти, и фотография, на которой улыбающийся профессор обнимал одной рукой женщину, положившую голову ему на плечо, а другой — юношу и девушку лет двадцати; они тоже улыбались, и в их чертах прослеживалось явное сходство с отцом.

— Еще один психопат, который выглядит абсолютно нормальным человеком, — пробормотала Сара и на всякий случай перевернула снимок, но обратная сторона была пуста.

Глядя на блистер, она задумалась, кому предназначался сильный транквилизатор — одному из пациентов или самому профессору. В связке ключей не нашлось ничего подозрительного, а пропуск был точно таким же, какой Саре выдали в «Гёустаде» сразу после приезда.

Разочарованно сложив вещи в пакет, она сняла перчатки, бросила их в корзину в «предбаннике», надела новую пару и, вернувшись к кровати, наклонилась так, чтобы заглянуть в лицо Грунда. Изо рта у директора торчала дыхательная трубка, незабинтованная кожа вокруг закрытых глаз побагровела и распухла. Вид у него был такой, как будто он никогда не очнется.

Сара попросила Дорна позвать лечащего врача; полицейский тотчас отправился выполнять распоряжение, а минут через десять снова заглянул в палату и знаком показал, что инспектора ждут за дверью. Сара вышла следом за ним. В коридоре стояла женщина лет сорока, с короткими волосами и суровым взглядом. По ней было заметно, что она очень спешит.

— Вы хотели меня видеть?

— Я инспектор Геринген...

— Я знаю, кто вы.

Тон у врача был враждебный, но Сара это проигнорировала и взглянула на бейджик, приколотый к ее халату.

— Доктор... Хёуг, насколько серьезные повреждения получил этот человек?

— Девяносто процентов дермы поражены ожогами третьей степени. Хуже всего дело обстоит с правой рукой — там круговой ожог, есть риск ишемического поражения и, как следствие, некроза бицепса.

— Шансы на выживание?

Врач вздохнула:

— Я бы сказала... тридцать процентов, но это всего лишь предположение на основе статистики.

Сара почувствовала себя боксером, получившим прямой удар в челюсть. Она медленно стянула стерильную шапочку и поправила волосы.

— Послушайте, доктор, как вы, вероятно, знаете, именно профессор Грунд устроил пожар, уничтоживший «Гёустад». Он не просто подозреваемый, а настоящий преступник. Я это знаю, поскольку он активировал взрывное устройство у меня на глазах. По его вине погибли шестнадцать человек, но мы понятия не имеем, почему он совершил поджог.

— И что?

— Мне нужно допросить профессора Грунда, а для этого вам придется вывести его из комы.

Врач воззрилась на Сару с изумлением:

— Надеюсь, вы шутите?

— Мне понадобится максимум пятнадцать минут, потом вы его снова усыпите.

— Это противоречит нашим принципам, госпожа инспектор. Мы погрузили пациента в искусственную кому, чтобы сэкономить скудные ресурсы организма, необходимые для регенерации. Их и так не хватает, понимаете? Если мы его разбудим, он не только будет ужасно страдать — может случиться так, что сердце не выдержит. Для вас этот человек — преступник, но для меня он прежде всего пациент. Вам ясно? — Доктор Хёуг пробуравила Сару тяжелым взглядом, словно утверждая свою власть, и развернулась на каблуках — она спешила к другим больным.

— О да, яснее не бывает, — покивала Сара, ожидавшая такой реакции. — Но представьте себе, что преступник, то есть пациент, как вы его называете, умрет, не успев дать объяснений своему поступку, а это, согласно вашему же прогнозу, никак нельзя исключать. Что тогда будет с десятками людей — родственниками шестнадцати погибших по его вине? Жены, мужья, дети и родители никогда не узнают, почему близкий им человек сгорел живьем. Как они с этим будут жить?

— Сожалею, инспектор, я не могу нарушить профессиональный кодекс.

— Знаете, один ваш коллега когда-то сказал мне, что движущая сила медицины — не какие-то там кодексы, а статистика и добрая воля.

— В каком-то смысле это верно.

— Тогда прикиньте, какова вероятность, что, отказавшись разбудить профессора Грунда, вы принесете больше вреда, чем пользы? Сейчас где-то рыдает мать, неделю назад доверившая ему своего сына, к примеру, с легкой депрессией. Представьте, как профессор был любезен, уверяя ее, что мальчик поправится, что ей не о чем беспокоиться... И вы думаете, она когда-нибудь придет в себя от этой потери, если так и не узнает, почему ее сын погиб?

Доктор Хёуг на секунду опустила взгляд, но осталась непреклонной:

— Послушайте, инспектор, я... я просто не могу на это пойти.

Сара откинула волосы, скрывавшие правую, обожженную, сторону лица.

— Я была рядом с профессором, когда он устроил взрыв, который спровоцировал пожар во всем здании. Я видела, как он улыбался, — соврала она. — Предвкушал страдания десятков душевнобольных людей, запертых в палатах. И вместо того чтобы спасать собственную шкуру, я полезла за ним в огонь, потому что обязана узнать правду и рассказать ее всем, кто чуть не сгорел по его воле, и родственникам тех, кто погиб. Я рисковала ради этого жизнью. Помогите мне. Помогите утешить людей, которые ждут ответов и надеются их получить.

Офицер Дорн все это время, затаив дыхание и приоткрыв рот, внимательно следил за схваткой двух женщин с твердым характером.

— Вы понимаете, инспектор, что фактически требуете от меня одобрить допрос под пыткой?

— Вы сказали, у него ожоги третьей степени. Насколько мне известно, это означает, что повреждены нервные окончания, а стало быть, он не чувствует боли.

Врач не сумела скрыть удивления:

— Да, вы правы, но... нервные рецепторы в мышечной ткани не задеты, а ишемия сопровождается сильнейшей болью, и уж ее-то он почувствует.

— Увеличьте дозу морфия. Вы же можете сделать это ненадолго? Обещаю, я быстро управлюсь.

— Не знаю... все же это...

— С каждой минутой возрастает риск, что Ханс Грунд умрет, не ответив за свое преступление. Пожалуйста, решайтесь.

Доктор Хёуг на мгновение закрыла глаза, как будто ей не хотелось видеть то, что произойдет дальше с ее согласия.

— Имейте в виду, инспектор, это опасная и длительная процедура. Человека нельзя вывести из искусственной комы за пять минут. Необходимо поднять температуру тела, постепенно купировать действие снотворного...

— Сколько времени вам потребуется?

— Это зависит от многих факторов. В среднем нужно от двадцати четырех до двадцати восьми часов.

— Дорн, позвоните мне, когда профессор будет в состоянии говорить. — Сара повернулась, собираясь покинуть больницу.

— Инспектор Геринген, — остановила ее доктор Хёуг, — когда пациент проснется... если он проснется, я дам вам десять минут и ни секундой больше. Вы поняли?

Глубоко вздохнув, Сара кивнула и зашагала к выходу. Было почти два часа ночи.

Она переночевала в том же номере отеля на окраине Осло. Вдали от посторонних взглядов позволила себе наконец разреветься и плакала долго, горько, безудержно. А утром боль никуда не делась, и страх перед будущим не исчез, зато в самые тяжелые предрассветные часы созрела решимость довести расследование до конца, каким бы опасным оно ни оказалось. Очертя голову, со всем отчаянием. Потому что это ее единственный шанс сохранить рассудок. Оставалось только надеяться, что у тела и души на все про все хватит энергии.

День Сара провела в своем рабочем кабинете, изучая накопившиеся сведения. Прочитала вдоль и поперек отчеты криминалистов о вещдоках, собранных на обгоревших развалинах «Гёустада», — это помогло ей восстановить контакт с реальностью и систематизировать факты, но не дало ничего такого, что позволило бы понять, почему Ханс Грунд уничтожил свою больницу или кем был пациент 488.

На всякий случай она позвонила офицерам Дорну и Нильсену, но профессор еще не вышел из комы.

Под вечер, когда голова уже плохо соображала, Сара незаметно ускользнула из управления, купила сменную одежду и, заказав в номер отеля целый поднос роллов, поужинала, сидя по-турецки на кровати. На звонки сестры она за день ни разу не ответила и теперь написала ей эсэмэску, пообещав заехать, как только появится свободное время. Вопрос о продаже квартиры и поисках постоянного жилья отложила подальше.

Около десяти вечера Сара набрала ванну, но в теплой воде пролежала всего несколько минут и вылезла — было неуютно и неспокойно на душе. Незадолго до полуночи ей наконец удалось заснуть.

Телефон зазвонил, когда она металась в тревожном сне, из тех, в которых по кругу совершается одно и то же действие, но никак не может привести к нужному результату. Сара ответила и сразу вскочила, узнав голос офицера Дорна.

— Грунд очнулся.

На часах было 3:42.

Через двадцать минут Сара размеренным шагом шла по больничным коридорам; сна уже не было ни в одном глазу.

Офицер Дорн поджидал ее у ожоговой палаты с охапкой стерильной одежды. Облачившись во все необходимое, Сара устремилась к дверям, из которых как раз выходила доктор Хёуг.

— У вас ровно десять минут.

— Он под морфием?

— Да.

«Вот и славно, — подумала Сара. — Морфий подействует как растормаживающее средство, и профессора пробьет на откровенность».

Ханс Грунд застонал, и она поспешила присесть на корточки рядом с кроватью. Обоженные веки директора дрогнули и открылись, мутный взгляд сфокусировался на Саре.

— Профессор Грунд, я инспектор Геринген. Помните меня?

Он медленно опустил и поднял веки, что, видимо, означало «да»; затем выдохнул едва слышно:

— Где я?

— В Университетской больнице Осло, с ожогами, полученными в «Гёустаде» во время пожара, который вы сами же и устроили. Ваше заведение сгорело до основания, шестнадцать человек погибли, несколько десятков получили травмы.

Она ожидала увидеть в глазах Грунда удовлетворение, но он печально отвел взгляд.

— Я... не должен был выжить.

— Я вытащила вас из огня.

— Зачем?

— Чтобы понять, господин Грунд. Понять, почему вы совершили такое чудовищное преступление, когда мы расследовали обстоятельства смерти одного-единственного пациента.

Профессор, как и прежде лежавший на животе, попытался повернуть голову, чтобы не смотреть на инспектора, но его лицо тотчас исказила гримаса боли.

— Я не хотел... чтобы все так закончилось, — выговорил он, сделав паузу посреди фразы, поскольку ему потребовалось перевести дыхание. — Я всегда заботился о пациентах... Боже... Как мне теперь жить с этой виной?.. Вам надо было бросить меня там...

Этого Сара никак не ожидала и машинально обернулась на стоявшего у окна офицера Дорна — он тоже выглядел удивленным.

— Вы говорите так, будто считаете себя... жертвой, профессор.

— Я это сделал, чтобы спасти жену и детей. Меня вынудили.

Сара, более чем озадаченная, выпрямилась, пододвинула стул к изголовью кровати и села, не сводя взгляда с обожженного лица.

— Кто вынудил?

Грунд снова болезненно сморщился, зажмурив глаза, — электрокардиограф зафиксировал резкое ускорение пульса. Испугавшись, что доктор Хёуг отреагирует на сигнал тревоги и ураганом ворвется в палату, чтобы положить конец допросу, Сара встала и под настороженным взглядом офицера Дорна повернула рычажок на капельнице с морфием, увеличив дозу. Сердечный ритм Грунда начал снижаться и почти пришел в норму. Секунд через тридцать профессор открыл глаза. Его взгляд был устремлен в какую-то воображаемую точку в пространстве или, скорее, в памяти.

— Появление Четыре-Восемь-Восемь в «Гёустаде» было не совсем таким, как я вам описал...

Сара, снова севшая на стул, наклонилась поближе, чтобы не упустить ни единого слова.

— Когда я сменил Олинка Вингерена на посту директора... Олинк посоветовал мне хранить в тайне историю и личность этого пациента, предупредив, что иначе они придут за моей семьей, так же как раньше грозились прийти за... его близкими...

— Погодите, кто такие «они»? Вы хотите сказать, кто-то шантажировал прежнего директора «Гёустада» с целью скрыть информацию о пациенте Четыре-Восемь-Восемь, а потом вы унаследовали эту угрозу вместе с должностью?

Грунд подтвердил движением век.

— Профессор, мне нужно знать, кто приказал вам держать эту информацию в секрете и почему.

Во взгляде Ханса Грунда отразилась беспомощность, он облизнул губы, и Сара тут же поднесла к его рту стакан воды с соломинкой. Сделав глоток, профессор продолжил:

— На следующий день после назначения в «Гёустад» мне позвонил какой-то человек, знавший о моей жизни все подробности — о жене, о двоих детях... — Он снова замолчал, будто погрузился в воспоминания.

— И чего этот человек от вас хотел? — поторопила Сара.

— Чтобы я держал пациента Четыре-Восемь-Восемь в изоляции и продолжал делать ему инъекции ЛС-34. Я побоялся спорить.

— Кто поставлял вам ЛС-34?

Ханс Грунд вздохнул:

— Каждый месяц посылку с препаратом приносил простой курьер, отправителя мы не знали. И никто не требовал платы.

Так было еще во времена Олинка, и при мне ничего не изменилось.

— Кто колол ЛС-34 пациенту?

— Кто-нибудь из медперсонала... допущенного в охраняемый сектор...

— Сандвик или Лунде, да?

Профессор опустил и поднял веки.

— Они знали, что это запрещенный препарат? — спросила Сара, взглянув на часы — осталось всего две минуты, а она пока ничего конкретного не добилась.

— Не думаю. Вряд ли их это интересовало. Дело санитаров — выполнять распоряжения врачей.

— Что за опыты вы проводили над пациентом Четыре-Восемь-Восемь?

— В подвальном помещении был загадочный аппарат, к которому я должен был его подключать... с помощью электродов... и выставлять определенные показатели по инструкции... Потом следовала инъекция ЛС-34. Через секунду на бумаге распечатывалась серия... странных значков.

— Значки были похожи на те, которые Четыре-Восемь-Восемь рисовал на стенах палаты? — предположила наугад Сара.

Ей показалось, что Грунд сейчас лишится сознания — он быстро слабел, уже не мог сфокусировать взгляд.

— Не... знаю.

— Вы не пробовали анализировать эти «граффити», профессор? И не задавались вопросом, почему пациент так ожесточенно разрисовывает стены?

Грунд ответил чуть слышным вздохом.

— Олинк Вингерен еще жив? — Сара теперь то и дело посматривала на дверь палаты.

— Да, наверное...

— Почему сейчас вы решились рассказать о шантаже, хотя, вероятно, жизнь ваших детей и жены все еще под угрозой?

— Не знаю... Думаю, больше они ничем не рискуют, потому что я избавился от... всего...

«Морфий в сочетании с желанием искупить вину, — мысленно отметила Сара. — Адская сыворотка правды».

В этот момент в палату ворвалась доктор Хёуг и решительно направилась к кровати. Даже не спросив, закончила ли Сара допрос, она повернула рычажки на капельницах со снотворным. Сара, пользуясь последними секундами, наклонилась к профессору.

— Когда вы активировали взрывной механизм... — начала она.

— Да, — перебил Грунд. — Я знал, что погибнет много людей. Но сделал это, потому что ситуация вышла из-под контроля... Я верующий, инспектор... вы же видели распятие в кабинете... и знаю, что попаду в ад... Но я думал о дочери и о сыне... Я пошел бы на все, чтобы их спасти... и сделал бы это снова... Мои дети... Инспектор... защитите их... — Обожженные веки задрожали и закрылись.

— Спасибо. Вы приняли правильное решение, — сказала Сара врачу.

Та словно и не услышала — ее внимание было приковано к пациенту.

Сара тихо вышла из палаты, полицейский последовал за ней.

— Попросите прислать кого-нибудь вам на смену и отправляйтесь домой, офицер Дорн.

Тот же совет она дала Нильсену, дежурившему в коридоре, и по дороге к выходу позвонила Норберту Гансу, своему временному помощнику, с двумя просьбами: приставить охрану к членам семьи Ханса Грунда и как можно скорее разыскать для нее адрес и номер телефона некоего Олинка Вингерена.

ГЛАВА 9

Заря морозного понедельника 15 февраля едва занялась, а внедорожник Сары уже летел на скорости 150 километров в час по автостраде, ведущей к Холместранну — скромному морскому порту, где, как выяснил Норберт, жил Олинк Вингерен, бывший директор психиатрической больницы «Гёустад».

Остаток ночи она провела в том же отеле, что и накануне, позавтракала смузи и яблоком, а к пяти утра уже была в пути.

Доктор Вингерен был последним свидетелем, который мог вывести следствие на того или на тех, кто тридцать шесть лет назад запер в «Гёустаде» безымянного пациента 488. Обыски в доме Ханса Грунда и двух санитаров ничего не дали.

Указатель на поворот к Холместранну погруженная в размышления Сара заметила в самый последний момент и так резко ударила по тормозам, что внедорожник занесло, закрутило на обледенелой дороге. Тотчас включились рефлексы опытного водителя: она отпустила педаль торможения и, нажав на газ, попыталась выровнять траекторию. Машину под визг покрышек мотнуло вправо, влево, но она все же устояла на четырех колесах и вышла из штопора. Сбросив скорость, Сара, белая как мел, свернула к обочине и остановилась, чтобы перевести дух, — кровь гудела в ушах, сердце глухо барабанило по ребрам. Уняв дрожь в руках, она заправила за ухо прядь мокрых от пота волос. Вернуться домой, немного отдохнуть и навести порядок в личной жизни — вот что нужно было сделать прямо сейчас, но эта простая на первый взгляд задача казалась ей еще неподъемнее, чем расследование загадочного дела пациента 488.

Выдохнув воздух до боли в легких, Сара глубоко вдохнула, завела мотор и поехала к повороту на дорогу к Холместранну, решив, что надо действовать, пока ее окончательно не одолели сомнения в своих дедуктивных способностях. Она перебирала и раскладывала по полочкам в голове существенные обстоятельства дела, когда вдруг завибрировал мобильник. Звонил Стефан Карлстрём.

— Да?

— Сара, ты где?

— Кажется, на пути к ответам на вопросы.

— В смысле?

— Я еду к психиатру, который был директором «Гёустада» в семидесятых и восьмидесятых годах.

— И какое отношение он имеет к тому, что происходит сейчас?

— Надеюсь, он поможет нам понять, почему Ханс Грунд спалил больницу. То есть подскажет, что Грунд хотел таким образом скрыть.

— О'кей. Буду ждать твоего звонка.

Сара отложила телефон.

Через час она уже въезжала в ворота, за которыми находилась частная загородная территория. Безупречно белый снег поскрипывал под колесами; впереди, на пригорке в окружении оцепеневшего на морозе леса, высился особняк; у подножия холма стыло огромное озеро. Сара заметила лодку, вмерзшую в лед. Здесь царила непобедимая тишина, и сероватый зимний свет придавал пейзажу расплывчатый, иллюзорный облик. Казалось, у этого места нет будущего, тут никогда ничего не произойдет.

Сара поднялась на крыльцо, постучала в дверь — никто не ответил. Спустя пару минут она обнаружила, что воздух здесь еще холоднее, чем в Осло: на такой стуже долго не выстоять без движения, можно окоченеть.

По счастью, дверь все-таки открылась, и показавшийся на пороге старик окинул гостью взглядом с головы до ног:

— Что вам угодно?

Она отметила, что вид у хозяина дома усталый и равнодушный, как у человека, который больше ничего не ждет от жизни.

— Я инспектор Геринген. Позапрошлой ночью в «Гёустаде» умер пациент Четыре-Восемь-Восемь, и мне хотелось бы задать о нем несколько вопросов.

При упоминании пациента взгляд Олинка Вингерена оживился. Он еще некоторое время рассматривал Сару, затем вздохнул и, повернувшись к ней спиной, побрел в дом, оставив дверь открытой.

В лицо пахнуло затхлостью. Похоже, и правда жизнь остановилась здесь много лет назад, даже пыль как будто сохранилась с тех времен. Доктор Вингерен впереди горбился и вяло шаркал ногами, молча пересекая гостиную, обставленную деревенской мебелью. На комодике выстроились в ряд безделушки; в глубине комнаты стояли два старинных кресла с темно-зеленой обивкой и накинутыми на подголовники кружевными салфеточками. В тишине скрипел паркет, нарушая размеренное тиканье часов с маятником. Когда глаза немного привыкли к полумраку, Сара с удивлением разглядела картинку в раме на стене. Это было черно-белое схематическое изображение человеческой головы в разрезе, повернутой в профиль, с широко открытым глазом и подробным обозначением всех зон мозга. Перед глазом рука держала шилообразный инструмент; стрелка указывала точку прокола в глазнице.

Заметив направление взгляда гостьи, Олинк проговорил:

— Инструкция по лоботомии. Эта процедура считалась в свое время выдающимся научным открытием, госпожа Геринген, и эффективным способом лечения психопатологий. Представьте себе, люди, пленники собственного замутненного сознания, страдавшие от неописуемой душевной боли, вдруг получали облегчение. Это было чудо.

При других обстоятельствах Сара ответила бы ему, что она на самом деле думает об этом «чуде», но сейчас ей не хотелось настраивать против себя единственного свидетеля.

— У каждой эпохи свои убеждения, и настоящее порой предвзято судит о прошлом, — сказала она.

Олинк Вингерен со вздохом облегчения опустился в кожаное кресло.

— Не знаю, искренне вы так считаете или просто хотите меня задобрить, но приятно было услышать. — Он жестом предложил Саре сесть. — Так значит, он дожил до прошлой ночи?

— До позапрошлой.

— А отчего умер?

— От страха.

Бывший директор «Гёустада» задумчиво покивал, глядя в пол; его как будто не удивила причина смерти.

— Господин Вингерен, я знаю о тайне, десятилетиями окружавшей пациента Четыре-Восемь-Восемь, и об угрозах тем, кто мог ее выдать. Но теперь он мертв, и ваша сделка уже недействительна. Расскажите мне все, что вам известно об этом человеке.

— Вам повезло, инспектор. У меня никого не осталось, больше некого защищать и некого любить. Сижу тут и безучастно жду смерти... Что вы хотите знать? И почему?

Сара, тоже сев в кресло, подробно изложила недавние события, начиная со своего приезда в «Гёустад» и заканчивая откровениями Ханса Грунда. Олинк Вингерен внимательно слушал с очень серьезным видом.

— Стало быть, они по-прежнему начеку... — пробормотал он, когда Сара замолчала. — За столько лет не отказались от своей миссии...

— О ком вы говорите?

— О, я расскажу все, что знаю, однако сомневаюсь, что это поможет вам разобраться в деле. — Старик погладил выцветшую обивку на подлокотниках, собираясь с мыслями. — Все началось с того, что мне позвонил министр здравоохранения. Это было в конце семидесятых. Министр сказал, что на днях два человека привезут в «Гёустад» пациента с амнезией и я должен его принять без лишних вопросов — мол, дело национальной безопасности и сам он больше ничего не знает, приказ пришел сверху, прямо-таки с заоблачных высот, от людей, которые в качестве средства давления на меня без колебаний используют моих жену и детей, если я вдруг не выполню то, что потребуют двое агентов.

Сара, наклонившись вперед, оперлась локтями на колени, сцепила пальцы в замок и вся обратилась в слух.

— Холодная война была в разгаре, — продолжал Олинк, — и подобные угрозы не воспринимались как пустой звук. Сейчас-то уже другие времена...

— Понимаю, — кивнула Сара. Исторический контекст действительно располагал к шантажу и паранойе.

— Агенты, о которых говорил министр, явились поздно вечером, без предупреждения, и привезли полусонного мужчину с ужасными шрамами на лбу. Вы видели — цифры «четыре», «восемь», «восемь»... Мне велели поместить этого человека в отдельную палату и исключить любые его контакты с другими пациентами. Еще агенты добавили, что чуть позже мне доставят специальный аппарат, который нужно будет ежедневно использовать для «лечения» больного в сочетании с инъекциями ЛС-34, и каждый раз подробно фиксировать в журнале наблюдений его реакции. Если об этом пациенте кто-то узнает, мне придется скрыть все следы его пребывания в «Гёустаде»... уничтожив здание. Сказали, я должен буду сжечь больницу, активировав взрывной механизм, — для этого в ближайшее время они установят систему поджога... Какая же все-таки кошмарная история... — вздохнул старый психиатр. — Немыслимая...

— Агенты сказали вам что-нибудь еще? — спросила Сара.

— Когда я поинтересовался, сколько времени пробудет в «Гёустаде» этот человек, они ответили — до конца жизни. И ушли. Больше я их никогда не видел и не слышал. А полученные распоряжения из страха за свою семью выполнял до тех пор, пока меня не сменил на посту директора профессор Грунд.

— И вы не догадывались, кто были те агенты? О них вам и правда сказал сам министр здравоохранения?

— Да-да, мы с министром в ту пору были приятелями.

— А вы не пытались расспросить его поподробнее?

Доктор Вингерен усмехнулся:

— Еще как пытался. Но он знал не больше моего. Выполнял директиву, полученную с самого верха.

— Из администрации премьера? — удивилась Сара.

— Не имею понятия. Знаете, ведь после Второй мировой войны между разными государствами сложились новые политические альянсы, и они... как бы это сказать?.. оказывали друг другу помощь в некоторых неудобных делах.

— Вы намекаете на какое-то конкретное государство, попросившее... помощи?

Доктор Вингерен посмотрел на Сару с удивлением, как учитель на ученика, который не может решить элементарную задачку:

— Разумеется, я говорю о Соединенных Штатах. Кто еще мог навязать норвежскому правительству свою волю так, чтобы им не задавали лишних вопросов?

— Но почему тогда нельзя было оставить пациента Четыре-Восемь-Восемь под полным контролем спецслужб? Зачем понадобилось помещать его в психиатрическую больницу на окраине?

— Теряюсь в догадках. Вероятно, на то были веские причины. Так или иначе, они не выпускали Четыре-Восемь-Восемь из поля зрения.

— Вы хотите сказать, в больнице у них был информатор?

— А как иначе они могли удостовериться, что все инструкции выполняются?

— Вам известно, кто держал их в курсе?

Вингерену вопрос не понравился.

— В больнице было очень много сотрудников, и я никогда не замечал в их поведении ничего подозрительного, — сухо сказал он. — Какое-то время пытался вычислить шпиона, но потом подумал, что жена и дети мне дороже. Тогда они еще были со мной. В те времена угрозы со стороны спецслужб нельзя было игнорировать, я не мог подвергнуть близких людей опасности. Так что быстро отказался от этой затеи. — Старик устремил тоскливый взгляд на фотографию, стоявшую на столике рядом с его креслом.

— А ЛС-34? Откуда вам его поставляли?

Вингерен не ответил — погрузился в воспоминания. Саре пришлось деликатно покашлять, чтобы вернуть его к действительности. Он взглянул на нее как ни в чем не бывало:

— Не знаю откуда.

— Ладно... А что вы можете сказать об этом препарате? Как он действует на психику?

— Это психотропное химическое вещество, сильный галлюциноген. Его разработали для снятия психоэмоциональных блокировок, возникающих в результате некоторых душевных недугов, и в свое время использовали в психоаналитической терапии пациентов с заторможенной психикой. ЛС-34 помогал замкнутым, ушедшим в себя людям проявить свой невроз.

— Похоже на ЛСД.

— Именно. Это вещество из той же группы. Производное эрголина, алкалоида спорыньи. Вы, наверное, знаете, что спорынью, грибок, паразитирующий на ржи, в Средние века применяли как галлюциноген. По сути это одно и то же, только ЛС-34 помощнее, чем ЛСД.

— Каракули на стенах в палате пациента Четыре-Восемь-Восемь — побочный эффект препарата?

— Каракули? — озадаченно переспросил доктор Вингерен.

— Ну... по крайней мере, так кажется на первый взгляд, — развела руками Сара. — А вы не согласны?

— У вас есть фотографии стен?

— Да...

— Покажите мне.

Она достала из кармана мобильный телефон и, открыв папку с нужными файлами, развернула его экраном к старику.

— Надо же, ничего не изменилось, — пробормотал тот. — Он рисовал одни и те же образы.

— Образы? — на этот раз озадачилась Сара и, увеличив фрагмент снимка, еще раз всмотрелась в него, но не различила никаких поддающихся осмыслению форм.

— О да. Это сложная система повторяющихся образов. Приглядитесь внимательнее.

Сара попыталась проследить контуры некоторых пятен, однако безрезультатно.

— Постарайтесь убедить себя в том, что пациент рисовал не просто так, а в его изображениях есть смысл. Это поможет вашему мозгу сосредоточиться на главном, — посоветовал Вингерен.

Сара еще раз посмотрела на экран, поводила по нему пальцами, меняя масштаб, и вдруг затаила дыхание.

— Это же дерево... — Взгляд метнулся в другой угол экрана, она склонила голову налево, направо, прищурилась. — Рыба? А вот здесь... похоже на языки пламени...

Олинк Вингерен одобрительно кивнул:

— Найдите фотографию другого участка стены, чтобы удостовериться.

Она уже сделала это и потрясенно замерла. Бессмысленные каракули на стенах палаты сложились в узор из трех до бесконечности повторяющихся символов, нарисованных вперемешку, сваленных в кучу, налезающих друг на друга, но теперь уже четко различимых: дерево, рыба, огонь.

— Вот вы и увидели, — констатировал психиатр. — Рыба, огонь, дерево.

— При вас он рисовал то же самое?

— Да, всегда так было.

— Вы спрашивали у него, что это означает?

— Однажды спросил, но он впал в такое буйство, что я не решился повторить.

Сара никак не могла оправиться от потрясения — тридцать шесть лет изо дня в день человек остервенело рисовал на стенах одни и те же символы. Откуда у него взялась эта навязчивая идея? Как она была связана с «черным сном», о котором говорил Янгер? Быть может, Олинк хоть что-то знает...

— Полагаю, вы все же задумывались о смысле этих изображений хоть раз за столько лет, господин Вингерен.

— Конечно. Но сказать с уверенностью могу только одно: все три элемента стоят вне времени и пространства, то есть не привязаны ни к определенной эпохе, ни к истории какой-либо страны. Он рисовал не самолет, не машину, не человеческое лицо... Однако я не понимаю, почему его преследовали именно эти образы.

— Санитары, присматривавшие за ним, еще говорили о каком-то странном крике...

— О да, фирменный крик пациента Четыре-Восемь-Восемь! Он словно хотел воспроизвести какой-то определенный звук или ноту, но никак не мог в нее попасть и пробовал снова и снова. Словно забыл и старался вспомнить, как это должно звучать. Загадка...

— А крик как-то связан с рисунками?

— Даже не представляю. Но возможно, невроз, выражавшийся в крике, имел ту же причину.

— Прием препарата ЛС-34 мог привести к остановке сердца? Вернее, мог ли он вызвать настолько чудовищные галлюцинации, что пациент умер от страха?

Вингерен задумчиво потер лоб.

— И да и нет, — проговорил он наконец. — Если учесть все, что я услышал от вас, и добавить мои собственные знания о действии ЛС-34... сомневаюсь, что галлюцинация могла спровоцировать у человека приступ смертельного страха. Даже в полубессознательном состоянии, в котором, видимо, и пребывал пациент Четыре-Восемь-Восемь перед смертью, мозг по-прежнему способен отличать воображаемые образы от реальных. К примеру, когда вам снится, что вы умираете, организм тотчас просыпается, поскольку мозг знает, что это неправда. Так что пациент Четыре-Восемь-Восемь умер вовсе не от галлюцинации, а скорее от воспоминания. Я думаю, препарат ЛС-34 вытащил из глубин его памяти нечто такое, что и спровоцировало эмоциональный всплеск, а в результате — остановку сердца.

— Значит, в прошлом он видел или слышал нечто настолько ужасное, что одно лишь воспоминание об этом его убило?.. — не поверила Сара. — Но разве мысль может убить?

Старый психиатр иронически усмехнулся:

— Мысли прикончили бы всех нас, если б не забвение, мадам Геринген. Способность забывать избавляет нас от необходимости каждую секунду размышлять на тему абсурдности бытия. Мы живем, не зная, откуда пришли в этот мир, и умираем, не догадываясь, что будет дальше. Как жить между необъяснимым рождением и необъяснимой смертью, не цепенея при этом от страха из-за отсутствия смысла? Логически невозможно. И тем не менее подавляющему большинству людей это удается, живут себе и в ус не дуют. Но представьте, что было бы, если б вас заставили думать об этом каждую секунду, постоянно осознавать абсурдность собственного существования. Вы бы с этим справились, как полагаете? Обычно подобные мысли посещают нас, только когда мы сталкиваемся со смертью кого-то из близких. Но... — Доктор Вингерен замолчал, качая головой, словно что-то тревожило его в своих умозаключениях.

— Но что? — спросила Сара, стараясь прогнать тягостные мысли, одолевавшие ее, по мере того как старик говорил. — Вы как будто намекаете, что в случае с пациентом Четыре-Восемь-Восемь все было не так.

— На это намекают его рисунки. С точки зрения психиатрии они свидетельствуют о пережитой пациентом психологической травме, причину которой он таким образом пытается облечь в некую распознаваемую форму. То есть в своих рисунках он хотел отобразить воспоминание, которое преследовало его и не давало покоя. Это было нечто вполне конкретное, не просто память об эмоциях, вызванных столкновением с бессмысленностью бытия.

Часы с маятником начали отбивать время — Сара насчитала одиннадцать ударов и огорчилась оттого, что до сих пор не удалось получить ни одной зацепки.

— Хотите чего-нибудь выпить, инспектор?

— Нет, спасибо. Послушайте, господин Вингерен...

Но старик поднялся с кресла, не дав ей закончить, и устало зашаркал в соседнюю комнату.

Сара не решилась его остановить — слушая звон посуды, ждала, когда он вернется. Нетерпение нарастало; наконец минут через десять хозяин появился в гостиной с чашкой и заварочным чайником на подносе, дрожавшем в дряхлых руках.

— Все, что вы рассказали, господин Вингерен, чрезвычайно любопытно, — начала Сара, едва он переступил порог. — Но мне нужна хоть какая-то информация, которая поможет выйти на людей, поместивших пациента Четыре-Восемь-Восемь в «Гёустад», на тех, по чьему приказу над ним проводились эксперименты с применением ЛС-34.

Олинк тем временем опустился в кресло, налил себе чаю, сделал глоток и наслаждался вкусом, будто не слыша ее.

— Очень жаль, но я не знаю, что еще вам сказать, — наконец проговорил он. — Теперь вам известно об этом деле даже больше, чем мне.

Сара приуныла, испугавшись, что на этом все и закончится — она опять останется ни с чем.

— Понимаю ваше огорчение, инспектор, и весьма сожалею, что не могу помочь. Единственное, что не вызывает сомнений, — организаторы всей этой сложной операции играют по-крупному, и найти, с чего и с кого все началось много лет назад, будет крайне непросто. Слишком уж неподъемную задачу вы перед собой ставите. Сами подумайте — этого человека привезли в «Гёустад» двадцать четвертого декабря тысяча девятьсот семьдесят девятого года, с тех пор прошло тридцать шесть лет. Уму непостижимо!

Сара резко вскинула голову:

— Двадцать четвертого декабря семьдесят девятого? Вы уверены?

— Уверен, потому что, когда мне домой позвонил дежурный санитар и сказал, что в больнице срочно требуется мое присутствие, я как раз упаковывал последние рождественские подарки для детей. Пришлось все бросить и немедленно ехать в «Гёустад». Двое незнакомцев, о которых предупреждал министр, ждали в вестибюле и поручили моим заботам безымянного мужчину, потребовав строгого соблюдения секретности. Такие события под Рождество не забываются, знаете ли.

— Господин Вингерен, кому вы доверили заняться пациентом в тот первый вечер? Это очень важно.

— Молодому санитару. Он и в дальнейшем имел дело с пациентом Четыре-Восемь-Восемь, но все-таки чаще с ним общался я сам, по крайней мере в первый месяц.

— Как звали того санитара?

— Вы шутите? — фыркнул Олинк. — Как я мог это запомнить?

— Ладно, ничего. Кажется, я уже знаю, кто был информатором людей, шантажировавших вас все эти годы. — Сара вскочила с кресла под недоуменным взглядом старого директора. — Спасибо!

— Госпожа Геринген, мне о вас ничего не известно, но я всю жизнь занимаюсь тем, что заглядываю людям в душу, и могу сказать, что в вашей душе есть доброта и какая-то хрупкость. Будьте очень осторожны. Те, кто затеял всю эту историю, не зря оберегают свою тайну почти сорок лет.

Сара поблагодарила доктора Вингерена, торопливо дошла до внедорожника и вихрем помчалась в Осло.

Глава 10

Было около четырех часов дня, хотя казалось, будто уже четыре ночи — небо закуталось в толстое свинцово-серое одеяло из снежных туч, и муниципалитету Осло даже пришлось оставить зажженными уличные фонари, но и этого света едва хватало, чтобы рассеять густой покров тумана.

Сара повыше подняла воротник парки, прикрыв шею и затылок, который уже ломило от холода и усталости, выскочила из машины, пробежала через парковку, а затем, рывком распахнув тяжелые двери Главного управления полиции, устремилась к кабинету Норберта Ганса. Помощник оторвал взгляд от монитора и сразу понял, что начальница очень спешит.

— При обыске у Сандвика нашли трудовой договор? Мне нужна дата его поступления на работу в «Гёустад».

— Э-э... на глаза он мне пока не попадался, но, должно быть, нашли. Коробки с изъятыми у Сандвика вещами на первом этаже.

Сара сделала помощнику знак следовать за собой; они спустились по лестнице и вошли в общее помещение, где трое полицейских, разложив перед собой стопки бумаг, внимательно их изучали.

— Парни, нам нужно узнать, когда Леонарда Сандвика наняли на работу в «Гёустад», — сказал Норберт. — Ищите трудовой договор или отчеты из пенсионного фонда.

Они с Сарой присоединились к команде, рывшейся в здоровенной куче документов, которые накопились дома у пожилого санитара, и через полчаса, к пяти, получили то, что искали.

— Я так и думала, — пробормотала Сара.

Схватив трудовой договор, она решительно направилась к камере предварительного заключения, где держали Сандвика, и вошла, по обыкновению не постучав.

Санитар, дремавший на койке, подвешенной к стене, очнулся оттого, что хлопнула дверь, и, дернувшись, поднял голову с подушки.

— В рамках расследования по делу пациента Четыре-Восемь-Восемь возникли новые вопросы, — сухо сообщила Сара.

Леонард Сандвик нервно облизнул губы; осоловелый взгляд заметался, в нем ясно читались недоумение и страх. Санитар сел на краю койки и потер виски.

— Что случилось? Почему вы на меня так смотрите, инспектор?

— В этом документе черным по белому написано, что вы приступили к выполнению обязанностей санитара в психиатрической больнице «Гёустад» двадцать второго ноября тысяча девятьсот семьдесят девятого года. Что в принципе не противоречит сказанному вами на предыдущем допросе. Верно?

— Да...

— Господин Сандвик, в прошлый раз вы мне также сказали, что не были свидетелем прибытия в «Гёустад» пациента Четыре-Восемь-Восемь и узнали о его существовании лишь спустя несколько месяцев после того, как сами пришли туда на работу. Так?

— Э-э... да.

Сара заметила, что задержанный непроизвольно бросил взгляд на дверь, будто хотел сбежать.

— Однако только что я узнала... — Сара демонстративно заперла замок на несколько оборотов, — что пациента Четыре-Восемь-Восемь привезли в больницу двадцать четвертого декабря семьдесят девятого, то есть через месяц после того, как вы приступили к выполнению обязанностей санитара. Вы уже были там. И приняли пациента, когда его доставили туда двое неизвестных мужчин. Почему вы солгали, господин Сандвик?

— Я... я не лгал, просто забыл, вот и всё. Вы же задаете мне вопросы о событиях тридцатишестилетней давности! Может, я и видел, как тем вечером кого-то привезли, но понятия не имел, что это был Четыре-Восемь-Восемь. Я вам не лгал!

— «Тем вечером», вы сказали? Откуда вы знаете, что это было именно вечером?

— А?.. Я не знаю, может, днем или утром, просто слово подвернулось! — выпалил санитар, раздраженно хмурясь.

— Господин Сандвик, пора бы вам уже начать говорить правду. Ведь это вы приняли и разместили в палате человека, которого привезли в «Гёустад» накануне Рождества. Быть может, и двух директоров этого заведения шантажировали тоже вы? Вы угрожали расправой над их семьями, если они откажутся выполнять приказы? И вы снабжали больницу запрещенным препаратом ЛС-34?

— Я вообще не понимаю, о чем вы говорите!

— Слушайте, Сандвик, насколько мне известно, у вас есть жена и маленькая дочь...

Пожилой санитар шумно вдохнул.

— Если будете сотрудничать со следствием, суд это учтет. И у вас появится шанс увидеть, как растет ваша дочь.

Сандвик удрученно опустил голову.

— Возможно, я плохо вас знаю, господин Сандвик, но мне почему-то кажется, что вы неплохой человек, и, учитывая, сколько лет вам и сколько вашей дочери, для вас важно, чтобы у нее остались добрые воспоминания о своем немолодом папе...

Взволнованный санитар отвел взгляд, и Сара дала ему время спокойно подумать. За последние несколько часов он как будто постарел лет на десять, а когда снова заговорил, в нем уже ничего не осталось от бодрого, готового сражаться шестидесятилетнего мужчины — теперь перед Сарой сидел жалкий старик, замученный угрызениями совести.

— Я тогда был очень молод, нуждался в деньгах, а у меня ничего такого особенного вроде бы и не просили... — прошептал он.

— Что вы сделали и по чьей просьбе? — почти доброжелательно спросила Сара. — Можете мне поверить, чистосердечное признание значительно смягчит ваш приговор. Срок будет сокращен на несколько лет.

Сандвик вдруг яростно стукнул кулаком по койке:

— Это несправедливо!

— Что несправедливо?

— Вы пытаетесь выставить меня главным злодеем в этой истории, но я ничего плохого не сделал!

— А кто главный злодей? Профессор Грунд, ваш директор?

— Нет, он, по сути, тоже ни при чем. Выполнял то, что ему приказывали, так же как и я.

— Объясните наконец.

Сандвик испустил долгий вздох.

— В семьдесят девятом году я закончил медицинское училище, и нужно было выплатить кредит на учебу... Мне повезло — удалось получить работу в психиатрической больнице «Гёустад», я и не мечтал попасть в такое престижное место... Но зарплаты на приличную жизнь все равно не хватало. — Санитар с трудом сглотнул и сокрушенно покачал головой, словно проклинал себя за решения, принятые в молодости. — В декабре того же года со мной связался какой-то человек. Он предложил мне за ежемесячную плату наличными присматривать за одним пациентом, который должен вскоре поступить на содержание в «Гёустад». Я согласился, хотя сейчас понимаю, какая это была глупость с моей стороны... Согласился, потому что не увидел в том предложении ничего рискованного или незаконного. Меня всего лишь попросили лично ухаживать за больным с амнезией и следить за тем, чтобы он получал регулярный курс лечения препаратом ЛС-34 и проходил тесты на каком-то странном аппарате. Я должен был каждый месяц составлять отчет о его состоянии, описывать рисунки, которые увижу у него в палате, и звуки, которые он будет издавать. Пациента привезли в сочельник. Мне велели не задавать лишних вопросов, не пытаться понять, что с ним происходит, и никому о нем не рассказывать. Еще меня заверили, что директор в курсе и не будет чинить препятствий.

— Что вы знаете о человеке, который сделал вам это предложение? — поинтересовалась Сара, смерив санитара задумчивым взглядом.

— Ничего. Я даже лица его не видел.

— Как же вы общались?

— Сначала по почте, до востребования, а в последние годы — по мобильной связи. Он давал мне номер, на который я должен был звонить раз в месяц и отчитываться.

— Диктуйте номер, Леонард, я записываю.

Санитар замялся.

— Могу продиктовать, но этот номер уже недействителен. В конце каждого разговора я получал от него новый. А в прошлый раз я сказал ему о смерти пациента Четыре-Восемь-Восемь, и на этом все закончилось.

— Давайте тот номер, который у вас есть.

Леонард Сандвик покорно полез в задний карман брюк и протянул Саре скомканную бумажку.

— Прошу вас, не звоните по нему, тот человек поймет, что номер вы получили от меня, и... — Санитар перешел на шепот: — Я боюсь за свою семью.

Сара, взяв бумажку, молча вышла из камеры и заперла дверь. Она сразу направилась в кабинет, где за компьютером сидел эксперт по телекоммуникациям — худой парень с покрасневшими глазами. По монитору перед ним ползли колонки цифр, время от времени он быстро барабанил по клавиатуре. Сара протянула парню бумажку и попросила отследить номер, по возможности осторожно; тот пообещал управиться побыстрее.

Вернувшись к Сандвику, Сара привалилась спиной к дверной створке и скрестила руки на груди:

— Пока специалисты вычисляют владельца номера, расскажите мне, как ваш собеседник отреагировал на известие о смерти пациента Четыре-Восемь-Восемь.

Леонард молчал, покусывая ноготь на большом пальце.

— Господин Сандвик, ответить на мои вопросы — это единственное, что вы сейчас можете сделать, и единственное, что может вам помочь. Что сказал ваш собеседник, услышав о смерти старика?

— Сначала в трубке была тишина. Потом он заявил, что моя миссия окончена и, соответственно, денежные переводы прекратятся.

— Откуда у старика шрамы на лбу?

— Меня это тоже интересовало. Поначалу я думал, что он преступник... но цифры на лбу — это странно даже для бывшего заключенного...

— Послушайте, если вы хотите, чтобы я сообщила в суде о вашем сотрудничестве со следствием, того, что вы рассказали, будет недостаточно.

Сандвик уставился в пол, нервно выкручивая пальцы. Сара дала ему время подумать, сделав вид, будто читает эсэмэски в телефоне.

— Э-э... возможно, я могу еще кое-что добавить, — произнес наконец санитар тихим голосом.

— Слушаю вас внимательно.

— Вчера, обнаружив, что пациент мертв, я, конечно, сразу понял, что денег мне теперь не видать, и... испугался, представив себе, как скажу жене, что нам придется продать дом...

— Ну и?..

— И решил немного подзаработать... возместить потери. Когда мне тут разрешили позвонить жене, я ей велел немедленно продать ЛС-34 на черном рынке. Знал, что вы все равно докопаетесь до моей связи с этим делом, и подумал, что надо избавить семью хотя бы от финансовых проблем. В общем, я сказал жене зарегистрироваться на интернет-форуме, известном среди медицинских работников. Там можно... э-э... Короче, ЛС-34 должен вызвать интерес у торговцев наркотиками.

— Вы правильно сделали, что рассказали мне об этом, господин Сандвик. Но возможно, вы знаете что-то еще? Например, о рисунках, которыми покрыты стены в палате пациента Четыре-Восемь-Восемь? Они имеют какое-то отношение к людям или событиям, из-за которых он оказался в «Гёустаде»?

— Не знаю... Но сейчас вспомнил кое-что другое. Однажды я плохо себя чувствовал и забыл сделать ему инъекцию ЛС-34. А когда на следующий день зашел в палату, он уставился на меня так, будто увидел в первый раз. И взгляд у него был ясный, осмысленный, против обыкновения. Он сразу спросил по-английски, где находится и сколько времени здесь провел. Я ответил, что он в психиатрической больнице, а попал сюда после того, как его подобрали на улице Осло в полном беспамятстве. Он посмотрел на меня задумчиво, отвернулся и сел на кровать, так ничего и не сказав. Я поинтересовался, помнит ли он что-нибудь... о своем прошлом, о родственниках. Но он промолчал.

— Больше вы ни о чем не говорили?

— Ну, меня все-таки разбирало любопытство. Так что, пока колол ему очередную дозу ЛС-34, я спросил, почему он каждый день так кричит. Это и правда было очень странно — он издавал какие-то нечеловеческие звуки. Я хоть и привык к ним, все равно всякий раз делалось не по себе...

Сара изобразила на лице вежливое участие, побуждая санитара к дальнейшим откровениям. Тот, помолчав еще немного, продолжил едва слышно:

— И тут он повернулся ко мне и сказал, что кричит потому, что пытается вспомнить. Я спросил — о чем? А он... Никогда не забуду, какой у него был взгляд, когда он сказал: «Вам лучше не знать». — Леонард Сандвик тряхнул головой, будто хотел отогнать неприятные мысли. — Знаете, я ни разу в жизни не видел, чтобы в глазах человека так четко отражался страх. Мне этот его взгляд и сейчас в кошмарах снится. Не знаю, что он там видел, но ни за что на свете я не согласился бы оказаться в его шкуре. Ни за что на свете...

Голос Сандвика растворился в тишине. Даже Сара была взволнована услышанным.

В этот момент у нее зазвонил мобильник. Опасения оправдались: эксперт по телекоммуникациям сообщил, что номер, полученный от Сандвика, одноразовый и срок его действия истек. Отследить местоположение телефона, на который звонили, невозможно, потому что сим-карта, судя по всему, уничтожена. Сара невозмутимо поблагодарила парня и сунула мобильник в карман. Оставалось выяснить еще кое-что, и она, не в силах устоять на месте, прошлась по камере.

— Господин Сандвик, ваш коллега Элиас Лунде сказал мне, что в последнее время пациент Четыре-Восемь-Восемь все чаще впадал в буйство. Вы не знаете почему? Может, что-то изменилось в его курсе лечения? Вы увеличили дозу ЛС-34?

Леонард Сандвик, сидя на койке, уперся локтями в колени и уронил голову в ладони.

— Если б я знал, что все закончится именно так, ни за что бы этого не сделал... Да, я увеличил дозу ЛС-34, потому что мне приказали.

— Ваш таинственный собеседник, я полагаю?

— Да.

— А зачем?

Санитар умоляюще посмотрел на Сару снизу вверх:

— Вы обещаете защитить моих жену и дочь?

— Отвечайте на вопрос.

— Нет, сначала поклянитесь, что защитите их!

— Их возьмут под охрану как свидетелей по делу, если возникнет необходимость.

— Дайте слово!

— Хорошо, даю вам слово, — уступила Сара. — А теперь скажите мне, зачем понадобилось увеличивать дозу ЛС-34.

— Я думаю, это его и убило... Они зашли слишком далеко...

— Господин Сандвик! — нетерпеливо окликнула Сара замолчавшего санитара.

— Все началось с того посетителя.

У нее по венам прокатилась волна адреналина.

— С посетителя? Кто это был?

— Я соврал вам о том, что пациента Четыре-Восемь-Восемь никто не навещал. Чуть больше года назад в «Гёустад» пришел один человек и попросил о встрече с ним. Мужчина лет тридцати пяти. Сказал, что работает в лаборатории, которая поставляет в «Гёустад» ЛС-34, и что он хочет обследовать пациента, получающего инъекции этого препарата, — мол, им нужны данные для исследований в области психотропных веществ.

— Что за лаборатория?

— Французская. Довольно известная фармацевтическая фирма. Но я ему не разрешил увидеться с Четыре-Восемь-Восемь — сослался на внутренний распорядок и правила безопасности. Тогда он забросал меня вопросами, очень точными и конкретными, о поведении пациента. Я отвечал уклончиво. Его это раздосадовало, он пытался настаивать, но я не уступил, и ему пришлось убраться восвояси. Я немедленно позвонил своему... работодателю. Тот спросил, как звали гостя, велел немедленно убрать его имя из журнала регистрации и никому о нем не рассказывать.

— Как его звали? — Теперь в голосе Сары уже не было притворного сочувствия — она говорила жестким, официальным тоном. — Господин Сандвик, назовите мне имя посетителя.

На протяжении всего разговора пожилой санитар нервно стискивал и мял руки, так что кисти покраснели. Теперь у него задергалась нога. Тишина, воцарившаяся в камере, давила на нервы все сильнее, Сара не сводила тяжелого, немигающего взгляда с его лица.

— Кончена моя жизнь, — пробормотал он уныло. — Все кончено...

— Назовите мне имя, и я обеспечу охрану вашей семье.

Леонард Сандвик со вздохом опустил голову еще ниже.

— Он представился как Адам Кларенс, француз из фармацевтической компании «Жантикс».

Глава 11

Старик проснулся, внезапно открыв глаза. Лицо было липким от пота, сердце бешено колотилось о ребра, всполошенное ночным кошмаром.

Он медленно выровнял дыхание и повернул голову к окну. Солнце искрилось в листве огромной липы, ветерок мерно покачивал ветви, протянутые к оконному стеклу, и что-то шептал убаюкивающе; ему вторил стрекот цикад.

— Все хорошо. Сегодня понедельник, пятнадцатое февраля. Вы дома, Лазарь, и я о вас позабочусь.

Молодая блондинка ласково улыбалась старику, держа его за руку. Старик поблагодарил ее, прикрыв и подняв веки — на большее сейчас был неспособен. Уже два года он не вставал с постели, не мог долго обходиться без аппарата искусственного дыхания, а питание получал внутривенно. Взгляд, замутненный сном, обежал комнату, скользнул по потолку с лепниной и задержался на одной из картин, украшавших стены. На самой любимой. Почти идеальная копия портрета Пушкина кисти Петра Кончаловского. Поэт держит в руке перо, задумчиво покусывая кончик, словно вот-вот на бумагу вместе с легким дыханием творца повеют стихи.

— Вам нравится эта картина, да? — спросила белокурая медсестра, надевая ему на руку какую-то медицинскую штуковину — браслет на липучке. — Напоминает о родной стране?

«Если б ты знала, милочка, сколько крови было пролито, чтобы добыть оригинал, — подумал Лазарь. — Если б ты знала, за кем сейчас ухаживаешь, сбежала бы отсюда со всех ног, бедняжка. Хотя, может, и нет. Может, ты такая же, как те бабы, которых я немало повидал на своем веку, — они готовы притворяться слепыми и глухими, лишь бы им было тепло и не дуло».

— Шесть целых три десятых. Лучше, чем вчера! Ну просто очень хорошо! — радостно сообщила блондинка.

— Ничего хорошего. Но вы не дадите мне умереть до тех пор, пока я не найду ублюдков, которые со мной это сделали. Вам ясно?

Сорванный, скрипучий голос потонул в приступе кашля, и медсестра тотчас заботливо склонилась к больному:

— Тише, тише, вы так себе только навредите.

— Да вы хоть понимаете, во что они меня превратили?! — просипел Лазарь.

Возле кровати, на тумбочке, заваленной лекарствами, стояла черно-белая фотография в рамке: молодой человек в ладном костюме, очень красивый, статный, с чеканным лицом и пронзительным взглядом. Глядя на него, медсестра каждый раз думала, что в ту пору, когда был сделан этот снимок, Лазарь показался бы ей не просто привлекательным, а прямо-таки неотразимым.

Теперь же от него остался скелет, обтянутый бледной желтоватой кожей, и виной тому была не только старость. Глубокие морщины словно свидетельствовали о том, что это лицо долгое время кривилось от боли. Скрюченные пальцы, будто начавшие сжиматься в кулаки и застывшие в таком положении, хранили память о мучениях, от которых когда-то его не могли избавить ни крики, ни мольбы. А глаза, подернутые белесой дымкой, казалось, принадлежали человеку, мечтающему ослепнуть, чтобы даже мысленным взором не видеть собственных страданий.

Но в самой глубине мутных светло-голубых, почти белых глаз ярко горел огонек ненависти — единственного топлива, которое поддерживало в нем жизнь.

— У них поначалу было много подопытных... — заговорил Лазарь сдавленным голосом, схватив медсестру за руку. — Они искали тех, кто это выдержит, а когда находили, ставили на лоб клеймо, как скотине. Им нужны были люди, которые смогут сопротивляться их машине, вытерпят эксперимент до конца... Вот я таким и оказался. Не потому, что хотел, просто у меня была хорошая подготовка... специальные навыки...

В общем, как дурак, попал в круг избранных. Очень узкий круг. Я был вторым и, видимо, последним... — Он привычным, механическим жестом поднес руку ко лбу и принялся остервенело чесать его скрюченными пальцами. — Мы не узнали, почему с нами это делали! А теперь я сдохну, так и не вырвав у них правду!

— Перестаньте, сейчас опять до крови расчешете. — Медсестра ласково отвела руку старика, погладила его лоб ладонью, смахнув слипшиеся от пота волосы, и смазала кремом толстые покрасневшие рубцы, которые складывались в число «488». — Ну вот, так лучше. А теперь вам надо подкрепи... — Она осеклась, потому что в этот момент раздался звонок в холле на первом этаже. — Вы кого-нибудь ждете?

Лазарь, не менее удивленный, взглянул на монитор видеонаблюдения, стоявший рядом с кроватью.

Медсестра, увидев, что больной сверхчеловеческим усилием пытается подняться, поняла, что происходит нечто важное.

— Помогите же мне! — просипел Лазарь.

Девушка поспешно обхватила его за плечи и приподняла, подсунув под спину большую подушку, чтобы он мог сидеть.

— Встретьте гостей и проводите сюда. Потом можете быть свободны.

— А кто это?

— Поживее, милочка!

Через минуту в комнату вошли двое мужчин — широкоплечие, с грубыми, будто вырубленными из дерева лицами. Первый, тот, что пониже, с черными волосами и короткой бородкой, жевал жвачку и тотчас принялся шарить цепким взглядом по комнате. Второй, мускулистый бритый верзила с выдающейся челюстью, обернулся вслед выходившей медсестре. Несмотря на такую разную внешность, у гостей было общее выражение глаз, в которых читались равнодушие и презрение к жизни.

— Ну? — уставился на них Лазарь. — Нашли что-нибудь?

Бородатый, устало отдуваясь, закатал рукава рубашки.

— Жарковато у вас тут, на юге Франции, — пожаловался он со славянским акцентом.

— Да уж, не Москва, товарищ, — хмыкнул Лазарь.

Бородатый ответил едва заметной улыбкой и еще раз придирчиво оглядел комнату, словно оценивал стоимость обстановки. Лазарь молча ждал, внешне сохраняя невозмутимость, и это было тяжким испытанием для надорванного сердца.

— ЛС-34 толкнули в теневом Инете, — наконец проронил бородатый, перейдя на русский.

Лазарь вздрогнул. Наконец-то! Известие, которого он ждал столько лет больше всего на свете, только что прозвучало!

— Кто толкнул? Где?

— Один из наших спецов проследил продавца до Норвегии. Короче, жена санитара из психушки «Гёустад» решила срубить бабла на продаже препарата после смерти пациента, которому его кололи много лет.

— Стало быть, он мертв... Я последний, — взволнованно пробормотал Лазарь. — Откуда взялся этот ЛС-34?

— К счастью для нас, женушка оказалась в курсе делишек мужа.

— Еще бы! Эти делишки приносили ей неплохой доход, — осклабился бритый верзила.

— Короче, — продолжил бородатый, — муж ей все выбалтывал, ну и она не стала кобениться, когда мы ей объяснили, что от этого зависит жизнь — ее и дочурки. Сразу дала нам координаты фармацевтической фирмы, которая снабжала мужа ЛС-34. Адрес во Франции, в Парижском регионе. Контора называется «Жантикс».

— «Жантикс», — повторил Лазарь, и его глаза расширились, взгляд устремился в пространство, будто он смотрел сон наяву.

Через столько лет безуспешных поисков ему удалось выйти на след своих палачей. Еще немного — и он вырвет у них ответы, которых ждет не дождется, чтобы можно было наконец спокойно умереть.

— Что прикажете делать дальше? — поинтересовался бородатый и, понизив голос, добавил: — Надеюсь, вы не забыли, что после этого мы будем в расчете?

— Поезжайте в «Жантикс» и найдите сотрудников, которые работали там в конце семидесятых. Прежде всего мне нужен некий Натаниэл Эванс. Сделайте все по-тихому. Отвезите тех, кто может пригодиться, в укромное местечко и позвоните мне. Я задам им пару вопросов по телефону.

Бандиты синхронно кивнули.

— А с женой санитара вы как поступили? — спохватился Лазарь.

— Да отпустили ее. Она ж по-любому не побежит в полицию. К тому же мы с вами договаривались — чем меньше трупов, тем лучше, чтобы шум не поднимать.

— Хорошо.

Двое русских молча покинули комнату, и Лазарь безвольно рухнул на подушку. Он побледнел еще больше, взмок от пота — эмоциональный всплеск и усилия, потребовавшиеся для разговора, лишили его последних сил. Зато огонек ненависти в глазах разгорелся пуще прежнего.

Глава 12

Сара даже представить не могла, что ей придется вернуться в Париж при таких обстоятельствах. Склонившись к иллюминатору, она уже различала далеко внизу Эйфелеву башню, выныривавшую из парижского тумана, и у нее щемило сердце.

Там, на вершине этой башни, в середине жаркого июля, Эрик сделал ей предложение. И несмотря на то что сейчас воспоминания причиняли боль, Сара невольно улыбнулась. Она ни разу не видела Эрика таким серьезным. Когда он взял ее за руки и заговорил, его губы и коленки дрожали, и Сара сначала испугалась, что он плохо себя почувствовал после спортивного испытания, которому она его подвергла. Ей, зачарованной красотой Парижа и даже не догадывавшейся о намерениях спутника, пришла в голову безумная идея подняться на пинакль Эйфелевой башни пешком, по лестнице. А Эрик, по доброте душевной и потому, что счел неуместным спорить с женщиной, которую собирался попросить выйти за него замуж, безропотно согласился. Сара, со своей отличной физической подготовкой, легко и беззаботно взлетела на тысячу шестьсот шестьдесят пять ступеней; бедняга Эрик вынужден был постоянно останавливаться, чтобы отдышаться, и дополз на последний этаж с багровым лицом и выпрыгивавшим из груди сердцем. Ему понадобилось двадцать минут, чтобы прийти в себя, и все это время Сара перебегала из одного угла смотровой площадки в другой, стремясь объять взглядом весь необъятно-прекрасный город, а когда Эрик попросил ее сесть рядышком, извинилась за то, что отбила ему вкус к спортивным подвигам на всю оставшуюся жизнь, и заверила, что уже навела справки, где тут искать дефибрилля́тор. Эрик улыбнулся и, хотя его едва угомонившееся сердце вдруг опять пустилось в пляс, заговорил... После этого уже у Сары дрожали губы и зашкаливал пульс, и Эрик озабоченно спросил, куда все-таки бежать за дефибриллятором, и тогда она, со слезами на глазах, безудержно расхохоталась, а потом прошептала «да».

— Вы уже бывали в Париже?

Мужчина в деловом костюме, сидевший рядом с Сарой, наклонился слишком близко к ней, делая вид, что любуется пейзажем внизу за иллюминатором.

— Мой отец француз, — сказала Сара. — А я замужем за норвежцем.

— О... Вы прекрасно говорите на нашем языке, для норвежцев это редкость, — вежливо отозвался мужчина, усаживаясь ровно — видимо, понял скрытое послание. — Приятного пребывания во Франции.

Рейс KL2013 в эту пятницу 19 февраля приземлился точно по расписанию, в 15:55 в аэропорту Орли, и вскоре Сара уже ехала на такси в Исси-ле-Мулино, где находился главный офис фармацевтической фирмы «Жантикс». Решение лететь во Францию она приняла сразу после того, как узнала, где работает единственный посетитель, явившийся к пациенту 488.

В Осло, перед тем как отправиться в аэропорт, она заскочила к сестре, Джессике, чтобы обнять племянницу и вручить ей собственноручно написанный портрет. Сара изобразила Мойру в образе принцессы, а роскошное платье подглядела на одном сайте, где продавались эксклюзивные наряды ручной работы, существующие в единственном экземпляре. Девочка пришла в восторг и заявила, что Сара теперь ее вторая мама. Джессика с улыбкой сказала дочери, что у тети Сары скоро и так будет по горло хлопот со своим собственным малышом, потом спохватилась, что слишком уж навязчиво торопит сестру с материнством, хотела извиниться, но не успела — Сара спешила в аэропорт и быстро распрощалась с родственниками.

Она забронировала билет на первый же рейс Осло—Париж, вылетавший в полдень, и поставила Стефана Карлстрёма в известность о своем отъезде. Он не стал возражать, но выдвинул условие: на месте она сразу обратится к французской полиции с просьбой о сотрудничестве. Сара так и сделала, запросив у французов информацию о Шарле Паркерене, директоре «Жантикса», и об Адаме Кларенсе, однако ей ответили, что перегружены работой из-за недавних терактов и выполнить ее запрос в разумные сроки не смогут. Так что, когда такси подъехало к монументальной башне из стекла и бетона, на верхушке которой обустроилось руководство «Жантикса», она уже знала, что рассчитывать на поддержку французских властей нельзя — придется справляться в одиночку.

Расплатившись с таксистом и мимолетно подумав, что тарифы неприлично выросли со времен ее последнего пребывания во Франции, Сара пересекла мощенную бежевыми плитами эспланаду, в центре которой красовался безвкусный фонтан в форме рога изобилия. Крутанув турникет, вошла в башню и сразу направилась к помпезной, сиявшей белым лаком административной стойке в центре холла. Жеманная девушка-администратор одарила ее дежурной улыбкой и поправила на голове наушники с микрофоном, ничуть не портившие идеальную прическу.

— Добрый день, меня зовут Сара Геринген, я инспектор полиции Осло. Хотела бы встретиться с месье Адамом Кларенсом.

— С Адамом Кларенсом, вы сказали? — с некоторым удивлением переспросила девушка.

Сара подтвердила едва заметным кивком. Она знала, что говорит по-французски с легким акцентом, но затруднения администратора, похоже, были вызваны чем-то другим.

Девушка пощелкала клавишами, скользнула взглядом по монитору и нахмурилась:

— Странно, не вижу такой фамилии. Не могли бы вы произнести по буквам?

— К-л-а-р-е-н-с. Адам, как в Библии.

Девушка опять заколотила по клавишам, потом огорченно взглянула на Сару:

— Мне очень жаль, но в базе нет такого сотрудника.

Сара подобного ответа не ожидала. «Неужели Леонард Сандвик соврал?.. Впрочем, не исключено, что Адам Кларенс уволился. Или же администраторша получила указания на случай, если его кто-то будет искать», — подумала она. Так или иначе, нельзя было уходить, не прояснив ситуацию.

— Тогда я хотела бы поговорить с вашим начальником отдела кадров.

— У вас назначена встреча? — неуверенно спросила девушка.

— Как вы понимаете, нет. Но надеюсь, начальник отдела кадров найдет время, чтобы ответить на пару вопросов.

Смущенная ледяным тоном инспектора норвежской полиции, девушка забыла про дежурную улыбку и принялась набирать номер на телефоне. Коротко обрисовав ситуацию, она положила трубку, и дежурная улыбка вернулась на место.

— Мадам сейчас спустится. Вы можете подождать в салоне. — Она указала на уютный уголок холла, где стояли глубокие белые диванчики и кадки с тропическими растениями.

Ждать пришлось всего три минуты — Сара едва успела устроиться на диванчике, а к ней, протягивая руку для приветствия, уже вышла женщина лет пятидесяти с короткими светлыми волосами и мужиковатой походкой.

— Добрый день, я Сильви Шамброн, начальник отдела кадров «Жантикса». Чем могу помочь, инспектор... Геринген? Я правильно произношу?

Сара проигнорировала и протянутую руку, и вопрос о фамилии.

— Здравствуйте. — Она раскрыла перед дамой удостоверение. — Я ищу Адама Кларенса, который, по имеющимся у меня сведениям, должен здесь работать.

Поведение Сары начальнице отдела кадров не понравилось, но она, как истинный профессионал, не подала виду.

— Да-да, администратор мне об этом уже сообщила. Вы правы, Адам Кларенс работал в «Жантиксе», но, к сожалению, он умер.

Сара от неожиданности на секунду потеряла свое извечное хладнокровие. Она и сама не могла разобраться, какое чувство одержало в ней верх — разочарование или недоверие.

Сильви Шамброн сокрушенно покачала головой:

— Мне и правда жаль, что приходится сообщать вам эту новость. Адам Кларенс погиб в дорожной аварии около года назад. Мы все здесь очень по нему горевали. Он был компетентным сотрудником и приятным человеком.

Сара все еще не находила в себе силы поверить. Ее расследование не должно закончиться вот так!

— У него есть родственники? Жена?

— Увы, жена была с ним в машине, она тоже погибла, — вздохнула начальница отдела кадров.

— Родители?

— Насколько мне известно, он был очень близок с братом. Мы познакомились на похоронах, у меня есть его номер его служебного телефона — может, вам пригодится?

— Да, спасибо.

Сильви Шамброн принялась листать на экране смартфона длинный список контактов, наконец нашла искомый.

— Брата зовут Кристофер, он журналист и писатель. Вот телефон редакции научно-популярного журнала, в котором он работает.

Сара занесла номер в свой мобильник.

— Можно полюбопытствовать, зачем вы разыскивали Адама Кларенса? — осторожно спросила начальница отдела кадров. — Мне нужно будет об этом сообщить нашему директору, месье Паркерену.

— Нет, извините.

— Что ж, понимаю... Я могу еще чем-нибудь помочь?

Сара задумалась. После смерти Адама Кларенса фирма «Жантикс» продолжала производить и тайно поставлять в «Гёустад» запрещенный препарат ЛС-34. И нужно было выяснить почему. Но без доказательств связи между этой фармацевтической лабораторией и норвежской психиатрической больницей разговаривать с директором «Жантикса» бессмысленно. А единственный способ их добыть — снизу доверху обыскать заводы «Жантикса» и найти там следы производства ЛС-34 или же изъять переписку между «Жантиксом» и «Гёустадом», но на это ни один судья не даст разрешения без конкретных улик. Так что у Сары не было никаких рычагов давления на Шарля Паркерена. И в деле оставалась единственная зацепка — Кристофер Кларенс.

— Нет, спасибо.

Выйдя из башни, она остановилась на мгновение, прислушиваясь к себе — у нее участилось сердцебиение. До сих пор Сара не сомневалась, что ей удастся довести расследование до логического конца. А что, если ее ждет неудача? Как она будет действовать дальше — вернется в Осло, чтобы с головой уйти в одиночество и хаос своей никчемной жизни?..

Сара набрала номер редакции журнала Кристофера Кларенса. Поглощенная своими страхами, она и не заметила припаркованную у выезда со стоянки машину, в которой сидели двое мужчин, бритый и бородатый. Они внимательно наблюдали за всеми выходящими из башни, поджидая нужного человека.

Глава 13

Лектор, стоя на возвышении под золоченым куполом большого амфитеатра Сорбонны, в полной тишине обвел пристальным взглядом аудиторию, выдерживая паузу перед ударной концовкой. На расположенных полукругом рядах около сотни студентов замерли в напряженном ожидании, гадая, что же еще Кристофер Кларенс может добавить к блистательной речи, которая и так уже изрядно пошатнула их мировоззрение.

Он провел рукой по мягким волосам и потер подбородок, заросший трехдневной щетиной. От отца-ирландца Кристофер унаследовал открытое лицо с точеными чертами и голубые глаза, от матери-итальянки — каштановые волосы, обаятельную улыбку и бурную жестикуляцию. Ему было под сорок, и «гусиные лапки» морщин, уже обозначившиеся в уголках глаз, сейчас проступили отчетливее из-за ироничного прищура, с которым он обозревал слушателей.

Кристофер себя не обманывал — он и правда любил такие вот моменты, когда все внимание аудитории было приковано к нему, и заранее наслаждался эффектом, который произведут его следующие слова. Но те, кто считал это презренным тщеславием, были далеки от истины. Восторженные взгляды соблазнительных студенток, завороженных словами и жестами уверенного в себе интеллектуала, конечно, от него не ускользали, но все же главное удовольствие Кристофер черпал не в этом. Заставить молодые умы задуматься, растревожить их идеально выстроенным дискурсом — вот в этом была истинная радость, в самом факте передачи знаний и в точно просчитанном, вплоть до пауз, но не лишенном импровизации процессе.

— В заключение этой лекции о великих заблуждениях в повседневной жизни я хочу предложить вам небольшой тест, который наверняка перевернет в сознании многих из вас привычные представления. Хотя... — он подпустил в голос снисходительного сарказма, — судя по незамутненным взглядам отдельных студентов, переворачивать там нечего.

Аудитория зафыркала и весело зашушукалась.

— Итак... Кто из вас знает свой знак зодиака?

Сотня рук взметнулась вверх. Кто-то отреагировал быстро, кто-то помедлил, но всем было любопытно, к чему клонит лектор.

— Отлично. А теперь... кто из вас считает, что психологические характеристики знака зодиака соответствуют его личности?

Примерно половина студентов опустили руку. Среди тех, кто этого не сделал, Кристофер выбрал подходящую жертву:

— Вот вы, молодой человек. Да-да, вы, в свитере с портретом Че Гевары, не слишком реалистичным, надо сказать. Кстати, вы в курсе, что этот гражданин был левым экстремистом и привел свою страну к экономическому краху?

Студент пожал плечами:

— Ну, может, и привел. Зато этот чувак круто выглядел!

— Ясно... Я вижу, вы человек серьезный и с твердыми убеждениями. Назовите вашу дату рождения и знак зодиака.

— Двенадцатое октября восемьдесят пятого, Весы.

— Ага. Согласно астрологическому справочнику, под знаком Весов рождаются люди спокойные, уравновешенные, в меру амбициозные и склонные к филантропии. Вам подходит такая характеристика?

— На все сто!

— Отлично. Загвоздка в том, молодой человек, что вы не Весы. — Кристофер подождал, пока стихнет удивленный гул, и продолжил: — Да-да, товарищ диванный революционер, вы родились под знаком Девы, а следовательно, должны быть большим любителем комфорта, светских развлечений и комплиментов.

Аудитория оживленно захихикала, среди смешков Кристофер расслышал несколько возгласов «Фигня!». Он привык к такой реакции на завершающей стадии лекции и терпеливо ждал, когда уровень шума снизится.

— Понимаю, это смелое заявление, но мы здесь для того и собрались. Я объясню, почему Весы у нас вдруг превратились в Деву. — Кристофер прошелся по подиуму, чтобы занять более выгодную позицию, и продолжил, сопровождая свои слова оживленной жестикуляцией. — Дело в том, что по мере вращения Земли вокруг Солнца земная ось с течением времени смещается. Если быть точным, на один градус за семьдесят два года. Астрологические созвездия впервые были описаны вавилонянами около двух тысяч лет назад, и с тех пор зодиакальный пояс повернулся на двадцать семь с лишним градусов, что примерно соответствует протяженности одного знака. Вот поэтому современным Тельцам нужно читать гороскоп Овнов, а Ракам — гороскоп Близнецов. Увы, против математики и астрономии не попрешь! Но почему это не обсуждается в обществе? Почему каждое утро по радио и в газетах астрологи продолжают пичкать нас своей ахинеей? Предлагаю вам хорошенько над этим подумать, ведь лучшего способа борьбы с заблуждениями нет.

Аудитория зааплодировала, некоторые студенты уткнулись в смартфоны — полезли проверять в Интернете то, что услышали от лектора.

Кристофер принялся собирать разложенные на столе записи, но его отвлекла хорошенькая брюнетка в клетчатых брюках и футболке цвета хаки, подбежавшая к возвышению.

— Мне очень понравилась ваша лекция! — радостно сообщила она, заправив за ухо фиолетовую прядку.

— Спасибо, — вежливо улыбнулся Кристофер, не отрываясь от своего занятия.

— Вообще-то, — не смутилась девушка, — мне бы хотелось знать, почему военный репортер вдруг отказался от своего ремесла и стал читать лекции по истории науки лоботрясам в Сорбонне. — Она подергала пирсинг на нижней губе. — Ну, реально, то, что вы делали раньше, гораздо круче. Вот мне и интересно, почему вы бросили военную журналистику. Вас на войне ранили, да?

Кристофер торопливо засовывал бумажки в портфель и тут краем глаза заметил еще одну особу женского пола в опустевшем амфитеатре. Она сидела на скамье с краю и, в отличие от неугомонных студентов, казалась очень спокойной. Смотрела на него с пристальным вниманием, скрестив руки на груди. Одну половину лица скрывали рыжие волосы. На вид ей было лет сорок; может, чуть меньше.

— Да, ранили, но военную журналистику я бросил не поэтому. Просто СМИ, посылавшие меня в горячие точки, не давали времени на то, чтобы добыть информацию и хорошенько ее обдумать. Ведь бывают ситуации, когда с налету не разберешься — нужно вникнуть, все проверить и тщательно взвесить. Не буду вам расписывать все сложности методики сбора и анализа фактов, но имейте в виду, что время, в течение которого вы видите на телеэкране репортера, пытающегося вас убедить, что теперь вы в курсе событий, и время, которое ему нужно на месте действия, чтобы все понять самому и предоставить вам полный, максимально точный и беспристрастный отчет, сильно разнятся.

Студентка кивнула:

— О'кей, ясненько. Но все равно это было круто. Я о ваших военных репортажах. Хотите, оставлю свой номер телефона? Вдруг вам захочется поболтать. Я уверена, вы поможете мне найти свой путь в жизни!

— Как мило. Но если честно, советчик из меня неважный. — Кристофер с огорченным видом развел руками, а студентка уже протягивала ему бумажку со своим номером. — Э-э... слушайте, я правда польщен, но...

Договорить ему не дал мобильный телефон — включился сигнал будильника.

— Черт! — выдохнул Кристофер, хлопнув себя по лбу. Он посмотрел на часы и еще раз выругался — было 17:57. — Мадемуазель, прошу прощения, мне срочно нужно бежать. Я...

Девушка, махнув ему рукой с указательным и средним пальцами, разведенными в форме буквы «V», уже направлялась к выходу.

Кристофер опять пересекся взглядом с рыжей незнакомкой, наблюдавшей за ним со скамьи. Такое пристальное, сосредоточенное внимание с ее стороны тревожило. На лекции она не присутствовала, Кристофер был в этом уверен. Может, руководство кафедры отправило ее сюда с инспекцией? Или великовозрастная студентка не решилась присоединиться к молодежи и слушала из-за двери? Кем бы она ни была, Кристофера эта женщина заинтересовала, и пока он сам не понимал, чем именно. Было в ней что-то притягательное. Издалека она казалась красивой — точеная фигурка, изящно очерченный рот, волосы перехвачены резинкой, но с правой стороны рыжие пряди падают на лицо. Наверняка есть веснушки... Однако Кристофера привлекло в ней нечто другое — возможно, то, что сама она ничего не делала для того, чтобы привлечь его интерес. Просто смотрела, и по лицу невозможно было прочесть ее эмоции. Да, видимо, дело было как раз в этом — Кристофер за годы работы журналистом постиг искусство угадывать чужие мысли, но понять, о чем думает эта неподвижно сидящая женщина, он не мог.

Сара застала последние минуты лекции Кристофера Кларенса, и ее впечатлило то, как он показал всю несостоятельность астрологии — на несколько секунд она так увлеклась его выступлением, что даже забыла, зачем пришла. И все же сам лектор показался ей слишком уверенным в себе и в своей власти над студентами, которые слушали его открыв рот. Он знал о своем обаянии, рисовался перед ними, и Сару удивило, что симпатичная студенточка ушла ни с чем. Хотя, возможно, она просто не в его вкусе, поэтому он и не взял номер телефона. Скорее всего, брат Адама Кларенса самодостаточен и озабочен исключительно собственной персоной. Ему ничего не стоит соблазнить женщину своим остроумием и красноречием, а потом забыть о ней навсегда, устремившись на поиски новых обожательниц.

Так или иначе, Сара не ожидала, что он вдруг помашет ей рукой в знак приветствия — думала, просто не заметит ее или, того хуже, пробегая мимо, сунет визитную карточку. Она встала и, спустившись по ступенькам, пошла к столу на возвышении.

У Кристофера опять зазвонил будильник, он засуетился, бросился к выходу, схватив портфель, но тот оказался плохо застегнутым — раскрылся от рывка, и бумаги рассыпались по полу. Журналист, выругавшись, упал на колени и принялся кое-как, вперемешку, запихивать их обратно. В этот момент чья-то рука протянула ему стопку аккуратно сложенных записей. Он поднял голову и наткнулся на ироничный взгляд светло-голубых глаз незнакомки с рыжими волосами.

— Спасибо... Вы очень любезны... И гораздо аккуратнее, чем я... — Он посмотрел на ком смятых бумажек в собственных руках.

— Меня зовут Сара Герринген, я инспектор полиции. Секретарь редакции вашего журнала сказала, что сегодня вас можно застать в Сорбонне. Мне нужно с вами поговорить.

— А что случилось? — встревожился Кристофер.

Саре даже послышалась паника в его голосе, и она подумала, уж нет ли у него причин опасаться полиции.

— Ничего нового, не беспокойтесь. Я приехала издалека, чтобы задать вам пару вопросов. — Она протянула раскрытое удостоверение.

— Так вы из Норвегии? А чем я могу помочь?

Часы в амфитеатре отбили шесть раз.

— Вы можете рассказать о вашем брате.

У Кристофера на миг потемнело перед глазами. Всплеск адреналина, сопровождавший публичное выступление, восхищенные взгляды студенток, странная буря эмоций, вызванная незнакомкой, — все померкло, уступив место растерянности.

— Адам умер, мадам... Геринген.

— Об этом я и хотела с вами поговорить.

— О чем именно? И при чем тут вообще норвежская полиция?

— Это долгая история, месье Кларенс.

Кристофер нервно покосился на часы. Ему отчаянно хотелось узнать подробности, но надо было спешить — он уже и так опаздывал.

— Слушайте, у меня и правда сейчас нет времени. Можно я позже вам позвоню?

Сара подумала, что он торопится на свидание, но все же не стала препятствовать:

— Если вы этого не сделаете, я сама вам позвоню.

— Знаете что? Лучше приходите ко мне в половине десятого, — быстро проговорил Кристофер, вручив ей визитную карточку с домашним адресом. — Код подъезда B649. — И поспешил к выходу, на бегу размышляя, чем Адам мог заинтересовать эту инспекторшу, прибывшую из северных широт.

Его брат погиб в автомобильной аварии вместе с супругой. Всему виной было дурацкое превышение скорости — отчет дорожного патруля это подтвердил. Тормоза оказались в отличном состоянии, но моросил дождь, покрытие дороги было скользким, а Адам ехал слишком быстро и на повороте не справился с управлением. Что еще тут можно добавить?..

Кристофер остановил машину, чуть не влетев на тротуар, сразу выскочил, саданул дверцей, едва не порвал подкладку пиджака, зацепившись за боковое зеркальце, и помчался к воротам начальной школы VI округа Парижа. Каблуки ботинок заполошно простучали по асфальту, журналист, задыхаясь, толкнул створку — ворота уже были заперты.

Ни у ворот, ни на улице поблизости не оказалось ни одного ребенка. И родителей тоже не наблюдалось. Его охватила паника. Надо было срочно успокоиться и подумать, что делать дальше. Кристофер выровнял дыхание и полез в карман за мобильником — у него был номер директрисы. Сейчас он позвонит, она ответит, отругает его за очередное опоздание, а потом скажет, что Симон ждет у нее в кабинете...

Через три гудка включился автоответчик.

— Черт, черт, черт, — пробормотал Кристофер, дав отбой, и заорал во всю глотку под равнодушными взглядами прохожих: — Симон! Симон, ты где?!

Он встал на цыпочки и вытянул шею, чтобы заглянуть поверх ворот, — двор был катастрофически пуст. Тогда Кристофер перелез через ограду, спрыгнул на землю и поспешил к зданию. В одном из кабинетов горел свет. «Ну конечно! Симон сидит в классе!» С этой мыслью он бросился к подъезду, и тут его окликнули:

— Кристофер! Мы здесь!

Он обернулся — голос донесся с улицы, — побежал обратно к воротам, выглянул... На противоположном тротуаре стояли Симон, его подружка Алиса и ее мама Элизабет. Это она кричала Кристоферу.

С облегчением вздохнув, он перелез через ограду и перебежал улицу.

— Простите, — улыбнулась ему мама Алисы, красивая женщина лет сорока с добрыми карими глазами. — Мы сидели в машине, дети делали домашнее задание по истории, я отвлеклась и заметила вас, когда вы уже оседлали ворота. Вы, наверное, ужасно испугались, не увидев Симона. Еще раз прошу прощения.

— Нет-нет, это я должен извиниться! — поспешно сказал Кристофер и наклонился к Симону: — Прости, малыш. Честное слово, в этот раз я выехал вовремя, но в городе сегодня такие пробки...

Восьмилетний мальчик молчал, опустив голову. Кристофер перевел дыхание:

— Ох, как же я перепугался...

— Ну, ничего страшного же не случилось! — ободряюще улыбнулась ему Элизабет. — Симон и Алиса любят проводить время вместе.

Она смотрела на Кристофера с веселой симпатией и от этого казалась еще красивее.

— Тысячу раз спасибо вам, Элизабет, что присмотрели за Симоном! Правда, вы очень любезны. Уже не в первый раз меня выручаете, даже не знаю, как вас благодарить...

— Не беспокойтесь, эта услуга совершенно бесплатна!

— Еще раз спасибо. Надеюсь, мы не скоро увидимся... То есть я хочу сказать, что буду рад увидиться с вами как можно скорее, но при других обстоятельствах, потому что даю слово больше не опаздывать... — Кристофер окончательно смутился и замолчал.

— Я так и поняла! — рассмеялась Элизабет.

— Ну... тогда хорошего вам вечера. Пока, Алиса.

— До свидания. — Девочка схватила маму за руку. — До завтра, Симон!

— До завтра! До свидания, мадам Версали.

В машине Симон сразу пристегнул ремень безопасности и насупленно уставился в окно.

Худенький мальчик с вечно растрепанными волосами, падавшими на лоб, казался мечтательным и хрупким, но в его глазах было что-то не по-детски серьезное.

— Симон, мне правда стыдно, — вздохнул Кристофер. — Честное слово, я очень старался успеть, но не вышло... Обещаю, это больше не повторится! В следующий раз примчусь так рано, что тебе еще придется оправдываться за меня перед одноклассниками!

Симон молчал, положив локоть на опущенное боковое стекло и подперев ладошкой подбородок.

— Как дела в школе?

— Нормально.

— А чем вообще занимался? Заметь, я не спросил, что ты сделал хорошего, поэтому, если ты сделал что-нибудь плохое, тоже можешь смело мне рассказать!

Кристофер покосился на Симона и заметил, как у него дрогнул уголок рта, но чувство гордости не позволило мальчику улыбнуться. Они проехали улицу Ренн, не обменявшись ни словом; наконец, когда машина остановилась на светофоре, Симон соизволил нарушить молчание:

— Была контрольная по математике.

— Ну и как?

— Пока не знаю, — вздохнул мальчик, пожав плечами. — Я больше люблю французский и историю. А можно Алиса с мамой придут к нам в гости?

— Давай это обсудим, когда узнаешь оценку за контрольную, ага?

Симон опять насупился, разговор не клеился, и вскоре Кристофер так глубоко ушел в свои мысли, что потерял связь с реальностью.

— Зеленый!

Кристофер вздрогнул — за возгласом Симона последовал целый концерт, устроенный клаксонами автомобилей, которые он задержал на светофоре. Пришлось спешно сорваться с места, и через несколько минут они уже заруливали на подземную парковку жилого дома XVIII века в квартале Сен-Жермен-де-Пре.

В уютной квартирке — 75 квадратных метров и потолки с открытыми балками — Симон сразу побежал в свою комнату в конце коридора. Кристофер посмотрел ему вслед, довольный тем, что малыш здесь уже обжился. Хотя на то, чтобы окончательно довериться человеку, который еще год назад был его родным дядей, а теперь стал приемным отцом, у мальчика уйдет гораздо больше времени.

Через полчаса они вдвоем сидели на высоких кухонных табуретах за столом и в полной тишине пытались получать удовольствие от ужина. Кристофер, жуя плохо протертое пюре собственного приготовления, думал, что надо все-таки переходить на полуфабрикаты, а еще лучше заказывать готовую еду с доставкой.

— А почему у тебя нет любовницы? — спросил вдруг Симон, выводя вилкой круги в своей тарелке.

Кристофер схватился за стакан с водой и сделал большой глоток, чтобы не закашляться.

— Не знаю... Наверное, пока не нашел подходящую.

— Ты же еще больше постареешь, пока будешь искать, и женщины перестанут считать тебя красивым.

— Спасибо, друг, ты очень повысил мою самооценку.

Мальчик захихикал с набитым ртом — у него тоже были проблемы с разжевыванием пюре, — потом закашлялся и заплевал весь стол неразмятой картошкой.

— Ой, прости... — пробормотал он.

— Ничего страшного. Но если бы к нам сейчас заглянули соцработники, они бы подумали, что я решил тебя отравить... А знаешь, что мы сделаем? Фокус-покус!

Еще через полчаса Кристофер и Симон, уютно устроившись на диване бок о бок, наслаждались горячей пиццей и смотрели по телевизору документальный фильм про животных.

На экране гепард, припадая брюхом к земле, подкрадывался в густой траве к стаду газелей, которые мирно паслись в саванне. Одна резко вскинула морду, принюхиваясь, и Симон застыл с открытым ртом, даже пиццу выронил.

Внезапно хищник метнулся к стаду, уже не скрываясь. Короткая погоня закончилась тем, что самая нерасторопная газель была поймана и повержена на землю в облаке пыли. Гепард вонзил клыки ей в глотку.

В этот момент Кристофер растерянно подумал, что, наверное, не следует показывать такие фильмы восьмилетним мальчикам.

— Как ты думаешь, у этой газели есть дети? — озабоченно спросил Симон.

— Не знаю. Может быть, есть. Но понимаешь, в дикой природе...

— А как ты думаешь, о маленьких газелях кто-нибудь позаботится, если их папу и маму убьют гепарды?

Кристофер на мгновение закрыл глаза, еще раз мысленно отругав себя за то, что включил телевизор.

— Уф... я думаю, что газели — очень добрые животные, и у них принято помогать друг другу. Так что можешь не сомневаться — маленькие газели обязательно найдут новую семью, которая будет их всему учить и защищать.

— Значит, ты тоже немножко газель?

— Наверняка, — улыбнулся Кристофер. — Только бегаю не так быстро.

— Поэтому ты все время опаздываешь! — хихикнул Симон.

Кристофер, расхохотавшись, схватил его за плечи, перетащил к себе на колени и принялся щекотать, приговаривая: «Ах ты, юморист!» Навозившись и насмеявшись, они еще немного посидели на диване. Кристофер выключил телевизор, и теперь тишину нарушал лишь приглушенный уличный шум.

— Знаешь, я тоже скучаю по твоему папе, — сказал Кристофер. — И по маме. Но мне хотелось бы верить, что оттуда, где они сейчас, мама с папой видят тебя и очень тобой гордятся.

— А ты мной гордишься?

— Конечно! Ужасно горжусь! Всем о тебе рассказываю и хвастаюсь. Ты ведь мой... — Он хотел сказать «мой сын», но осекся. — Ты мой самый любимый человек во всей Вселенной.

— А что такое Вселенная?

— Это безграничное пространство, такое огромное... как любовь. — Кристофер потрепал мальчика по взъерошенному затылку. — Так, по-моему, кому-то пора спать. Уже девять часов.

Мальчик нехотя сполз с дивана и направился в свою комнату.

— Эй! Сначала в ванную, Симон! Прими душ и почисти зубы.

Симон развернулся и поплелся в ванную, сгорбившись и шаркая ногами, как будто эволюционировал обратно в австралопитека. Помня, что скоро должна прийти норвежская дама из полиции, Кристофер великодушно сократил ему время на чистку зубов.

В своей комнате, переодевшись в пижаму, Симон полез под кровать и достал оттуда коробку с вещами родителей, которые забрал из дома после их смерти. Взяв из коробки серую толстовку «Аберкромби» с капюшоном — ту, что отец носил по выходным, — он залез под одеяло и свернулся калачиком, прижимая ее к груди.

Кристофер, присев на краешек кровати, зажег ночник в форме лазерного меча, и от мягкого, приглушенного света в комнатке сразу стало уютно.

— Спокойной ночи, Кристофер.

Он улыбнулся мальчику, постаравшись скрыть разочарование — каждый вечер надеялся, что Симон скажет: «Спокойной ночи, папа».

Мальчик вздохнул, уткнувшись носом в скомканную толстовку, и закрыл глаза. Кристофер, поцеловав его в лоб, тихо вышел из комнаты.

В гостиной он включил ноутбук, нашел в Интернете номер телефона Главного управления полиции Осло и набрал его на мобильнике.

Глава 14

Ровно в 21:30, как и было условлено, в прихожей раздался звонок. Кристофер пошел открывать.

— Значит, верно говорят, что северяне пунктуальнее южан. Прошу, входите.

В этой квартире Сара с первых минут почувствовала себя комфортно. Белые, приятного оттенка стены, бережно сохраненные элементы старинной архитектуры (например, большие деревянные балки под потолком и дубовый опорный столб посреди гостиной), пол, покрытый толстым плетеным ковром светло-коричневого цвета (появлялось ощущение, будто идешь по песку), и настенные светильники с фигурными плафонами, рассеивавшие мягкое, теплое сияние, создавали уютную атмосферу.

Кристофер, устроившись на диване-уголке, пригласил Сару присаживаться, а она все осматривала комнату и удивлялась, не находя в ней признаков женского присутствия. «Что ж, если этот месье гуляет направо и налево, то по крайней мере не изменяет жене, уже хорошо, — подумала она. — Обычный холостяк в вечном поиске добычи». Но, сев на диван, Сара увидела оттуда мячик и детский велосипед в коридоре за дверным проемом. «Значит, он в разводе».

— Я вас слушаю, инспектор, — сказал Кристофер. — Почему вас интересует Адам?

Он говорил быстро, беспокойно поглаживая подбородок в трехдневной щетине, — тема беседы заставляла его волноваться, но еще больше он нервничал из-за того, что от гостьи исходило странное, почти гипнотическое спокойствие.

Сара заправила рыжую прядь за левое ухо, стараясь не касаться правой, обожженной стороны, надежно скрытой волосами, достала инспекторское удостоверение и положила его на журнальный столик.

— Как мне сообщили, вы звонили в Главное управление полиции Осло удостовериться, что я там работаю. Надеюсь, теперь ваша душа спокойна?

— Вполне. Журналистская привычка проверять информацию. Да и потом, нельзя приводить в дом кого попало.

«За исключением хорошеньких студенток», — подумала Сара, не сводя с него пристального взгляда светло-голубых глаз.

Кристофер тоже исподтишка ее рассматривал и пришел к выводу, что при других обстоятельствах он сделал бы все, чтобы соблазнить эту норвежку с необычным, редким обаянием, в котором смешались холодность и нежность. По крайней мере, он попытался бы это сделать, не слишком рассчитывая на успех, потому что давно так не робел в присутствии женщины. А все из-за того, что в ней чувствовались внутренняя сила и уверенность в себе. Да еще эта скрытая под прядями волос правая сторона лица... Что она прячет? «В общем, дамочка с претензиями, — заключил Кристофер, — и без чувства юмора. Похоже, ей нравится быть привлекательной только для того, чтобы отшивать мужчин. Впрочем, я ничего о ней не знаю. Но кажется, хотел бы узнать побольше...»

— Я расследую смерть пациента психиатрической больницы «Гёустад» в Осло, — неожиданно заговорила Сара, будто прочла его мысли и решила пресечь их на корню. — Судя по всему, ваш брат Адам был последним, кто интересовался этим человеком, за исключением персонала больницы. Интересовался настолько, что нанес визит в «Гёустад». Начальница отдела кадров фирмы «Жантикс», где работал Адам, сказала мне, что он погиб в дорожной аварии, и дала телефон редакции вашего журнала.

— О’кей... И что именно вы хотите узнать об Адаме? Не понимаю, почему вам кажется странным, что финансовый директор фармацевтической фирмы посетил психиатрическую больницу.

— Ваш брат был в «Гёустаде» за год и месяц до смерти пациента, а точнее, двенадцатого января две тысячи пятнадцатого года.

— Адам умер девятнадцатого января, через неделю после визита. — Эту дату Кристофер, как всегда, произнес с волнением. — И что же?

— Меня это настораживает.

— Не вполне вас понимаю.

— Ваш брат никогда не рассказывал о чем-нибудь необычном в его работе на «Жантикс»? Или, возможно, вы заметили, что его поведение изменилось незадолго до аварии?

Кристофер потер лоб.

— Нет... Нет. Мы с Адамом были очень близки, я почти все знал о его жизни, а он — о моей. У меня не возникало чувства, что он от меня что-то скрывает.

— И все-таки подумайте.

— Вы намекаете, что смерть моего брата как-то связана с тем пациентом... из вашей больницы?

Сара ответила вопросом на вопрос:

— Каким был Адам?

— Погодите-ка! — Кристофер вскинул ладони перед собой. — Я не буду с вами откровенничать, пока не узнаю хоть что-то конкретное. Речь все-таки идет не о ком-нибудь, а о моем брате!

— Ладно. Возможно, гибель вашего брата была неслучайной.

— Что?! — Кристоферу показалось, будто ему ударом ножа вскрыли старую рану, едва зажившую за год скорби.

Сара понимала, какую реакцию в душе собеседника вызвали ее слова, и ей было жаль Кристофера. Несмотря на то что этот человек не вызвал у нее симпатии по первым впечатлениям, не было причин заставлять его страдать.

— Вы понимаете, что говорите? — тихо сказал Кристофер, подумав вдруг, что Симон может их услышать.

От Сары не ускользнуло, что он неосознанно бросил взгляд в сторону коридора, и, быстро сопоставив это с замеченными мячиком и велосипедом, она тоже понизила голос:

— Я понимаю, что вы уже оплакали Адама и проделали огромную душевную работу, чтобы справиться с этой утратой...

Кристофер хоть и был потрясен услышанным, не мог не заметить, что инспектор заговорила тише — вероятно, догадалась, что в соседней комнате спит ребенок, — и это его удивило. Он никак не ожидал такой деликатности от женщины, казавшейся невозмутимой и равнодушной.

— ...Однако с фактами не поспоришь, — продолжала Сара, пристально глядя на него. — За тридцать шесть лет ваш брат был единственным посетителем «Гёустада», пожелавшим увидеть пациента, которому с конца семидесятых годов делали инъекции запрещенного психотропного препарата. И через неделю после этого Адам погиб в аварии. Я не имею права раскрывать вам подробности расследования, но все указывает на то, что своей поездкой в «Гёустад» он вызвал чье-то недовольство. Возможно, узнал то, чего не должен был узнать. И заплатил за это жизнью.

Ошеломленный Кристофер откинулся на спинку дивана и провел рукой по лицу.

— Послушайте, но смерть Адама действительно была несчастным случаем. Это установила дорожная полиция. Банальная авария... знаете из-за чего? Из-за превышения скорости. Тормоза были в полном порядке.

Саре пришло в голову, что Адам мог совершить самоубийство, но она сразу отбросила эту версию — ведь начальница отдела кадров «Жантикса» сказала, что в машине с ним была жена.

— Как это произошло?

Кристофер глубоко вздохнул и отвернулся. Сара, не решившись его торопить, терпеливо ждала, когда он соберется с мыслями.

— Адам и Натали были в гостях у друзей, на званом ужине. Симона они оставили с няней. — Произнося имя Симон, Кристофер машинально повел рукой в сторону коридора. — В разгар ужина няня, совсем молоденькая, позвонила им в истерике, сказала, что Симона тошнит, несколько раз вырвало, ему очень плохо... Адам и Натали в панике поспешили домой. Вот тогда и случилась авария. Адам гнал как сумасшедший, не справился с управлением на повороте, и машина врезалась в дерево. Они с женой умерли на месте.

С улицы долетал едва слышный шум дорожного движения на бульваре Сен-Жермен. Сара только что поняла, кто спит в соседней комнате и почему Кристофер в такой спешке сбежал от нее сразу после лекции в Сорбонне. Все ее первые, неприятные впечатления о брате Адама Кларенса мгновенно рассеялись. Воспользовавшись тем, что Кристофер впал в задумчивость, она еще раз внимательно присмотрелась к нему и словно увидела другого человека, вызвавшего у нее одновременно сочувствие и восхищение.

— Кто мог желать смерти моему брату? — жестко спросил Кристофер. — Если бы он чувствовал угрозу, непременно сказал бы мне об этом.

— Я пока не знаю. А у вас нет предположений?

— Никаких. Единственное, что меня смущает... Я не помню, чтобы Адам говорил о своем визите в Норвегию, хотя он всегда рассказывал мне обо всех своих поездках... Действительно странно, что он об этом умолчал. — Кристофера стали одолевать сомнения: а что, если аварию и в самом деле подстроили? Но кто, как и почему? — Инспектор, вы должны рассказать мне об этом деле подробнее.

— Сначала мне самой нужно во всем разобраться. А для этого понадобится ваша помощь. Но вам, вероятно, будет тяжело...

— Что нужно сделать?

— У вас остались вещи Адама?

— У родителей. Мама перевезла кое-что из его дома к себе, в детскую комнату Адама. Это, наверное, кажется вам странным... Но она до сих пор не оправилась...

— Можете дать мне адрес ваших родителей?

Кристофер тут же записал адрес на квадратике бумаги из блока на журнальном столике.

— И что же, вы просто придете к ним и заявите, что собираетесь обыскать их дом? У норвежской полиции есть такие полномочия?

— А вы думаете, ваши родители не захотят узнать правду о смерти своего сына?

— Мать захочет. Но я знаю отца — он больше не желает говорить об Адаме и просто захлопнет дверь у вас перед носом.

— И что вы предлагаете?

— Завтра мы с Симоном обедаем у них. Я сам осмотрю вещи брата и расскажу вам, если что-то найду.

У Сары не было выбора. Чтобы все оформить официально, пришлось бы обратиться во французскую полицию, а у нее не было ни времени, ни желания запускать бюрократическую волокиту, которая неизвестно когда и чем закончится. Если вообще закончится.

— Тогда до завтра, — сказала она, вставая. — Я мало сплю — ложусь поздно, встаю рано, так что можете звонить в любой час дня и ночи. Вот мой номер.

Сара дала Кристоферу визитную карточку, а он протянул ей руку на прощание — хотелось установить своего рода физический контакт с женщиной, которая стремилась выяснить правду о смерти его брата.

Сара медлила — в рамках расследований она всегда избегала рукопожатий. Но на этот раз инстинкт и любопытство возобладали. В ее руке оказалась горячая сухая ладонь, пожатие было крепким, но не давящим. А Кристофер на мгновение дольше, чем следовало, задержал в своей ладони изящную руку с нежной кожей, но ее пожатие напомнило ему, что перед ним женщина с характером.

— До завтра, — сказал он, отпустив ее руку.

Когда инспектор Геринген ушла, Кристофер безвольно рухнул на диван. Гибель брата была потрясением для всей семьи. Его родители, Симон и он сам только начали приходить в себя, а теперь к скорби добавятся сомнения...

Он бесшумно вошел в комнату племянника и с облегчением убедился, что малыш спит на боку, прижимая к себе скомканную отцовскую толстовку. Погасив ночник, Кристофер отправился обратно в гостиную, зная, что сам он этой ночью не заснет.

ГЛАВА 15

На следующий день, сидя за рулем на подземной парковке, Кристофер чувствовал тошноту и изнеможение. Заснуть ему все же удалось, но только под утро, за час до того, как Симон прибежал его будить. Всю ночь в голове крутились навязчивые вопросы: почему Адам не сказал ему о своей поездке в Норвегию? Что он там нашел? Его и правда убили? Эта версия казалась до невозможности нелепой...

— Тебя что, сейчас вырвет? — деловито осведомился Симон, глядя на его бледное лицо.

— Ну, если хочешь посмотреть, что я ел на завтрак, могу устроить.

— Фу-у-у! — сморщился мальчик. — Гадость!

Кристофер, через силу улыбнувшись, завел мотор. Сохранять беззаботный вид было невыносимо тяжело, но пришлось приложить усилия, чтобы не растревожить Симона, и весело болтать всю дорогу. Он спросил, какой у мальчика любимый персонаж, раскритиковал всех героев комиксов и заявил, что нет никого прекраснее диснеевских принцесс, — тут уж Симон не мог промолчать и принялся восстанавливать справедливость.

Когда они уже подъехали к каменному особняку родителей в Розни-су-Буа, Кристофер получил эсэмэску:

«Пишу на случай, если вы потеряли мою визитную карточку. Позвоните мне, как только найдете хоть что-нибудь любопытное, даже если это покажется вам несущественным. *Сара*».

«Позвоню через час», — набрал он в ответ.

— Это кто? — поинтересовался Симон, отстегивая ремень безопасности.

— Коллега. — Кристофер быстро вышел из машины, чтобы открыть для него заднюю дверцу. — Кстати, Симон, я жутко устал за эту неделю, так что посплю, пока вы будете обедать. О'кей?

— А если ты пообедаешь, тебя вырвет?

— Нет, но если я посплю, у меня разыграется аппетит и я поем с бо́льшим удовольствием.

— Тогда о'кей!

— Беги поздоровайся с бабушкой.

Мальчик, выпрыгнув из машины, пулей помчался по усыпанной белой галькой дорожке к женщине в кухонном фартуке, стоявшей на крыльце. Она раскинула руки, подхватила его и расцеловала в обе щеки, как будто они не виделись целый год, хотя Кристофер привозил к ней внука каждые выходные. Наобнимавшись с бабушкой, Симон бросился в дом, к деду.

Кристофер подошел к матери и тоже нежно ее обнял:

— Привет, мам.

— Привет, дорогой. Ну-ка посмотри на меня... По-моему, ты похудел. Если бы я знала, наготовила бы побольше!

— Ой-ой, и как же теперь быть? Ты уверена, что пастор не наложит на тебя епитимью за такое упущение?

— Не смейся, сынок, — ласково покачала головой мать. — Если бы не вера, не знаю, как бы я пережила... смерть Адама. Говорю себе, что он где-то там, в лучшем мире, и становится легче.

Кристофер с улыбкой кивнул, ласково глядя на нее.

Маргарите Кларенс было за шестьдесят. Каштановые волосы аккуратно уложены, милое, доброе, слегка отекшее лицо внушало доверие. По натуре скромная и великодушная, она принадлежала к тем христианам, для которых вера означает не только покорность высшим силам, но и возможность выразить свою любовь к людям. В детстве Кристофер тоже верил в Бога, а когда приблизилась пора принимать первое причастие и другие дети из общины начали спрашивать его, что он хочет получить в подарок на этот праздник, его вдруг одолели сомнения. Тогда и родился здоровый скептицизм, который определял образ его мышления во взрослой жизни. Он отказался принимать причастие, вызвав у отца вспышку гнева. Но матери удалось успокоить мужа, и в итоге старшему сыну было позволено сделать важный жизненный выбор самостоятельно. «Верь во что хочешь, главное, чтобы твое сердце оставалось добрым», — сказала она Кристоферу.

— Симон сегодня, по-моему, веселый.

— Сегодня да, но он все еще часто грустит, мам. Особенно по вечерам... впадает в задумчивость.

Они вошли в дом, и Кристофер с удовольствием вдохнул знакомый запах овощного супа, всегда витавший в воздухе на первом этаже, прислушался к мерному тиканью старых часов с маятником, под аккомпанемент которых он вырос. Отец, как обычно, сидел в любимом кресле и как раз складывал газету, чтобы принять в объятия подскочившего к нему Симона.

— Я есть хочу!

— Какое совпадение, я тоже! Но мне повезло больше — вкусняшка сама пришла! — Дедушка подхватил внука на руки и сделал вид, что хочет его проглотить.

Симон разразился радостным визгом.

— Дети-дети... — вздохнул Эдвард Кларенс, поставив довольного мальчика на пол, и проворчал, не глядя на Кристофера: — К счастью, вы с братом были спокойнее.

Кристофер хотел напомнить ему, что это спокойствие обеспечивалось шлепками и подзатыльниками, но сдержался — теперь, после смерти Адама, сводить старые счеты было неуместно. Даже если учесть, что отец и не подумал обнять его — сразу направился в столовую.

— Маргарита! Обед будет или нет?!

— Он так рад видеть внука, — шепнула мать Кристоферу, видя, что сын опять разочарован. — Не обижайся на него.

— Ничего, мам.

Он смотрел, как Эдвард идет к столу. Походка у него была довольно бодрая для семидесятипятилетнего старика, несколько лет назад перенесшего инфаркт. Но, приглядевшись, Кристофер заметил, что на высокомерном упрямом лице прибавилось морщин — как будто отец стал чаще хмурить лоб в глубоких раздумьях. Может, он горюет по младшему сыну сильнее, чем хочет показать? Но даже если так, Эдвард Кларенс скорее умрет, чем признается в этом.

— Как у тебя дела, дорогой? — спросила мать Кристофера, который пошел за ней на кухню, чтобы помочь накрыть на стол.

— Честно говоря, совсем вымотался. На этой неделе было несколько лекций, а Симону по ночам снились кошмары, так что мне поспать почти не удавалось. Если ты не против, я отдохну немного наверху, пока вы будете обедать.

— Где наверху?

— В комнате Адама.

Мать опустила на стол тарелку, которую только что собиралась нести в столовую. У нее на глаза навернулись слезы, и у Кристофера тоже сразу перехватило горло. Он шагнул к матери и порывисто обнял ее:

— Прости, я не хотел...

— Нет-нет, не извиняйся, мне приятно, что ты хочешь побыть в комнате брата. Я там постаралась оставить все, как было при нем. Одежда в шкафу... А из его дома я привезла еще две коробки вещей. Одна с книгами, которые были у него на тумбочке возле кровати. Я подумала, что это последние вещи, к которым Адам прикасался, и не смогла с ними расстаться. А остальное мы продали.

Кристофер кивнул, одновременно взволнованный и немного озадаченный тем, что мать относится к вещам Адама с каким-то священным трепетом.

— Я знаю, как вы любили друг друга, — вздохнула Маргарита. — Иди, сынок, мы присмотрим за Симоном.

Кристофер, выйдя из кухни, свернул к лестнице на второй этаж, но его окликнул из столовой отец:

— Я так понимаю, ты не собираешься к нам присоединиться за обедом? Поступай как знаешь, но мог бы хоть молитву перед едой для нас прочесть.

Кристофер закатил глаза.

— Ну ты же знаешь, это традиция папиной ирландско-американской семьи, — умоляюще шепнула мать, ласково взяв его за руку. — Мы всегда читали благодарение по очереди. Пожалуйста, Кристофер. Тебе же необязательно цитировать наизусть катехизис.

— Ладно, — сдался он, — молитва так молитва.

Когда все сели за стол и взялись за руки, отец с матерью закрыли глаза, а Симон с любопытством уставился на Кристофера — ему не терпелось узнать, как дядя выйдет из неловкой ситуации.

— Господи, спасибо тебе за еду, кою сотворила святая Маргарита со всем тщанием и любовью, дабы насытить беспардонные, а у некоторых и бездонные желудки. Аминь... Давай тарелку, Симон.

Мальчик прыснул от смеха под заговорщицким взглядом Кристофера, а в следующую секунду посуда зазвенела, подпрыгнув оттого, что Эдвард шарахнул кулаком по столу.

Кристофер в очередной раз подивился, что отец до сих пор относится к нему с той суровостью, которая пугала их с братом в детстве.

— В своем доме я никому не позволю издеваться над религией! — рявкнул Эдвард. — У себя вытворяй что хочешь, но здесь всегда уважали Господа и всегда будут уважать!

Маргарита коснулась руки мужа, призывая его успокоиться. Если бы здесь не было Симона, Кристофер высказал бы отцу все, что накипело, и запретил бы ему разговаривать таким тоном. Но мальчику вовсе не нужно было видеть, как ссорятся близкие люди, которых у него осталось так мало. Поэтому Кристофер совладал с собой, извинился за неуместную шутку, сославшись на усталость, непринужденно перевел разговор на успехи Симона в английском, чтобы разрядить атмосферу, и пошел на второй этаж.

На лестнице запах овощного супа сменился запахом воска, которым натирали деревянные ступеньки и перила. Комната справа играла роль чердака, куда родители складывали старые вещи и сувениры, привезенные из многочисленных путешествий за границу. Коридор, оклеенный зелеными обоями, вел налево, к спальням. В глубине находилась родительская спальня, по обеим сторонам от нее — бывшая берлога Кристофера, которую отец превратил в свой рабочий кабинет, а напротив — комната брата, сохраненная матерью в том виде, в каком Адам ее оставил, когда покинул родительский дом почти в тридцатилетнем возрасте.

Кристофер не заходил сюда много лет и теперь, переступая порог, не вполне осознавал, что его больше тревожит — впечатление, что здесь ничего не изменилось, или маниакальное стремление матери оставить все как было. Кроме того, она регулярно делала уборку, словно хотела, чтобы в спальне Адама царила идеальная чистота на случай, если он вдруг решит вернуться.

Постель заправлена, на прикроватном столике, старом деревенском гардеробе и письменном столе, придвинутом к дальней стене у окна, нет ни пылинки. Синий ковер хранит полосы от пылесоса; воздух пахнет жидкостью для мытья стекол. В книжном шкафу коллекция комиксов, которую собирал Адам, расставлена по номерам, а его книги по экономике — по алфавиту.

Инспектору Герінген Кристофер обещал поискать что-нибудь подозрительное в вещах Адама со всей уверенностью, но сейчас он понял, что даже не представляет, с чего начать. Где искать и что? В комнате брата версия о его убийстве вдруг показалась нереальной. Кристофер нерешительно пролистал несколько экономических справочников, вытащил и поставил на место комиксы, будто ожидал найти между страницами или на полке какое-нибудь послание на клочке бумаги, которое все объяснит. Лег на пол и заглянул под кровать, порылся в ящиках письменного стола, но нашел лишь ксероксы лекций по бухучету и несколько шариковых ручек.

Потом заставил себя открыть гардероб, занимавший большую часть стены. Здесь была одежда, которую Адам носил, когда жил с родителями. Все выстирано, выглажено, аккуратно сложено и развешано, пахнет лавандой. На полу шкафа стояли две большие картонные коробки с надписью «Не выбрасывать!». Кристофер вытащил их на ковер, уселся рядом и открыл первую.

Сверху лежала пластиковая папка-конверт, на уголке почерком Натали было написано «Фотки с нашей свадьбы» и нарисовано сердечко. Достав внушительную стопку снимков, Кристофер принялся их перебирать. Узнал себя в костюме, обнимающего брата за плечи; оба улыбались в объектив, а он, поддавшись ребяческому порыву, держал растопыренные пальцы короной над макушкой Адама. На следующем, немного смазанном, снимке фотограф застал их перед выходом жениха к алтарю. Они стояли прижавшись лбами и положив ладонь друг другу на затылок. Кристофер вспомнил, что успокаивал Адама, которого внезапно одолел страх. Страх потерять крепкую духовную связь со старшим братом, когда начнется кутерьма семейной жизни. Но Кристофер заверил Адама, что они никогда не расстанутся и что союз с любимой женщиной непременно принесет ему счастье, которого он так долго ждал. Еще добавил, что гордится младшим братом, ведь тот женится первым, хотя с детства ему все время твердили, что он отстает от старшего во всем.

Кристофер убрал фотографии в папку и вытащил из коробки связку тетрадок и дневников. Школьные достижения Адама были не так уж велики, учителя писали: «Мальчик одаренный, но не такой усидчивый, как старший брат», «Большие задатки, но не хватает силы воли». Еще там были тесты на профориентацию, свидетельствовавшие, что Адам долго не мог найти своего призвания.

Ничего такого, о чем Кристофер не знал.

Зато на дне коробки обнаружилась сильно удивившая его подборка книг. Это были монографии по истории Второй мировой и холодной войн — Адам никогда не говорил, что интересуется этими темами. Заинтригованный Кристофер пролистал книжки и обнаружил подчеркнутые братом абзацы, пометки на полях, загнутые странички. Большинство этих фрагментов были посвящены научным исследованиям США и СССР, начатым во время войны и пригодившимся в мирное время. Например, говорилось о том, что в начале сороковых была разработана технология промышленного производства пенициллина, которая до сих пор применяется в фармацевтической индустрии, о лекарствах от морской болезни, предназначавшихся для солдат и продающихся в наши дни, о широко известных сейчас порошкообразных концентратах, чье появление в военные годы было вызвано необходимостью хранения пищевых продуктов в неподходящих условиях.

Кристофер отложил последнюю книжку и помассировал затекшую шею. Почему Адам, охотно делившийся знаниями, особенно с братом, ничего не рассказывал ему об этих своих изысканиях? «Нужно будет сообщить инспектору, — решил он. — Хотя непонятно, как это может помочь ей в расследовании».

Оставалась еще одна картонная коробка, но в этот момент в комнату, не постучав, вошел отец:

— Я думал, ты хотел поспать.

Кристофер прислонился спиной к дверце гардероба.

— Да. То есть нет. Я хотел подумать об Адаме.

Эдвард Кларенс с недовольным видом посмотрел на книги, раскиданные по полу, и на две открытые картонные коробки.

— Никогда не понимал, зачем твоя мать хранит весь этот хлам.

— Адам был ее любимчиком, — пожал плечами Кристофер. — Мне кажется, мама чувствует себя виноватой, оттого что не сумела его защитить.

— Это верно, мать слишком уж опекала Адама, была озабочена его будущим, особенно выбором профессии. Я тогда редко бывал дома, но помню, как она названивала мне каждый день и просила сделать для него что-нибудь, найти хорошую работу... По счастью, ты всегда был рядом и помог ему определиться в жизни.

Кристофер задумчиво кивнул. Неожиданные слова отца его приятно удивили, но хотелось поскорее свернуть разговор, чтобы продолжить поиски.

— Ладно... — вздохнул Эдвард. — Не засиживайся тут. Что толку ворошить прошлое? Хватит с нас одной сумасшедшей в доме... — Он бросил последний взгляд на вещи Адама, покачал головой и вышел, закрыв за собой дверь.

Разозлившись на отца за это заявление, Кристофер возвел глаза к потолку, посидел так некоторое время и достал содержимое второй коробки — охапку разных документов. Мама действительно постаралась, собирая вещи погибшего сына. Но что интересного тут можно найти? Счета за электричество, выписки по банковскому счету, копии больничных листов, справки о заработной плате... Кристофер вздохнул. Нет, правда, эти поиски неизвестно чего казались ему бесполезной тратой времени. И все же он решил довести дело до конца, чтобы потом не испытывать угрызений совести, поэтому, сев по-турецки, принялся внимательно изучать каждую бумажку, одну за другой.

Вскоре пришло новое сообщение от Сары.

«Есть что-нибудь?»

«Пока ничего конкретного. Буду держать вас в курсе».

Отправив ответ, Кристофер окинул усталым взглядом стопку выписок по банковскому счету, которые еще надо было просмотреть. На всякий случай он прочитал каждый документ от начала до конца — вдруг где-нибудь попадется крупная сумма, полученная или переведенная Адамом, ведь это вполне могло бы послужить кому-то мотивом для убийства. Но время шло, у Кристофера уже щипало глаза от напряжения, а ничего заслуживающего внимания ему так и не попалось.

Наконец кипа документов истончилась до нескольких бумажек, и тут Кристофер насторожился. До этого все выписки были предоставлены одним и тем же банком на имя Адама и Натали, но три последние пришли из другого — «Суисскокс», предназначались только Адаму, и счет был открыт примерно за год до его смерти. Кристофер затаил дыхание, ожидая обнаружить в выписках баснословные суммы, однако тут же разочаровался: на счете оказалось всего 300 евро, при этом ежемесячный расход составлял 25 евро 80 центов, и эти деньги списывались самим банком. Почему? Охваченный журналистским азартом, Кристофер нашел в Интернете на мобильнике официальный сайт «Суисскокс», скачал список предоставляемых услуг, лихорадочно пролистал его на экране и в самом конце документа нашел ответ. Сердце сразу заколотилось сильнее. Ровно 25 евро 80 центов в месяц в этом банке стоила аренда приватной сейфовой ячейки с доступом в любое время суток.

Поспешно открыв телефонную книгу, Кристофер позвонил Саре и доложил о своем открытии.

— И разумеется, Адам никогда не говорил вам об этом сейфе?

— Да.

— Так же как он не говорил о своем визите в «Гёустад» и об интересе к научным исследованиям времен холодной войны?

— Не усердствуйте, инспектор Герингген, я и сам уже понял, что Адам о многом умалчивал.

— Тогда еще раз обыщите комнату — нам нужен ключ от сейфовой ячейки.

— Если его и можно найти, то только здесь. Остальные вещи Адама родители продали. Я вам перезвоню.

Кристофер обшарил все ящики стола и шкафа, осмотрел нижнюю сторону столешницы, прощупал одежду, проверил книги и комиксы на полках, даже заглянул под матрас — на случай, если Адам по какой-то причине прятал ключ в родительском доме, а не у себя. Но ключа не было. Решив, что нужно перетряхнуть все вещи более тщательно, он сбегал в погреб, взял там еще несколько пустых картонных коробок и сказал матери, что хочет увезти на время пожитки Адама к себе, чтобы собраться с мыслями в обстановке, которая не станет будить в нем столько воспоминаний. Маргарита выглядела изумленной, но все же согласилась при условии, что он будет обращаться с вещами брата осторожно и скоро все вернет в целости и сохранности.

— Зачем тебе это барахло? — проворчал отец, читавший газету у окна гостиной. Время от времени он поглядывал поверх страниц на Симона, игравшего в саду с конструктором «Плеймобиль».

— Я с тобой согласен: ничего хорошего в том, что мама хранит здесь вещи Адама, нет, — шепнул Кристофер. — Заберу их пока — может, она немного отвлечется, а потом забудет.

Отец одобрительно кивнул и снова погрузился в чтение.

Перетаскав пять коробок в багажник машины, Кристофер поймал себя на том, что ему не терпится встретиться с Сарой и все обсудить. Но он не мог лишить Симона всех радостей выходного дня, поэтому томился в ожидании еще несколько часов, пока мальчик помогал бабушке делать яблочный пирог, а потом играл с дедом в мяч.

Вечером они наконец выехали в обратный путь. Симон, утомленный насыщенным днем, заснул в машине, и Кристофер отнес его в спальню на руках. Уложил в постель, раздел, накрыл одеялом и поцеловал в лоб. Потом, неплотно прикрыв за собой дверь, чтобы створка не стукнула, пошел в ванную. Только там, умывшись холодной водой и устало опершись руками о раковину, он наконец осознал, какие перемены внесла в его жизнь своим внезапным появлением эта норвежка, инспектор полиции другого государства. Кристофер знал, что теперь он не успокоится, пока не выяснит правду о смерти брата.

Почему Адам заинтересовался научными исследованиями второй половины XX века? Зачем ездил к пациенту в норвежскую психиатрическую больницу? Что такого важного он узнал? Именно из-за этого Адам и погиб, а вместе с ним и Натали. Теперь Кристофер почти не сомневался, что их убили.

Он вытер лицо полотенцем и хотел на цыпочках проскользнуть мимо спальни Симона в свою, но задержался, чтобы заглянуть в щелку. Малыш проснулся и как раз выполнял свой ежевечерний ритуал — полез под кровать, достал из коробки с вещами родителей старую толстовку и снова нырнул под одеяло, прижимая ее к груди.

Кристофер со вздохом двинулся было дальше, но Симон окликнул его по имени. Пришлось просунуть голову между створкой и косяком и пошмыгать носом, изображая мышь, выглядывающую из норки. Симон сонно захихикал:

— Ты такой смешной!

— Ты позвал меня только для того, чтобы надо мной посмеяться?! Между прочим, уже десять часов.

Симон отвел взгляд:

— Нет, не чтобы посмеяться. Просто я рад, что ты не оставил меня одного, когда... — Он замолчал, сонные глаза сами закрылись.

Кристофер чуть не задохнулся от накатившего волной чувства, которого он раньше никогда не испытывал, — счастья быть нужным кому-то. Симон, засыпая, что-то забормотал, Кристофер услышал слово «папа», подошел и погладил его по щеке. Мальчик во сне завозился, переворачиваясь на бок, крепче обнял скомканную толстовку отца, как любимую игрушку, и зарылся в нее лицом. Кристофер уже собирался выйти, но вдруг замер на месте, пораженный внезапной догадкой. И как он только сразу об этом не подумал! Толстовка все время была у него на глазах, стала привычной деталью обстановки, потому и ускользнула от внимания...

Он осторожно высвободил толстовку Адама из рук спящего мальчика, вышел из комнаты и принялся лихорадочно ее прощупывать. Вроде бы под подкладкой ничего не было. Тогда Кристофер приказал себе успокоиться, дошел до гостиной, сел на диван и прощупал ткань еще раз — медленно и методично.

Под пальцы попалось что-то твердое. Он бросился в кухню, достал из ящика ножницы и осторожно надрезал шов, а затем дрожащей рукой вытащил из-за подкладки маленький металлический ключ с номером «302».

Глава 16

Было уже около одиннадцати, когда Кристофер позвонил Саре:

— Я нашел ключ за подкладкой в толстовке Адама. Симон с этой толстовкой спит, как с любимой игрушкой.

— Отлично. Но...

Сара замолчала, не осмелившись высказать свои опасения. Она знала, что удостоверение инспектора полиции не поможет получить доступ к сейфовой ячейке — в банке ей просто-напросто укажут на дверь. А вот у Кристофера, как у родного брата покойного владельца, гораздо больше шансов. Однако втянуть этого человека в дело еще глубже означало подвергнуть опасности не только его жизнь, но и благополучие мальчика, о котором он заботится. К тому же Кристофер начинал ей нравиться.

— Я заеду к вам за ключом.

— Вы прекрасно понимаете, инспектор, что вам не разрешат открыть сейф, и тот факт, что вы из полиции, не произведет на служащих «Суисскокс» никакого впечатления. Даже у меня, как у родственника, наверное, нет такого права. Но я готов попробовать.

— Кристофер, вы ведь уже догадались, что люди, стоящие за этим делом, пойдут на все, чтобы сохранить свою тайну...

— Погодите, — перебил он; угроза смерти пока осознавалась смутно, казалась далекой и нереальной. — Представьте, что будет, если вы придете в банк и потребуете открыть ячейку. Вам откажут, конечно, но о вашем визите наверняка станет известно тем, кто замешан в этой истории, и они позаботятся, чтобы к ячейке Адама больше никто не получил доступа. Тогда мне уже не удастся узнать правду о гибели брата и нельзя будет рассчитывать, что его убийц когда-нибудь арестуют. Кроме того, не исключено, что эти люди придут и за мной, поскольку никто, кроме меня, не мог найти его ключ. То есть я окажусь под ударом в любом случае.

— Да, не исключено. Но если они убедятся, что вы не собираетесь докапываться до истины, скорее всего, оставят вас в покое.

— Докапываться до истины — моя профессия. И вы хотите, чтобы я вот так просто от этого отказался, когда речь идет о моем родном брате? О человеке, ближе которого никого в моей жизни не было?

— Я беспокоюсь не только о вас, но и о Симоне.

Кристофер сжал кулаки, борясь с сомнениями. Разумеется, он тоже беспокоился о Симоне. Собственно, только о нем и думал, поэтому дилемма казалась неразрешимой. Но как он будет воспитывать мальчика, зная, что убийцы его отца не понесли наказания? Кристофер понимал, что просто не сможет всю жизнь лгать Симону.

— Я иду в банк с вами, инспектор.

На другом конце линии Сара под гнетом обрушившейся на нее ответственности закрыла глаза.

— О'кей. Тогда встречаемся у входа в понедельник, в час открытия.

— Гм... Извините, но в понедельник я освобожусь только к шести вечера.

Сара онемела от возмущения — как он может такое говорить, учитывая обстоятельства?!

— Значит, вам придется отложить все дела.

— Послушайте, инспектор, я понимаю, что торможу расследование, и поверьте, мне даже больше, чем вам, не терпится узнать, что находится в сейфе, но отложить дела я не могу. Речь идет о душевном равновесии Симона.

— То есть?

— Понедельник — первый день школьных каникул, и я обещал провести его с Симоном. — Кристофер представил себе широко распахнутые, наполненные отчаянием глаза мальчика. Он и сам считал, что откладывать поездку в банк нельзя, но внутренний голос убеждал его не сдаваться. — Понимаете, Симон до сих пор не оправился после смерти родителей. Для него это была тяжелейшая психологическая травма, мне понадобилось много времени, чтобы помочь ему обрести пусть шаткое, но все-таки равновесие, и оно основано на его доверии ко мне. А если я сейчас нарушу обещание, все мои труды пойдут насмарку... Я не могу так рисковать.

— Понимаю.

Он даже растерялся, услышав этот спокойный и четкий ответ Сары — не ожидал, что она уступит так быстро.

— Э-э... да. Спасибо, инспектор.

— Перед тем как отправиться в банк, отвезите Симона к родителям и попросите их съездить с ним куда-нибудь отдохнуть на несколько дней. Чем дальше сейчас мальчик окажется от вас, тем меньше будет риск, что с ним что-то случится. Спокойной ночи, до понедельника.

— До... Подождите!

— Что?

— Вы уверены, что мне позволят открыть ячейку брата? У меня есть ключ, но ведь служащие банка могут потребовать удостоверение личности, разве нет?

— Зависит от установленного в банке порядка. Судя по всему, главный офис «Суисскокс» находится в Швейцарии, так что, возможно, они действуют по своему регламенту и ключа будет достаточно.

— А если все-таки не получится?

— Сориентируемся на месте. В любом случае сейчас у нас нет других вариантов. Отдыхайте. Встречаемся в понедельник в восемнадцать ноль-ноль.

Глава 17

В понедельник 22 февраля Кристофер привез Симона к родителям в пятом часу, извинился и сказал, что ему нужно срочно бежать на интервью, которого он добивался несколько месяцев. Той же ложью он попытался оправдаться перед Симоном, когда они еще не вышли из машины, и пообещал, что такого не повторится, но мальчик сразу расстроился и разревелся.

— Я хочу к маме и папе! — захлебывался он слезами, заходя в дом. — Почему... почему мне нельзя их увидеть?

Маргарита, прижав ладонь ко рту, в отчаянии переводила взгляд с сына на внука и обратно, мысленно взывая к Господу и умоляя Его облегчить страдания близких людей. Эдвард хмуро тер лоб, стараясь скрыть неловкость.

— Ну почему?.. — плакал малыш.

Кристофер присел перед ним на корточки:

— У меня нет ответа, Симон. Но даю тебе слово — я буду его искать. Единственное, в чем я уверен, это в том, что они всегда тебя любили и всегда будут любить тебя там, где они сейчас. А теперь иди с бабушкой и помоги ей приготовить ужин. Потом она застелет для тебя кровать настоящей периной, мягкой-мягкой, как мышкино гнездышко, и, если ты хорошо попросишь, почитает тебе на ночь сказку. Договорились?

Когда Маргарита увела мальчика на кухню, Кристофер обессиленно опустился на нижнюю ступеньку лестницы и со вздохом обхватил голову руками. Надо было попросить родителей завтра же уехать куда-нибудь с Симоном, снять номер в отеле, но этого мальчик уже не вынесет. К тому же

Кристофер по-прежнему считал страхи Сары напрасными и решил, что отправит семью в другой город не раньше, чем найдет для этого достаточно оснований.

— Что происходит, Кристофер? — спросил Эдвард.

— Я же объяснил. Мы всей редакцией полгода добивались согласия на интервью у одного ученого, он наконец пошел нам навстречу, но время у него есть только сегодня.

Эдвард с сомнением покачал головой:

— И что же такого важного он может тебе сказать?

Этот вопрос застал Кристофера врасплох: отец не имел привычки интересоваться его работой.

— Он... Ну, сложно объяснить... И потом...

— Слушай, я спросил, потому что, как мне кажется, ты от нас что-то скрываешь. Я не прошу рассказывать всю твою жизнь, но, если мы с матерью будем знать чуть больше, возможно, лучше сумеем тебе помочь.

Кристофер резко поднялся и зашагал к выходу — внезапное внимание со стороны всегда равнодушного отца его разозлило.

— Вы мне поможете, если не будете задавать лишних вопросов. Впрочем, не вы, а ты, потому что мама, в отличие от тебя, и так меня прекрасно понимает. Советуйся с ней иногда — это всем пойдет на пользу.

Эдвард устремил на сына тяжелый мрачный взгляд и открыл было рот, но Кристофер уже громко хлопнул за собой дверью.

Сев за руль, он ввел в GPS-навигатор адрес банка «Суисскокс» в городке Вильжюиф.

Моросил дождь, и шоссе было скользким, свет фар встречных машин слепил глаза. Кристофер не мог не задуматься о том, что в вечер гибели Адама и Натали были такие же погодные условия, только сейчас он ехал на скорости куда ниже той, на которой машина Адама снесла дорожное ограждение. В полицейском рапорте было указано черным по белому: «110 км/ч при допустимых 70 км/ч». Кристофер не понимал, как ту аварию можно было подстроить. Двигатель и тормоза оказались в идеальном состоянии, никто Адама не подрезал, никто за ним не гнался...

Механический голос навигатора вывел хозяина из задумчивости сообщением о том, что он прибывает к месту назначения. В конце улицы за пеленой усилившегося дождя уже показалась освещенная вывеска с названием банка. Паркуясь, Кристофер заметил Сару — она стояла, засунув руки в карманы, у стены под карнизом неподалеку от входа; на ней были джинсы, светлая кожаная куртка и бежевый свитер с высоким воротником. Выйдя из автомобиля, журналист поспешил в укрытие, но карниз оказался слишком узким — с него капало на голову и мыски ботинок.

— Добрый вечер, — поздоровался Кристофер, раздумывая, протянуть ладонь или нет.

Сара ответила легким кивком, не вынимая рук из карманов. Поежившись оттого, что за шиворот упала ледяная капля, он показал ей ключ:

— Что мне делать, если спросят документы?

— Разберемся.

— А вы не можете получить ордер на изъятие содержимого ячейки?

Сара покачала головой:

— Ордер должен выдать французский судья, но ему понадобится официальное соглашение о сотрудничестве в этом деле между нашими странами. Процедура займет несколько недель — это слишком долго.

Кристофер тяжело вздохнул:

— Значит, все решится в ближайшие минуты, и исход зависит от меня?

Сара кивнула.

Они торопливо прошли до подъезда вдоль стены, стараясь не высовываться из-под карниза. На двери под козырьком оказался экран интерфона — нужно было позвонить, чтобы получить разрешение войти. С бьющимся сердцем Кристофер нажал на зеленую кнопку, и через пятнадцать секунд полной тишины раздался щелчок замкового механизма. Толкнув дверь, Кристофер пропустил спутницу вперед. Рамку металлоискателя удалось пройти без осложнений — Сара, предвидевшая строгую систему безопасности, благоразумно оставила пистолет в камере хранения на Лионском вокзале еще днем.

Пол небольшого холла был выложен плитами из розового мрамора, отполированными до такой степени, что она отчетливо, как в спокойной чистой воде, видела в них свое отражение. Без сомнения, клиенты «Суисскокс» были людьми состоятельными. По углам скромно стояли двое охранников, за стойкой из красного дерева двое служащих были заняты общением с посетителями, третий профессионально улыбнулся Саре и Кристоферу, приглашая их подойти. Это был молодой человек лет тридцати в костюме с галстуком, холеный, с аккуратной стрижкой и скупыми, тщательно выверенными жестами. Всем своим видом он выражал уважение к клиентам.

Кристофер положил на мраморную столешницу ключ от банковской ячейки.

— Добрый вечер, моя фамилия Кларенс, я хотел бы открыть свой сейф.

— Разумеется, месье. — Клерк опустил глаза, глядя на экран компьютера, невидимый за стойкой. — Минутку... Да, мы с вами можем пройти в хранилище.

Кристофер сразу расслабился, но почувствовал, что Сара все еще напряжена. «Интересно, почему? — подумал он. — Вроде бы получилось — у меня ведь не спросили удостоверение личности».

— Однако... — продолжил молодой человек, пробегая взглядом строчки на экране, — сейф именной, поэтому ваша спутница, к сожалению, не сможет нас сопровождать. Мадам, прошу подождать здесь. Не желаете чаю или кофе?

Сара отвергла последнее предложение, качнув головой. Кристофер, похолодевший на слове «однако», снова вздохнул с облегчением.

— Месье Кларенс, мы с вами можем идти... Осталось только взглянуть на ваш паспорт. — Клерк с любезной улыбкой протянул над стойкой руку.

— Я... — Кристоферу, боковым зрением следившему за охранниками, показалось, что они пошевелились.

— Месье Кларенс, какие-то проблемы? — нахмурился молодой человек.

— Послушайте, я брат Адама Кларенса, владельца ячейки. Он умер год назад. Я нашел ключ в его вещах и пришел забрать то, что ему принадлежало.

Клерк, переглянувшись с обоими охранниками, изобразил на лице огорчение:

— Какая неприятность, вам следовало сразу изложить мне эту... версию. Хотя подождите... Можно мне все-таки взглянуть на ваши документы?

— Зачем? — Кристофер покосился на Сару, но она кивнула в знак одобрения.

Клерк тем временем снова что-то читал на экране, недоуменно хмуря брови:

— Кажется, я поначалу кое-что упустил...

Кристофер нервно протянул ему паспорт.

— Благодарю. — Внимательно изучив документ, молодой человек широко улыбнулся: — Прошу простить за это небольшое недоразумение, месье Кларенс. — Он слегка склонил голову в мнимом раскаянии. — Я не заметил, что ваш брат оставил распоряжение о допуске к сейфу на ваше имя. Позвольте проводить вас в хранилище. Мадам, надеюсь, ожидание вас не утомит.

У Кристофера чуть ноги не подкосились от радости. Он обернулся к Саре и увидел, что она тоже наконец-то перевела дух.

Клерк отвел клиента по черной мраморной лестнице вниз, в подземное помещение банка. Маленькие лампочки, вмонтированные в пол под толстым матовым стеклом, рассеивали тусклый свет, и зрение Кристофера не сразу приспособилось к полумраку. Они пришли в комнату ожидания, где для владельцев сейфовых ячеек были приготовлены диванчики, обтянутые черной кожей, и низкий столик с журналами о финансах и недвижимости класса люкс, с тремя бутылками минеральной воды и стаканами. Двое охранников, заложив руки за спину, стояли у круглой металлической двери со штурвальным механизмом, которая вела в помещение хранилища.

— Я схожу за вторым ключом от вашей ячейки, мистер Кларенс, — сказал клерк, — нам нужно будет открыть ее вместе. Подождите здесь, пожалуйста, я отлучусь всего на пару минут.

Он исчез за маленькой дверью в глубине комнаты ожидания, а Кристофер опустился на диван. Теперь он снова разнервничался. Если брат внес его имя в договор с банком, значит, в сейфовой ячейке действительно что-то важное, и, значит, Адам чувствовал угрозу. Кристофер постарался выровнять дыхание. Опасность переставала казаться нереальной, и он не мог не думать о Симоне.

— С вами все хорошо, месье Кларенс? Может быть, воды? Незаметно вернувшийся клерк озабоченно смотрел на него.

— Нет, спасибо, все в порядке. — Кристофер провел рукой по лицу и поднялся с дивана. — Идемте.

Он подождал, пока молодой человек откроет тяжелую дверь хранилища, и вслед за ним шагнул в бронированное помещение, освещенное неоновыми лампами. В центре поблескивали стол и стул из нержавеющей стали.

— Номер сейфа вашего брата — триста два, вот он, — указал клерк на металлическую дверцу в ряду таких же. — Вы должны вставить ключ в замочную скважину слева, я — справа.

Кристофер так и сделал, затем повернул ключ по сигналу клерка. Раздался щелчок, и прямоугольная дверца открылась. За ней оказался металлический ящик.

— Вы можете провести здесь столько времени, сколько понадобится, — сказал клерк. — Когда закончите, поставьте ящик в сейф и нажмите на красную кнопку рядом с интерфоном, чтобы для вас открыли дверь.

Молодой человек удалился, а Кристофер перенес металлический ящик на стол и поднял крышку.

Внутри лежал толстый серый конверт формата А4. Больше там ничего не было.

Охваченный волнением журналист достал из конверта стопку листов и еще один конверт, маленький и белый, без единой надписи. Отложив его, он начал с изучения документов.

Первый состоял из двух страниц на английском языке, отпечатанных на старой пишущей машинке. Это было официальное извещение с печатью «top secret» — «совершенно секретно», — отправленное неким Натаниэлом Эвансом 13 октября 1969 года («В разгар холодной войны, — отметил про себя Кристофер) Шарлю Паркерену. Имя директора фармацевтической фирмы «Жантикс» он узнал сразу — брат часто упоминал о нем, но никогда не говорил о Натаниэле Эвансе. Вверху документа стоял гриф Центрального разведывательного управления, под ним был заголовок: «Экспериментальная группа проекта «488» / «МК-Ультра». Далее следовал текст:

I. Напоминаем о необходимости поставки новой партии препарата ЛС-34 в установленный срок. Служащий Военно-воздушных сил США свяжется с вами напрямую для осуществления перевозки груза на базу вне официального расписания полетов.

II. Рассчитываем на вашу помощь в наборе испытуемых для продолжения экспериментов. Позаботьтесь о том, чтобы это были одинокие люди, чье длительное отсутствие или полное исчезновение не привлечет внимания. Ни при каких обстоятельствах не информируйте их о цели и содержании наших исследований, в противном случае весь проект будет поставлен под угрозу.

Кристофер дрожащей рукой отложил документ, чувствуя, как по спине скатываются капли пота. Он никак не мог поверить в прочитанное. И особенно в гриф ЦРУ. До сих пор у него еще теплилась слабая надежда на то, что история с подстроенной гибелью брата — всего лишь недоразумение, но теперь в его руках оказались реальные доказательства научных опытов над людьми — незаконных и, судя по всему, опасных, тайно проводившихся в 1960-х годах самой влиятельной разведслужбой мира в сотрудничестве с компанией «Жантикс», где работал Адам. Похоже, речь шла о военных исследованиях в области биологического оружия или воздействия на человеческий мозг. Название «МК-Ультра» ему уже где-то встречалось — вроде бы этот научный проект имел отношение к манипулированию сознанием, но сейчас Кристофер, ошеломленный своим открытием, не мог сосредоточиться и вспомнить подробности.

Он помассировал затекшую шею и вытер взмокшие от пота ладони о джинсы. В большом конверте были еще какая-то схема, начерченная от руки, и три документа, относительно недавние. Первые два, скрепленные вместе и датированные 25 августа 2003 года, представляли собой копии заполненных бланков заказов от «Жантикса» двум разным компаниям. У поставщика зерна фармацевтическая фирма приобрела

10 килограммов Claviceps purpurea (Кристофер, когда-то занимавшийся журналистским расследованием касательно наркотрафика, знал, что это такое: грибок, паразитирующий на ржи, более известный как спорынья). Сельскохозяйственной ферме в регионе Шампань—Арденны был направлен заказ на 5 килограммов черенков мака.

На полях первого из этих двух документов Адам оставил комментарий: «Ни спорынья, ни мак не входят в состав нашей продукции. Цель закупки? Лишние траты? Проверить». Чернилами другого цвета — видимо, позднее — он приписал: «Производство ЛС-34 запрещено!»

Третий документ представлял собой копию отчета о почтовых расходах фирмы «Жантикс», таблица охватывала десятилетний период, и в каждом месяце значился денежный перевод на сумму 250 евро получателю в Норвегии. Адам выделил эту сумму маркером в нескольких строчках и отметил себе на полях: «Проверить».

Кристофер откинулся на спинку стула, уставившись в пустоту. Вот, оказывается, с чего все началось — именно так у Адама зародились подозрения, и он начал разбираться в тайной деятельности «Жантикса». Его наняли в эту фирму на должность финансового директора и главной задачей поставили сокращение денежных издержек. Но руководство «Жантикса» недооценило Адама, профессионального экономиста и очень дотошного человека, способного днями напролет сверять и перепроверять мельчайшие детали, на которые никто другой и внимания не обратил бы. Педантичность Адама порой принимала масштабы обсессивно-компульсивного расстройства: в любом деле ему во что бы то ни стало нужно было удостовериться, что он ничего не упустил и все понял.

Месье Паркерен, видимо, полагал, что новый финансовый директор сосредоточится на крупных тратах или на средних, пусть даже на небольших, но уж никак не на микрорасходах. Месье Паркерен ошибся. Адам имел привычку во всем идти до конца — этому обоих братьев научил отец, который вмешивался в процесс воспитания редко, но метко и заставлял их всегда заканчивать начатое.

В общем, занявшись внутренним аудитом «Жантикса», Адам напал на след, который привел его к пациенту психиатрической больницы «Гёустад». Возможно, он тайком вскрыл одну из посылок, ждавшую отправления в Норвегию, взял образец препарата, заказал химический анализ и выяснил, что это запрещенный ЛС-34, который незаконно производится в лаборатории «Жантикса». Проследив маршрут этой посылки, Адам поехал в Норвегию и нанес визит в «Гёустад», что и подтверждали приколотые к последнему документу фотографии вывески и фасада этого мрачного заведения.

Оставались еще схема и маленький конверт. Кристофер потянулся было к ним, но отдернул руку и сначала обернулся на металлическую дверь — не вошел ли кто незаметно в хранилище, пока он был погружен в свои мысли. Чем больше он узнавал о частном расследовании, которое затеял брат, тем тревожнее ему становилось — казалось, что за ним кто-то наблюдает и в любую минуту в эту бронированную комнату могут ворваться убийцы, чтобы устранить его самого и уничтожить собранные Адамом доказательства.

Кристоферу стало совсем не по себе, захотелось поскорее покинуть тесное, гнетущее помещение. Он быстро отодвинул в сторону маленький конверт и схватил листок так, что бумага зашуршала.

На листке была схема с комментариями, набросанными мелким наклонным почерком Адама. Четыре круга: три на воображаемых вершинах треугольника, четвертый в центре. В первом написано «ЦРУ», во втором — «Фонд Форда», в третьем — «Гёустад». Все три связаны стрелочками и снабжены пояснениями Адама о взаимосвязи между этими организациями. В четвертом кружке, в середине, он написал и три раза подчеркнул: «Военные цели».

Комментарии вокруг треугольника вкратце сводились к следующему. Фонд Форда, крупнейшая благотворительная организация США, по мнению многих историков и журналистов, служил прикрытием для ЦРУ, собиравшего средства на финансирование тайных операций в период холодной войны. Одна дама-историк провела тщательное расследование на эту тему и обнаружила, что Аллен Даллес на посту директора ЦРУ неоднократно встречался с главой Фонда Форда и на этих встречах обсуждалось взаимное сотрудничество в поиске «новых идей». Кроме того, Адам утверждал, что многочисленные медицинские и финансовые документы свидетельствовали об оказании Фондом Форда существенной денежной поддержки психиатрической больнице «Гёустад» в Норвегии. ЦРУ тоже оказывало этой больнице пристальное внимание, поскольку директор «Гёустада» тех лет был пионером в области хирургии мозга и большим специалистом по лоботомии.

От каждого из трех кружков — «ЦРУ», «Фонд Форда» и «Гёустад» — отходила стрелка, указывающая на четвертый в центре с надписью «Военные цели», а под ним были записаны вопросы:

«Предмет исследований?
Содержание экспериментов?
Результаты?
Программа не закрыта?
«МК-Ультра»?»

У Кристофера пересохло во рту и свело шею. Он был журналистом и быстро оценил масштабы истории, в которую вляпался его брат.

Взгляд упал на маленький белый конверт. Кристофер схватил его, вскрыл и вытряхнул две бумажки с компьютерным текстом, распечатанным на принтере. Пробежав глазами первую строчку, он побледнел и почувствовал приступ тошноты.

«Если продолжишь искать ответы, тебе это дорого обойдется: сначала у тебя на глазах погибнут жена и сын, затем и ты отправишься за ними на тот свет».

Следующая угроза была того же свойства:

«Последнее предупреждение. Если не отступишься прямо сейчас, потом будешь на коленях молить о смерти для себя и своей семьи».

Раз уж ему, Кристоферу, было мало доказательств, что смерть Адама вовсе не несчастный случай, вот оно, еще одно, неопровержимое, в его трясущихся от шока и ярости руках.

Какое-то время он сидел в оцепенении под ярким неоновым светом, прислушиваясь к едва заметному жужжанию ламп. Хрупкое психологическое равновесие, с трудом обретенное за год, — результат душевной работы, проделанной, чтобы хоть как-то смириться со смертью Адама, — нарушилось безвозвратно.

Вскочив со стула, он сгреб документы, засунул их в большой конверт, туда же отправил маленький, поставил пустой металлический ящик в сейф и захлопнул дверцу — замок сработал автоматически. Затем Кристофер нажал на красную кнопку у интерфона, попросил выпустить его, по пути коротко кивнул в знак благодарности клерку — боялся говорить, чтобы не выдать свое волнение, — и, взбежав по черной лестнице, направился к Саре.

Она почти обрадовалась, увидев его таким бледным и нервным — это означало, что он нашел нечто важное.

Глава 18

Дверцы машины закрылись, в салоне было сухо и тепло. Кристофер вытер с лица дождевые капли и с тяжелым вздохом протянул Саре большой конверт с документами:

— Здесь все. Письма с угрозами моему брату, доказательства производства ЛС-34 фирмой «Жантикс» и... причастности ЦРУ к научно-исследовательской программе, в рамках которой в шестидесятых годах проводились эксперименты по манипулированию сознанием в военных целях.

Сара молча смотрела на Кристофера. С его мокрых волос текла вода, струилась по щекам, заросшим щетиной, а во взгляде теперь не осталось и намека на прежнюю иронию или на отстраненный, вежливый интерес. Он казался усталым, подавленным и очень встревоженным. Саре во время любого расследования доводилось испытывать сочувствие к родственникам жертв, но на этот раз ей еще и очень хотелось помочь брату убитого. Больше, чем другим. Она не могла не признаться себе, что Кристофер вызывает у нее уважение и даже восхищение — из-за того, что ради Симона он перевернул вверх дном всю свою жизнь. Слишком уж этот мужчина был похож на закоренелого холостяка, который привык чувствовать себя свободным от всего и от всех, умеет без труда очаровывать женщин, предпочитает случайные, ни к чему не обязывающие связи, легкие победы и расставания, а о будущем и вовсе не задумывается. Однако же он отказался отдать племянника в приемную семью. И бабушке с дедушкой его не уступил — решил воспитывать мальчика сам, как родного сына. А судя по фрагменту лекции, который Сара слышала в его исполнении в Сорбонне, можно было не сомневаться, что он станет хорошим отцом и сумеет развить интеллектуальные способности ребенка.

Сейчас, глядя на Кристофера, она вдруг поняла, что именно в таких поступках и проявляется истинное мужество. Тут дело не в готовности идти на риск и смотреть в лицо смертельной опасности, а в небывалой силе духа, которую человеку нужно найти в себе для того, чтобы однажды нежданно-негаданно стать защитником и покровителем семьи.

— Думаете, в этой истории и правда замешаны такие серьезные игроки? — спросил Кристофер, когда Сара дочитывала последний документ из конверта.

— Вы о ЦРУ? — уточнила она, быстро набирая на своем телефоне эсэмэску.

— О ЦРУ, об американской армии, о Фонде Форда... Вы представляете себе масштаб дела? Если бы вы не были инспектором полиции и не сидели бы сейчас рядом со мной... я бы подумал, что мне это все приснилось.

Стихия совсем разбушевалась — дождь колотил по крыше и окнам машины с такой яростью, будто собирался устроить всемирный потоп.

Сара рассматривала снимки фасада больницы «Гёустад».

— Значит, вашего брата и правда не пустили в палату пациента Четыре-Восемь-Восемь... — пробормотала она. — Иначе он сфотографировал бы рисунки.

— Какие рисунки?

Сара открыла на экране папку с фотографиями стен и протянула телефон Кристоферу.

— Предполагается, что в них есть какой-то смысл? — удивился он.

— Здесь повторяются три символа, одни и те же, до бесконечности. Приглядитесь повнимательнее, и вы увидите контуры дерева, рыбы и огня.

Кристофер увеличил снимки двумя пальцами, всмотрелся в изображение и действительно увидел то, о чем говорила Сара.

— Да-а... Дерево, рыба, огонь. Но что все это означает?

— Одна из загадок расследования.

— А о проекте «МК-Ультра» вы что-нибудь слышали? — спросил он, возвращая телефон, и смахнул дождевые капли, опять натекшие с волос в глаза.

— Послушайте, Кристофер, давайте с этого момента я буду заниматься расследованием, а вы — Симоном, хорошо? Спасибо за помощь. Я буду держать вас в курсе.

— «МК-Ультра»... — задумчиво повторил он, будто пропустил слова Сары мимо ушей. — Я где-то читал об этой программе, но не помню подробностей. Нужно поискать информацию.

— Ладно, но все же поезжайте с мальчиком и родителями куда-нибудь подальше, туда, где вас не будут искать, и оставайтесь там, пока я не скажу, что можно вернуться. О'кей?

— О'кей, о'кей... Я постараюсь взять отпуск. А вы что собираетесь делать дальше? Какой план расследования?

Сара совершенно точно знала, что сделает после того, как распрощается с Кристофером, но боялась, что он увяжется за ней.

— Чем меньше вы об этом знаете, тем целее будете. Вы и так уже мне очень помогли. Берегите себя и Симона.

Сара взялась за ручку дверцы, собираясь выйти из машины, но Кристофер удержал ее за локоть:

— Там сильный дождь, и час уже поздний, а мы в пригороде — вы очень долго будете искать такси. Давайте я вас подвезу к Паркерену — и сразу уеду, честное слово. Мне так же, как и вам, не терпится раскрыть это дело.

Сара с трудом сдержала возглас изумления — как он догадался?

— Вы ведь хотите потолковать с директором «Жантикса», верно? Я подумал, теперь, когда мы нашли доказательства, что его фирма подпольно производила запрещенный препарат ЛС-34, у вас есть чем его прижать, — ответил Кристофер на невысказанный вопрос.

Сара задумчиво откинула мокрые волосы назад, и, несмотря на полумрак, он разглядел ожоги на правой стороне ее лица — там не было брови и ресниц, а кожа вокруг глаза покраснела.

— Вы понимаете, что, поехав со мной, подвергнете свою жизнь опасности?

— Что у вас с лицом?

— Директор «Гёустада» устроил пожар. Погибло много людей, я слегка обгорела.

Кристофер нахмурился:

— И вы считаете, я смогу спокойно жить дальше с тем, что узнал за эти два дня? Вернусь к работе и буду терпеливо ждать результатов вашего расследования, да?

— Обычно все так и поступают.

— А как бы вы поступили на моем месте?

Сара несколько секунд смотрела на Кристофера холодными светло-голубыми глазами, потом вдруг сделала ему знак, что хочет сесть за руль, и решительно вышла из машины. Кристофер тоже выскочил под дождь, они поменялись местами, и в этот момент подоспел ответ на ее эсэмэску. Взглянув на экран телефона, Сара подвинула водительское сиденье, устраиваясь поудобнее, поправила зеркало заднего обзора и запрограммировала GPS-навигатор.

— Откуда вы знаете, где живет Паркерен? — спросил Кристофер.

— Данных, разумеется, нет в адресной книге, но у моих коллег из полиции Осло, — Сара указала подбородком на свой телефон, — есть доступ к такого рода засекреченным сведениям. Итак, с этого момента у вас тридцать три минуты на то, чтобы вспомнить и рассказать все, что вы знаете про «МК-Ультра», — заявила она, когда на экране навигатора появились маршрут и продолжительность пути. Поправив волосы, чтобы скрыть обожженный глаз, Сара включила зажигание.

— Оставьте лицо открытым, — попросил Кристофер, глядя в окно на затянутое тучами вечернее небо. — Вас это совсем не портит.

Она собралась было возразить, но передумала. Тряхнув головой, заправила волосы за уши, и машина покатила в сторону респектабельного городка Марн-ла-Кокетт.

— Я вас слушаю. Что вы знаете о программе «МК-Ультра»? — сказала Сара, сворачивая на южный участок окружной автомагистрали.

Не отрывая взгляда от смартфона, Кристофер поднял руку, призывая спутницу к терпению. На улице уже стемнело, чередование сумрака и яркого света проносившихся за окном машины фонарей сильно затрудняло чтение страниц на сайтах, которые он искал в Интернете.

«На следующем съезде поверните направо, — прозвучал механический голос GPS-навигатора. — Осталось шестнадцать километров».

Кристоферу понадобилось еще несколько минут на то, чтобы бегло просмотреть в блокноте записи, сделанные им несколько лет назад о программе «МК-Ультра» для какой-то статьи. Наконец он отложил смартфон.

— Чудеса какие-то...

— Что?

— Все, что я сейчас прочитал, отлично согласуется с документами из сейфа Адама и с его книгами по истории холодной войны...

Сара молча ждала продолжения, решив не торопить его.

— Так... Давайте я вам вкратце переведу статью, которую нашел на сайте «Нью-Йорк таймс». Написано довольно примитивно, зато доходчиво. МК — аббревиатура mind control, «управление сознанием». Широкой публике стало известно об этой засекреченной программе в тысяча девятьсот семьдесят четвертом году из статьи опять же «Нью-Йорк таймс», а затем, в семьдесят седьмом, комиссия, организованная конгрессом США для расследования деятельности руководителей «МК-Ультра», обнародовала отчет. На официальном уровне было признано, что около двадцати лет, на протяжении пятидесятых и шестидесятых годов, ЦРУ проводило научные эксперименты с целью разработки методов воздействия на личность. Подопытные ничего не знали о сути этих экспериментов и не давали согласия, среди них были пациенты психиатрических больниц, не имевшие родственников, проститутки, бездомные, военнопленные. Применялись психотропные вещества, в частности ЛСД, электросудорожная терапия и другие методы сенсорной и психической стимуляции. Главной или, по крайней мере, объявленной целью этих опытов была разработка способов получения информации у советских шпионов и их перевербовки. Парламентская комиссия сделала достоянием гласности двадцать тысяч документов, касавшихся проектов из программы «МК-Ультра», и установила, что на них было потрачено около двадцати пяти миллионов долларов, причем эти расходы...

У Сары завибрировал телефон, и Кристофер замолчал. Инспектор покосилась на экран — звонил Стефан Карлстрём, — и, не став отвечать,она невозмутимо продолжила вести машину. Кристофер, уже начинавший понимать ее скупой язык общения, догадался, что она ждет продолжения.

— Так... Программа по разработке методов манипулирования сознанием обошлась в двадцать пять миллионов долларов, и эти расходы не контролировались государством. То есть на протяжении двадцати с лишним лет церэушники делали что хотели, и никто не требовал от них отчета — ни в финансовом, ни в научно-исследовательском, ни уж тем более в этическом плане. Огромный бюджет был потрачен на опыты над людьми, а результаты держались руководителями проектов в секрете. Представляете, что они вытворяли и насколько далеко зашли?.. — Подняв голову от экрана смартфона, Кристофер обнаружил, что участок окружной автомагистрали ему знаком. — Не обращайте внимания на навигатор, сверните к заставе Сен-Клу, — сказал он Саре. — Проедем через Булонский лес — так будет короче, я хорошо знаю дорогу.

Сара, бросив взгляд в зеркало заднего вида, развернулась, вырулив на встречную полосу, и поехала обратно, к съезду с окружной.

— Мы с братом часто гуляли в лесу в окрестностях Марнла-Кокетт, когда были подростками, — продолжал Кристофер. — Отец нами редко занимался, но иногда все же вывозил на свежий воздух, потому что там поблизости находился его гольф-клуб. Правда, приобщать нас к этому виду спорта для избранных он не считал необходимым... Не знаю, зачем я вам об этом рассказываю. Просто увидел знакомые места и вспомнил, как мы с Адамом любили сюда приезжать... — У Кристофера перехватило горло, и он крепко сжал кулаки. — Надеюсь, Шарль Паркерен согласится ответить на ваши вопросы — это в его же интересах. Потому что если он убил Адама, я...

— Я здесь как раз для того, чтобы найти и арестовать тех, кто виновен в гибели вашего брата, Кристофер. Вы хорошо делаете свою работу, но у вас другая специализация. — Сара произнесла эти слова успокаивающим тоном, и его гнев мгновенно утих. — Что еще известно о программе «МК-Ультра»? — спросила она, остановившись на красный свет.

— Комиссия, занимавшаяся расследованием, выяснила, что в эту программу входило около ста пятидесяти проектов, но информации о них почти нет — в семьдесят втором году Ричард Хелмс, тогдашний директор ЦРУ, распорядился уничтожить все архивы программы.

Загорелся зеленый, и Сара свернула на дорогу, ведущую в Марн-ла-Кокетт.

— А о целях этих проектов нет даже догадок? — спросила она.

— Думаете, тот, кого вы назвали пациентом Четыре-Восемь-Восемь, был участником одного из них?

— Наверняка.

— Тогда поделюсь с вами самыми шокирующими сведениями из тех, что сохранились благодаря халатности кого-то из рядовых церэушников, — про одну коробку с документами попросту забыли. В тех материалах речь шла о препаратах, провоцирующих расстройство мышления и бессознательные действия, которые могли публично дискредитировать человека; о препаратах, повышающих умственные способности и возможности восприятия; о препаратах, временно вызывающих внешние симптомы известных болезней, — они могли пригодиться для симуляции; о препаратах, повышающих эффективность гипноза, разрушающих личность и полностью подчиняющих одного человека воле другого... А еще один проект был связан с экспериментами в летнем лагере над детьми, но цель не уточнялась... — Кристофер перестал читать и потрясенно поднял взгляд от экрана.

Сара слушала, стараясь думать только о том, что могло иметь отношение к пациенту Четыре-Восемь-Восемь.

— Вот и все, что известно об этой мерзости под названием «МК-Ультра», — подытожил Кристофер. — Работа над некоторыми проектами, несмотря на сворачивание программы, велась и в семидесятых, а последние были закрыты в восемьдесят восьмом году.

Несколько секунд слышались только шум мотора и шуршание колес по асфальту.

«Осталось двести метров», — сообщил навигатор.

Здесь, в глубине леса, фонарей на обочинах дороги уже не было, и сгустившуюся темноту рассеивал лишь свет фар.

— Я остановлю машину около дома Паркерена, вы сядете за руль и поедете к себе. Договорились? — сказала Сара.

Кристофер кивнул. Она сбросила скорость, высматривая на фасадах и воротах нужный номер. Когда закончилась длинная глухая стена, отделявшая большую частную территорию, на решетке ограды наконец обнаружилась табличка из кованого железа с цифрами «23». За оградами аллея, обсаженная пихтами, вела к особняку.

— Мы на месте. Садитесь за руль и возвращайтесь в Париж.

Сара заглушила двигатель и вышла из машины. Подставив лицо прохладному ночному ветру, окинула взглядом ограду, размышляя, впустит ли ее Шарль Паркерен добровольно или лучше пробраться в дом и поставить его перед фактом. И тут она заметила, что ворота приоткрыты.

Кристофер тоже вылез из машины, чтобы занять водительское кресло, но не успел сделать и пары шагов, как за его спиной раздался топот.

— Сзади! — крикнула Сара.

Однако журналист не обладал ее спецназовской подготовкой — он успел лишь обернуться и тут же получил удар в лоб. Пошатнулся, оглушенный, едва устоял, ухватившись за дверцу, а когда кровь уже заливала глаза, увидел в кулаке нападавшего нож, нацеленный ему в живот. В этот момент Сара, у которой не было времени обежать машину, с разгону проехалась по капоту и в последний миг отбила руку убийцы.

— Бегите! — рявкнула она Кристоферу.

У него голова разрывалась от боли, перед глазами все плыло. Ничего не видя и не соображая, Кристофер рванулся туда, куда ноги понесли. Пошатнувшись, повис на створке ворот, которая вдруг подалась, и заковылял дальше в открывшийся проем, не думая, что там, впереди, — просто выбрал первую попавшуюся дорогу, которая могла увести его подальше от смерти. Ослепнув от боли и темноты, он пробирался через сад — по лицу лупили ветки, сзади долетали звуки борьбы. Кристофер споткнулся о корень и с размаху растянулся на земле.

— Беги! — еще раз крикнула Сара и, кажется, охнула от боли.

Вытерев рукавом глаза, залитые кровью из раны на лбу, журналист кое-как поднялся на ноги. Попробовал идти дальше — и снова упал. Завозился в траве, пытаясь выпрямиться, но не смог и, вконец обессилев, заполз в заросли кустарника.

Там, под сомнительной защитой тонких ветвей, со стоном ткнулся лицом в траву.

И услышал шаги.

Не было сил даже обернуться. Ветви над его головой раздвинулись, и он машинально закрыл затылок руками.

— Это я, — тихо прозвучал голос Сары.

— Черт... Я думал, что...

Сара опустилась рядом с ним на колени, восстанавливая дыхание.

— Как вы... ты себя чувствуешь? — прошептала она.

У Кристофера лоб пульсировал нестерпимой болью, и обдумать свое самочувствие не удавалось. Сара помогла ему перевернуться и внимательно осмотрела его лицо.

— Зажми рану ладонью, вот здесь, чтобы кровь остановилась, и говори потише.

— Где тот, кто на нас напал? — чуть слышно проговорил он, поднося руку ко лбу.

— Обезврежен, — отрапортовала Сара в спецназовской манере.

Кристофер уставился на нее так, будто перед ним было сверхъестественное существо. Как ей удалось справиться со здоровенным мужиком, который едва его не убил?

— Вот так и убеждаешься, что шансы на выживание у всех разные... — пробормотал он. — Вы думаете... ты думаешь, он тут не один?

— Скорее всего.

— А кто это? Личная охрана Паркерена?

— Вряд ли, — покачала головой Сара. — Судя по татуировкам у него на кулаках, этот парень из русской мафии. К тому же ворота не просто открыты, там замок взломан. Думаю, тот, кто тебя ударил, стоял на стреме, а остальные проникли во владения Паркерена.

— Странно... Зачем кому-то, кроме нас, мог понадобиться директор «Жантикса»?

— Хороший вопрос, но размышлять над ним некогда. Пока тебе нельзя возвращаться к машине, оставайся со мной — может, у того бандита есть вооруженный напарник. Со вторым я могу и не справиться в одиночку.

Сара еще раз осмотрела рану у него на лбу — кровь наконец унялась, вокруг набухал синяк.

— Не хмурься — так заживет быстрее.

Она протянула Кристоферу руку, помогла подняться и достала из-за пояса пистолет, конфискованный у противника. Держа оружие в опущенной руке, стволом в землю, двигаясь точно и выверенно, быстро пошла между кустами к старинному особняку, который издалека казался охотничьим замком. Журналист, пошатываясь, двинулся за ней.

Вскоре густые заросли закончились, впереди был ухоженный сад — огромный газон с редкими деревьями. Тусклое сияние половины луны теперь позволяло более или менее отчетливо видеть всего на десяток метров вперед, дальше подключалось воображение.

Вдруг из-за дерева показался темный силуэт — человеческая фигура. Оба замерли, затем, убедившись, что фигура не шевелится, осторожно пошли дальше. Это была статуя на постаменте: длинные одежды словно развевались на ветру, а сверху вниз на незваных гостей смотрел из-под капюшона пустыми глазницами череп. Одну руку скелет воздевал вверх, грозя им пальцем, во второй сжимал древко косы.

Листва зашумела от порыва ветра, и Сара снова остановилась, вглядываясь в темноту. Затем, переместившись за ствол дерева, знаками показала Кристоферу, что сейчас пойдет к двери особняка, до которой оставалось всего метров пятнадцать, а он должен пока сидеть и не высовываться в ожидании сигнала. Пригнувшись, она пробежала по мокрой траве; бесшумно, стараясь не стучать каблуками ботинок, прошла по деревянному настилу террасы и прижалась спиной к стене рядом с входной дверью. Осторожно толкнула створку — опасения подтвердились, дверь оказалась незаперта. Сара подождала несколько секунд, потом быстро провела рукой сверху вниз перед открывшимся дверным проемом — ничего не произошло, выстрела из глубины дома не последовало, и она жестом подозвала Кристофера. Когда он прижался к стене рядом с ней, Сара знаком велела ему опять подождать и первой переступила порог, держа пистолет двумя руками на уровне глаз.

Она очутилась в холле с высоким потолком. Слева была витражная дверь, ведущая в гостиную, облицованную мрамором; напротив — коридор, уходящий вглубь дома, а справа — выстеленная красным ковром лестница на второй этаж. Заметив что-то боковым зрением, Сара резко повернулась; указательный палец скользнул к спусковому крючку. На полу ничком лежал человек.

Сара толкнула его ногой — никакой реакции. Она присела рядом на корточки, пощупала пульс — и перевернула труп лицом вверх. Незнакомый брюнет лет тридцати; вероятно, человек из личной охраны Паркерена.

Взмахом руки она разрешила войти Кристоферу, наблюдавшему из-за дверного косяка, потом заметила узкую полоску света под дверью в глубине коридора напротив входа и переглянулась со спутником. Они молча двинулись туда и синхронно замерли у двери, услышав приглушенные голоса.

Сара открыла створку — за ней была лестница вниз, в глубокий погреб. Голоса доносились оттуда, и людей было как минимум двое: один говорил громко и уверенно, второй сдавленно, будто пересиливал боль. Лестница состояла из двух маршей, справа в проеме между ступеньками и потолком можно было рассмотреть часть внутреннего помещения. Спустившись на несколько ступенек, Сара по-кошачьи ловко распласталась на них и заглянула в погреб.

Там на офисном кресле с колесиками сидел пожилой мужчина. Его руки были привязаны к подлокотникам, голова свесилась на грудь, на склоненном лице были видны кровоподтеки. Несмотря на это, Сара узнала Шарля Паркерена, директора фармацевтической фирмы «Жантикс», — видела его фотографию в Интернете.

Прямо перед ним стоял здоровенный бритый тип с бычьей шеей и неспешно вытирал окровавленные кулаки тряпкой. Сбоку от кресла второй бандит, пониже и с аккуратной черной бородкой, держал у лица директора мобильный телефон.

— Да уж, месье Паркерен, вы сопротивляетесь дольше, чем я рассчитывал, — доносился из динамика телефона скрипучий, задушенный голос. — Но знаете, те страдания, что сейчас причинили вам мои люди, даже если они на совесть выполнили свою работу, не сравнятся и с сотой долей мучений, которым вы с вашими друзьями-коллегами подвергали меня годами. Повторяю вопрос: с какой целью вы проводили надо мной научные эксперименты, и главное — каких результатов вам удалось достичь?

Шарль Паркерен даже головы не поднял — возможно, потерял сознание или притворялся. Тогда бритый верзила схватил его за нижнюю челюсть и дернул подбородок вверх.

— Отвечай, — посоветовал он, — или надавлю посильнее.

— Пожалуйста, хватит, — прохрипел Паркерен. — Я понимаю, *что* вы хотите узнать... но у меня нет ответов. Клянусь!

— Я вам не верю! — рявкнул динамик. — Начнем с начала. Сколько всего было пациентов Четыре-Восемь-Восемь?

Директор с трудом разлепил кровоточащие губы:

— Вас... было много. Но выжили только... двое. Вы и... еще один. Он умер... на днях.

— Ну вот, — удовлетворенно проскрипел динамик, и верзила отпустил челюсть Паркерена. — Ответы у вас все-таки есть. Продолжайте в том же духе, и скоро мы избавим вас от... неудобств. Итак... что вы искали, проводя над нами эксперименты, и что нашли? Я двадцать лет подвергался пыткам в научных лабораториях, а теперь умираю в муках, которые вы себе и вообразить не можете! Вы обязаны дать мне ответ! Ради чего все это было?!

Здоровенный бандит с окровавленными руками ударил Паркерена по лицу — раздался глухой шлепок, — затем взял нож и медленно ввел острие ему под коленную чашечку. Старый директор так заорал, что Сара вздрогнула.

— Если вы не знаете, то кто?! Отвечайте — и все закончится! — сдавленно выкрикнул человек на другом конце телефонной линии.

Сара уже решила, что нужно вмешаться, пока есть возможность застать бандитов врасплох, и привстала, но Кристофер вдруг с неожиданной силой сжал ее плечо. Она обернулась и взглянула ему в лицо — он отрицательно покачал головой, и в голубых глазах была такая отчаянная решимость, что Сара в изумлении опустилась обратно на ступеньки.

— Если спасти его прямо сейчас, он наймет адвокатов, и мы никогда не узнаем правду, — едва слышно прошептал журналист.

Соображение было негуманное, но Сара не могла не признать, что Кристофер прав: они гораздо больше узнают, послушав, что Шарль Паркерен скажет под пыткой, чем на судебном процессе. Она еще раз покосилась на Кристофера — того заметно била дрожь, глаза покраснели. Сара опасалась, что скоро у него не выдержат нервы.

— Клянусь, я ничего не знаю о цели тех экспериментов! Я всего лишь поставлял для них ЛС-34... до недавнего времени! Это все!

— Ложь!

— Они занимались неисследованными областями науки, хотели заглянуть туда, куда никто не решался заглядывать... и готовы были сделать это любой ценой. Вот единственное, что я понял за годы... производства ЛС-34. Я не знал, через что вас заставили пройти!..

За этим откровением последовала гнетущая тишина. Было слышно лишь утомленное, свистящее дыхание человека, который задавал вопросы по телефону.

— Ладно, месье Паркерен. Последний вопрос: кто руководил опытами надо мной?

Паркерен молчал, тихо постанывая. Верзила, покопавшись в сумке, стоявшей на столе, извлек оттуда клещи и помахал ими перед носом директора. Тот икнул от ужаса.

— Назовите имя, и вас отпустят, — снова раздался голос из динамика.

Директор задрожал всем телом — он уже почти готов был сдаться, но все еще сопротивлялся на пределе сил. Палач поднес клещи к его руке, ухватил кончиками ноготь на большом пальце — и вырвал его, но не резко, а медленно потянув на себя.

Вопль был просто невыносимый. Кристофер шарахнулся назад, зажимая рукой рот — его чуть не вырвало.

— Имя!

Клещи сомкнулись на втором ногте. Старый директор обмяк в кресле, голова поникла.

— Эванс, — выдохнул он едва слышно.

— Кто?

— Натаниэл Эванс!

Сара посмотрела на Кристофера — они одновременно вспомнили, что так звали человека, написавшего официальное извещение Паркерену на бланке ЦРУ с пометкой «top secret». То самое, что было в сейфовой ячейке Адама.

— Он еще жив? — прозвучал новый вопрос из динамика телефона.

— Я... думаю, да, — простонал директор.

— Где он?

Шарль Паркерен отвернулся — будто хотел сделать над собой усилие, чтобы сохранить последнюю тайну.

— Где сейчас Натаниэл Эванс?

— Во Франции.

— Адрес!

— Я не видел его много лет...

— Адрес!!!

— Улица Пёплие, сто тринадцать... в Розни-су-Буа.

Сара почувствовала, как Кристофер вздрогнул у нее за спиной, и обернулась. Он был мертвенно-бледен, глаза расширены от ужаса, рот разинут.

— Что? — прошептала Сара.

Он не пошевелился.

— Кристофер, что случилось?

— Это... адрес моих родителей.

Глава 19

Внизу, в погребе, двое мужчин, пытавших старого директора фармацевтической фирмы «Жантикс», обменялись несколькими словами по-русски, после чего верзила обратился к Паркерену на французском:

— Мы с приятелем сейчас прокатимся в Розни-су-Буа, а ты пока останешься здесь. Если ты нам наврал... — Он внимательно осмотрел свой кулак и вычистил из-под ногтя засохшую кровь, — тогда мы начнем все сначала. И будем продолжать до тех пор, пока до тебя не дойдет, что нужно говорить правду. Уяснил?

Шарль Паркерен застонал в знак согласия, и бородатый бандит засунул ему в рот кляп.

Сара сделала Кристоферу знак подняться по ступеням — русские уже шли к лестнице, переговариваясь на своем языке, — но журналист был все еще в шоке от того, что услышал, и не отреагировал. Тогда Сара встряхнула его за плечи — и он, ничего не соображая, бросился наверх, громко затопав.

— Стоять! — крикнули снизу по-русски.

Выругавшись сквозь зубы, Сара выстрелила наугад, чтобы выиграть время и догнать Кристофера. Ответ не заставил себя ждать — снизу тоже грохнул выстрел, и пуля выбила щепу из дверного косяка. Сара и Кристофер во все лопатки промчались по коридору, пересекли холл и выскочили в сад.

— Ты что?! — крикнула она, увидев, что ее спутник остановился и достал из кармана телефон.

Кристофер собирался звонить в полицию, чтобы немедленно отправить патруль за Симоном. Он уже набрал «1» и собирался нажать на кнопку с цифрой «7»[1], но в этот момент сзади прозвучал еще один выстрел, и пуля разнесла кору на дереве прямо перед ним. От неожиданности Кристофер выронил телефон в траву и наклонился, чтобы его поднять.

— Нет, бежим! — Сара схватила его за локоть и потащила за собой.

Но журналист потерял способность рассуждать разумно — сейчас он мог думать только о Симоне, — и начал вырываться. Оттолкнув спутницу, бросился на колени, лихорадочно зашарил в траве, пытаясь отыскать мобильник.

Сара склонилась над ним:

— Беги к машине — ты успеешь к родителям раньше полиции! — Она два раза выстрелила в сторону террасы — на фоне стены в темноте с трудом можно было различить два силуэта. — Давай!

Кристофер наконец послушался, схватил мобильник и бросился бежать, но споткнулся, подождал, припав к земле, когда отгрохочет новая порция выстрелов, поднялся и рванул сквозь заросли к дорожке, которая вела к воротам. Ветки хлестали по лицу — он прикрывался руками, это не помогало, но ему было наплевать. Добравшись наконец до ограды, он свернул вправо, к машине, втиснулся за руль, воткнул ключ в замок зажигания, и автомобиль, сорвавшись с места, пролетел пару десятков метров, прежде чем Кристофер ударил по тормозам. Он обернулся в надежде увидеть бегущую к нему Сару, но за решеткой ограды мелькнул приземистый силуэт бородатого бандита. Кристофер снова вдавил педаль газа.

Сердце оглушительно стучало, пальцы свело на рулевом колесе. Пятнадцать километров, отделявшие его от дома родителей, Кристофер преодолел в беспросветном кошмаре. «Натаниэл Эванс, кем бы он ни был, не может жить по адресу, который назвал Паркерен. Это ложь! Директор «Жантикса» хотел отомстить Адаму, отправив убийц к его семье!» — никакого другого объяснения в голову не приходило.

Он в спешке припарковался возле старинного каменного особняка в Розни-су-Буа, выскочил из машины и помчался к крыльцу. Чуть не поскользнулся на мокрых ступеньках, отпер дверь своим ключом и, не заботясь о том, чтобы не шуметь,

---

[1] 17 — номер экстренного вызова полиции во Франции.

в мгновение ока взлетел по лестнице на второй этаж. Мать всегда стелила Симону в рабочем кабинете отца, где раньше была комната Кристофера. Ворвавшись туда, он с облегчением перевел дух: мальчик, уютно завернувшись в одеяло, посапывал на диване.

Отдышавшись немного, Кристофер присел рядом на корточки и погладил Симона по взъерошенным волосам.

— Малыш, это я. Просыпайся. Прости, что приходится тебя будить среди ночи, но нам нужно уехать. Немедленно.

Не дав ему времени понять, что происходит, Кристофер взял мальчика за плечи и помог сесть на диване.

— Не пойду, — заныл Симон. — Я устал! Я хочу спать!

— Знаю, дорогой. Потом поспишь. Идем скорее.

Сонно моргая, мальчик сполз с дивана, Кристофер взял его за руку и потянул к выходу из комнаты.

— А мои вещи?

— Мы за ними вернемся. Идем.

В коридоре горел свет, и Симон, задрав голову, разглядел дядино лицо.

— Почему у тебя кровь?

Кристофер в спешке совсем забыл о ране и подумал, что сейчас, наверное, жутко выглядит — в крови и с багровым распухшим лбом.

— Упал и ударился. Очень забавная история, расскажу тебе в машине — обещаю, ты лопнешь от смеха! Пожалуйста, идем, — взмолился он, подталкивая племянника перед собой.

Неизвестно, сколько у них осталось времени до приезда бородатого с напарником. Что, если Сара не справилась? Вдруг она погибла? Кристофер лихорадочно гнал от себя эту мысль и старался рассуждать рационально — в первую очередь он обязан был спасти Симона и родителей, а в перестрелке с бандитами от него все равно не было бы никакого толку. Теперь же следовало действовать так, как будто Сара мертва и не придет ему на помощь. И как будто с минуты на минуту в дом нагрянут двое убийц.

— Прошу тебя, Симон, поживее!

— А куда мы поедем?

Кристофер, не ответив, открыл дверь спальни родителей и обнаружил в постели только мать.

— Мама! Мам, вставай...

Маргарита Кларенс всегда спала очень крепко, и сейчас ее тоже не сразу удалось добудиться. Наконец она открыла глаза и подскочила от неожиданности:

— Господи, Кристофер, что ты здесь делаешь?! Что случилось?!

— Идем скорее со мной, здесь нельзя оставаться!

— Что?.. Ты с ума сошел?!

— Мама, поверь мне, нужно бежать, иначе нас всех убьют!

— Нас... что?.. Боже, а что у тебя с лицом? — Маргарита наконец поддалась панике и откинула одеяло.

— Потом объясню, пожалуйста, идем со мной! — нетерпеливо потребовал Кристофер, метнувшись к окну посмотреть, не подъехала ли к дому машина с бандитами.

Теперь мать заметила, что Симон тоже стоит в ее спальне.

— Детка, у тебя все хорошо?

Мальчик состроил недовольную гримаску и отвернулся. Кристофер, который не мог больше ждать, схватил их обоих за руки и потащил к двери. Быстро миновав коридор, они спустились по лестнице.

— Да что, в конце концов, происходит? — не выдержала Маргарита. — Кто хочет нас убить и...

— Где отец? — перебил Кристофер.

— Не знаю. Наверное, пошел на кухню выпить стакан молока и почитать газету. Он всегда так делает, когда у него бессонница.

Кристофер подскочил к входной двери и заглянул в глазок — никаких машин, за исключением его собственной, возле дома по-прежнему не наблюдалось.

— Сынок, я жду объяснений, — дернула его за рукав мать.

— Знаю, со стороны кажется, что я веду себя как сумасшедший, и поверь мне, на твоем месте я бы так и подумал, но мне в руки только что попали доказательства того, что... — Он покосился на Симона и, наклонившись к матери, остальное прошептал ей на ухо: — Что авария, в которой погиб Адам, не была несчастным случаем. Его убили.

Маргарита зажала рот рукой, заглушив возглас изумления.

— И если мы останемся здесь, нас тоже убьют, — заключил Кристофер.

Он уже собирался открыть входную дверь, когда раздался голос отца:

— Куда это вы собрались?

Кристофер резко обернулся: отец в домашнем халате стоял посреди гостиной.

— Эдвард, слава богу, ты здесь! — воскликнула Маргарита. — Кристофер говорит, что нас всех убьют, если мы сейчас же не уедем!

Услышав, что сказала бабушка, Симон прижался к дяде.

— Кристофер, что происходит? — спросил Эдвард, подходя ближе и сурово глядя на сына.

А тот вдруг обратил внимание на странное обстоятельство: отец был в халате, но в ботинках, а не в тапочках. И под халатом, кажется, была уличная одежда.

— Я задал тебе вопрос. Куда ты ведешь Симона и мать? — властно произнес Эдвард.

— Мы уходим, — заявил Кристофер, снова хватая Маргариту и мальчика за руки. — А ты поступай как знаешь, но имей в виду, что как раз сейчас к этому дому уже подъезжают два головореза, которым очень нужен некий Натаниэл Эванс.

Мать с недоумением уставилась на сына, Эдвард и бровью не повел, но Кристофер был уверен, что в его глазах мелькнул страх.

Маргарита высвободила руку:

— Постой! Я уже совсем ничего не понимаю!

— Мама, идем. Умоляю, доверься мне!

Она растерянно посмотрела на мужа. Тот кивнул — мол, иди с ним. Кристофер видел, что она колеблется, и у него щемило сердце.

Вдруг с улицы донесся звук торможения, как будто машина, подлетев на полной скорости, резко остановилась у самого крыльца. В ту же секунду Кристофер сгреб Симона в охапку и бросился к застекленной двери в сад, но не успел сделать и трех шагов — входная дверь у него за спиной распахнулась от удара ногой. В гостиную ворвался один из двоих пытавших Паркерена бандитов, тот, что пониже и с бородкой, схватил Маргариту и приставил к ее виску ствол пистолета.

Боль от веревок, до крови впившихся в запястья, не волновала Кристофера — он страдал гораздо сильнее, глядя на Симона, привязанного к стулу рядом с ним.

— Симон, все будет хорошо, малыш, я обещаю...

Перепуганный мальчик покорно кивнул, покосившись на дядю из-под спутанной челки, но вряд ли поверил — он прерывисто дышал и все время нервно дрыгал ногами.

Напротив них, по другую сторону низкого журнального столика, тоже привязанные к стульям, сидели Эдвард и Маргарита. Мать Кристофера кусала губы, не сводя глаз с внука, отец наблюдал за бандитом, а тот, поговорив по мобильнику на русском, сфотографировал Эдварда и, видимо, переслал снимок своему собеседнику. Через полминуты он включил громкую связь и положил телефон на столик.

Из динамика раздался тот же слабый, скрипучий голос, который задавал вопросы директору «Жантикса» в погребе его дома:

— Натаниэл Эванс... Двадцать два года, пять месяцев и... шесть часов. Ровно столько времени я тебя искал.

Кристофер отвел взгляд от Симона, чтобы не пропустить реакцию отца. Но лицо Эдварда оставалось невозмутимым.

— Я искал тебя с того самого дня, когда мне удалось наконец сбежать из психушки во Франции, где ты со своими дружками-коллегами меня держал. И с тех пор вся моя жизнь была подчинена одной цели — найти тебя.

Маргарита попыталась перехватить взгляд мужа, но он не смотрел в ее сторону.

— О, полагаю, жена и сын не знают твоего настоящего имени, — устало продолжал человек на другом конце линии. — И какое чудовище скрывается за маской респектабельного главы семейства, им тоже неизвестно...

Отец Кристофера устремил на телефон тяжелый, немигающий взгляд.

— Эдвард, скажи, что это недоразумение! — взмолилась Маргарита.

Он медленно повернул голову к жене:

— Разумеется. Я понятия не имею, почему этот безумец так меня называет и...

— Натаниэл! Разве ты не помнишь Лазаря? — перебил его скрипучий голос из динамика. — А ведь ты столько ночей провел, не позволяя мне заснуть на лабораторном столе. Я кричал, умоляя тебя прекратить, но это не помогало. Как же ты мог забыть наше долгое и содержательное общение? Я вот сразу узнал тебя на фотографии, хотя прошло столько лет...

— Чего вы от меня хотите? — наконец спросил Эдвард. — Вы несете какую-то чушь. Я не знаю, кто такой Натаниэл. Отпустите нас и найдите того, кто вам нужен.

— Забавно, — вздохнул Лазарь. — Однако же я понимаю — тебе неловко говорить правду в присутствии жены и сына. Я бы тоже, наверное, почувствовал неловкость, если бы мне довелось встретиться с семьей. Видишь ли, все те годы, что ты издевался над моим телом и разумом, меня поддерживали только мысли о них, о любимых людях, и о том чудесном мгновении, когда я снова смогу их обнять. Но вот настал день, когда мне удалось вырваться из персональной тюрьмы, где ты меня держал и мучил каждый день. Я уже предвкушал встречу с моими близкими, представлял себе, как это будет, и вдруг понял, что они увидят не меня, а это искалеченное тело, пустой взгляд и — самое ужасное — выжженную душу, которую ты препарировал с таким наслаждением день за днем и в конце конце не оставил от нее ни единой искры. И тогда я подумал, что лучше уж им по-прежнему считать меня пропавшим без вести...

Слабый голос Лазаря смолк, в гостиной воцарилась гнетущая тишина. Все происходящее казалось нереальным. В воздухе еще витал запах еды, которую мать приготовила на ужин; каждая безделушка, каждая диванная подушка была на своем месте. Только все члены семьи сидели, привязанные к стульям, а незнакомый человек держал их на прицеле пистолета.

— Что вам нужно? — спросил Кристофер Лазаря, наблюдая, как Симон бледнеет на глазах.

— Кто это говорит?

— Кристофер, сын Эдварда Кларенса.

— Моя жизнь подходит к концу. И перед смертью я хочу увидеть, как умрет тот, кто виноват в моих бедах. Но сначала я хочу узнать правду.

— О чем? — Кристофера злило молчание отца и приводило в ужас отчаяние матери.

— О том, зачем все это было нужно! Годы моих мучений — ради чего, Натаниэл? Что вы исследовали? Почему нас называли «пациенты Четыре-Восемь-Восемь»?

Кристофер повернул голову к отцу — в глазах Эдварда была такая свирепая решимость, что сразу вспомнились детские годы, когда они с Адамом боялись приступов его гнева.

— Он говорит правду? — спросил Кристофер отца.

Эдвард так крепко стиснул челюсти, что у него задергались мышцы лица.

— Правду о тебе? Отвечай!

В тишине раздались рыдания Маргариты.

— Я говорю правду, — сказал Лазарь. — И то же самое намерен получить от тебя, Натаниэл. Слышишь меня? Правду. Немедленно.

Бородатый бандит настороженно следил за каждым движением пленников.

— Признайся в том, что ты сделал, Натаниэл. Поздно отпираться. Облегчи душу. Освободись ото лжи, в которой ты живешь столько лет.

— Эдвард! — выкрикнула Маргарита, не переставая всхлипывать. — Я прощу тебя за все, что ты сделал, только ответь ему! Умоляю!

Ее муж шумно дышал, не раскрывая рта.

— Ты убийца и садист, но уж точно не трус, — снова донесся из динамика скрипучий голос. — Так не разыгрывай труса перед женой и сыном! Постыдился бы...

Кристофер увидел, как быстро багровеет лицо отца — теперь тот уже не мог сдержать вспышку ярости:

— Да кто ты такой, чтобы меня стыдить, Лазарь?! Ты предал свою страну! Ты убивал невинных людей ради информации! А скольких ты лично замучил до смерти, чтобы получить какое-нибудь имя, адрес, шифр? Для тебя работа в разведке была всего лишь прикрытием, возможностью дать волю собственным извращенным наклонностям!

Голос Эдварда оборвался в полной тишине. Маргарита смертельно побледнела и перестала всхлипывать, только из глаз по-прежнему катились слезы. А Кристофера, хоть он и ожидал от отца чего-то подобного, охватила нервная дрожь.

Помощник Лазаря поигрывал пистолетом, перекидывая прицел с одного пленника на другого. Эдвард переводил дух, пытаясь унять бешеное сердцебиение, но его глаза все еще полыхали гневом.

— Ну вот, признание наконец прозвучало, и не важно, в какой форме, — сипло констатировал Лазарь. — А теперь ответь на мой вопрос: что вы искали и что нашли, проводя надо мной научные эксперименты?

— Ты этого никогда не узнаешь. Я, в отличие от тебя, свою страну не предам.

Кристофер смотрел на отца и не верил собственным ушам. Маргарита с каждым словом мужа все глубже впадала в оцепенение.

— Я знаю, что когда-то ты и твои коллеги были большими учеными, истинными визионерами, — вздохнул Лазарь. — Может, даже гениями. Но теперь это уже не имеет значения. Я даю тебе последний шанс раскаяться, открыв мне правду.

— Ты сдохнешь в неведении, Лазарь!

Зычный голос отца снова потонул в рыданиях матери. Помолчав, Лазарь продолжил:

— Что ж, я дал тебе шанс, ты им не воспользовался. Сергей!

Бородатый русский обошел вокруг Эдварда и приставил ствол к виску Маргариты.

— Нет! — заорал Кристофер. — Отец, ответь ему! Нет смысла молчать — инспектор полиции из Норвегии уже ведет расследование, она до тебя доберется так или иначе! Скажи ему то, что он хочет знать!

У Кристофера в голове не укладывалось, как Эдвард может молчать, когда его жене угрожают смертью. Тут он заметил, что у Симона глаза полуприкрыты, голова свесилась на грудь — мальчик мог в любую минуту потерять сознание, и Кристофер подумал, что так для него будет лучше.

— Помнишь, Натаниэл, как ты заставлял меня каждый раз считать до трех перед отключкой? — спросил Лазарь. — Я не хотел, потому что знал: после пробуждения боль станет еще невыносимее. Но вот сейчас я сосчитаю для тебя с удовольствием. А ты за это время должен будешь хорошенько подумать. В стрессовых ситуациях обостряются мыслительные способности — ты сам мне так говорил в свое время перед началом очередного эксперимента.

Маргарита, обливаясь слезами и дрожа всем телом, обратила умоляющий взгляд к мужу.

— Раз... — произнес Лазарь.

Вытянув спину и застыв, как настоящий солдат перед расстрельным взводом, Эдвард, казалось, не обращал внимания на жену, но по его глазам Кристофер видел, что отец сам с собой ведет жестокую битву, чтобы заставить себя сохранить тайну.

— Бабуля... — всхлипнул Симон и лишился чувств.

Маргарита этого не заметила:

— Все будет хорошо, милый, не беспокойся за меня. Я тебя люблю, детка.

— Папа! — выкрикнул Кристофер, хотя не называл так отца уже лет тридцать. — Пожалуйста, не надо! Ты не можешь так поступить!

— Два... — проскрипело из динамика телефона.

Кристофер поймал взгляд матери. Она улыбнулась ему сквозь слезы, несмотря на смертельный страх, как будто в последний раз хотела сказать, что любит сына. Потом перевела взгляд на внука и закрыла глаза.

— Отвечай! — заорал Кристофер отцу, задергавшись в веревках.

— Три, — закончил счет Лазарь.

В тишине гостиной раздался хлопок выстрела из пистолета с глушителем, и голова Маргариты свесилась на грудь.

ГЛАВА 20

Кристофер задохнулся, сердце пропустило удар. Сознание на мгновение потеряло связь с реальностью, столкнувшись с чудовищным абсурдом происходящего, и зависло в блаженной пустоте, где не было ни мыслей, ни боли, в преддверии безумия, избавляющего от земных бед. Еще немного, и Кристофер переступил бы порог и остался там навсегда, но прийти в себя ему помог опыт военного репортера, не раз сталкивавшегося с насилием. И еще у него был Симон, которого он обязался защищать.

Кристофер посмотрел на отца — тот сидел, гордо подняв подбородок; взгляд его блуждал в пространстве, при этом на лице не отражалось никаких эмоций, кроме ужасающей решимости человека, готового принять любые страдания, но выполнить свой долг до конца.

— Вижу, ты не изменился, Натаниэл, — вздохнул Лазарь. — Научное знание и долг для тебя по-прежнему превыше гуманности. Ладно... Мне жаль, что до этого дошло, Натаниэл, но, возможно, сын тебе дороже супруги?

Сергей устремил тяжелый взгляд из-под густых бровей на Кристофера и шагнул к нему, поднимая пистолет, забрызганный кровью Маргариты.

У Кристофера так отчаянно заколотилось сердце, что казалось, будто от этого сотрясается все тело.

— Послушайте, — пробормотал он, — должно же быть какое-то разумное решение... Может, мы... — Он замолчал, почувствовав, как в висок уперлась холодная сталь.

В этот момент Эдвард впервые повернул голову в сторону сына.

— Не делай этого, Лазарь, — процедил он сквозь зубы, к удивлению Кристофера. — Или, поверь мне, ты горько пожалеешь.

— О чем мне жалеть, Натаниэл? — хмыкнул динамик телефона. — Я умру через несколько дней.

— Тем более. Потрать оставшееся время на покаяние в грехах. Последуй моему совету, Лазарь, и поверь, ты скажешь мне спасибо.

— Хватит нести чушь, Натаниэл.

— Поверь мне раз в жизни, Лазарь. Не трогай моего сына, иначе, обещаю, ты дорого заплатишь, очень дорого.

Лазарь молчал, как будто обдумывал угрозу.

У Кристофера свело шею от напряжения, но дуло глушителя сильнее вдавилось в висок, заставив его наклонить голову. Он покосился на Симона — мальчик по-прежнему был без сознания.

— Если не хочешь ему ответить ради меня, сделай это ради Симона, папа. Я ведь знаю, что ты его любишь.

— Я больше не могу терять время, — нетерпеливо сказал Лазарь. — Сергей, убей мальчишку, если Натаниэл не ответит.

— Что?! — всполошился Кристофер. — Нет, нет, нет! Прошу вас! Вы не можете! Только не ребенка! — и расширенными от ужаса глазами уставился на отца: — Папа!!!

Убийца поднес оружие к поникшей голове бесчувственного Симона, и у Кристофера от ярости из глаз брызнули слезы.

— Нет!

— Повторяю, — произнес Лазарь, напрягая усталый голос. — Что вы искали, проводя эксперименты над пациентами Четыре-Восемь-Восемь, и что вам удалось найти? Я хочу знать об этом все, Натаниэл. Все! Раз...

Кристофер задергался на стуле, сражаясь с путами, как обезумевший зверь; веревки врезались в кожу, пережимая сосуды, мускулы напряглись так, что казалось, сейчас лопнут.

— Даже если у тебя есть причины молчать, ничто, ничто не стоит жизни Симона! — заорал он.

Отец наконец осмелился взглянуть сыну в лицо. У него по щекам тоже текли слезы. Еще пару часов назад он читал внуку сказки о рыцарях и драконах, в лицах разыгрывая сценки, а до этого играл с ним в пинг-понг.

— Два! — громко, со злостью сказал Лазарь.

— Стойте! — крикнул Кристофер.

— Пусть ответит.

Эдвард все еще смотрел на сына — тот рыдал, напрягшись всем телом и натянув веревки, будто хотел броситься между Симоном и пистолетом в руке бандита.

— Последнее предупреждение, Натаниэл.

— Как же твоя вера, папа? — всхлипнул Кристофер. — Как ты мог заставлять нас молиться и позволить убить свою жену? Ты не можешь молчать! Ты обязан спасти Симона!

Теперь Эдвард снова смотрел в пустоту.

— Смерть внука будет на твоей совести, — сказал Лазарь.

Бандит отступил назад и прицелился в затылок мальчика. Кристофер дернулся с такой силой, что веревки содрали кожу на руках.

— Три, — проронил Лазарь.

— Стой, — произнес Эдвард ровным голосом.

Кристофер видел, как палец бородатого бандита замер за секунду до того, как коснулся спускового крючка.

— Я тебя слушаю, Натаниэл.

— Все ответы в папке с документами, которую я храню здесь, в этом доме.

— Где именно?

— В комоде у меня за спиной.

— Сергей, посмотри, — приказал Лазарь.

— Он не сможет открыть сейф, — возразил Эдвард. — Там сканер отпечатка пальца. А на случай, если тебе придет в голову мысль отрезать мне палец по старой привычке — ты ведь часто так делал, когда работал в советской разведке? — имей в виду, что сканер реагирует еще и на пульс.

— Сергей, развяжи его, пусть откроет сейф. Только будь осторожен.

Убийца подошел к Эдварду и, одной рукой держа пистолет возле его головы, другой разрезал ножом веревки.

— Не шали, — предупредил он, — а то первым я пристрелю пацаненка.

Эдвард медленно встал со стула, приблизился к комоду из красного дерева, на котором стояла статуэтка, знакомая Кристоферу с детства, — чайка, расправившая крылья. Отец, присев на корточки, открыл дверцы, достал с полки коробки с бокалами и поставил их на пол рядом с собой. Затем приставил большой палец к маленькому экрану в глубине комода — панель с экраном отъехала в сторону, открыв металлическую дверцу сейфа. Эдвард набрал код из четырех цифр и, осторожно достав из сейфа серую картонную папку, тяжело поднялся на ноги.

— Отпустите Симона и моего сына, — потребовал он, держа папку перед собой кончиками пальцев.

Но Сергей, не дожидаясь решения начальника, вырвал папку у него из рук.

— Документы у тебя? — забеспокоился Лазарь.

— Да, — отозвался бородатый. — Целая папка.

— Открой ее.

Бандит попятился, не спуская глаз с Эдварда, и откинул картонную обложку.

— Здесь конверт.

— Что в нем? — нетерпеливо спросил Лазарь.

Убийца, отбросив папку, принялся вскрывать конверт, и Кристофер заметил, что отец пристально следит за каждым его движением. В тот самый момент, когда крафт-бумага надорвалась, бандит вдруг вскрикнул и попятился, выронив конверт и оружие. Кристофер, находившийся довольно далеко от него, почувствовал исходивший из конверта резкий запах. И прежде, чем он понял, что происходит, Эдвард метнулся к пистолету, упавшему на пол. Однако Сергей очухался раньше, чем ожидалось, и ударил его ногой по руке. Старик отпрянул, выпустив оружие, а его противник, страшно закашлявшись, согнулся, прижимая ладони к глазам, пошатнулся и, чтобы не упасть, с размаху оперся рукой на низкий столик — тот опрокинулся, по полу разлетелись безделушки, зазвенели фарфоровые осколки статуэток.

Эдвард тем временем бросился к двери, ведущей в сад за домом. По пути он сорвал халат — подозрение Кристофера подтвердилось, на отце действительно была уличная одежда. Открывая дверь, он обернулся, кинув взгляд через плечо, и, выбежав в сад, поспешил к лесу.

— Сергей! — надрывался динамик телефона. — Сергей, что у вас там происходит?!

Бандит с трудом встал на четвереньки, его вырвало, после этого он хрипло проговорил, задыхаясь:

— Натаниэл сбежал... Конверт... ловушка... ядовитый порошок...

— Догони его! — рявкнул Лазарь.

Сергей попытался подняться, но его не держали ноги.

— Не... не могу.

Последовало молчание, затем снова раздался скрипучий требовательный голос:

— Кристофер Кларенс, догоните отца и верните его в дом. Или Симон присоединится к бабуле на том свете.

Убийца на коленях дополз до Кристофера, достал из кармана нож и разрезал веревки, удерживавшие его на стуле. Вскочив, журналист на секунду замер, обдумывая, каковы шансы обезвредить бандита, надышавшегося ядом, но прямо на него смотрело дуло пистолета, и он решил, что риск слишком велик.

— Поторопитесь, — велел Лазарь, — если не хотите, чтобы я сдержал обещание.

— Но если этот ваш мерзавец хоть пальцем тронет мальчика, — процедил Кристофер, — вы никогда не получите ответов, пусть даже мне придется удавить отца голыми руками. Поверьте, я это сделаю, — и бросился к двери в сад.

За деревьями он увидел силуэт Эдварда, который тяжело бежал к калитке, той самой, к которой им с братом в детстве строго-настрого запрещалось приближаться — отец говорил, что в лесу опасно, они могут заблудиться.

Кристофер промчался по саду во все лопатки, но в лесу продвижение сильно замедлилось — было слишком темно, приходилось смотреть под ноги, чтобы не споткнуться о корни. В десятке метров впереди шелестела опавшая листва и хрустели ветки под ногами отца.

Эдвард пробирался среди деревьев довольно шустро, как будто видел в темноте или хорошо знал дорогу. Кристофер отставал, порой в последний миг уклоняясь от веток и перескакивая через кочки и ямы; наконец он выбежал на опушку — отец был уже на другом краю поляны, залитой бледным лунным светом; он направлялся к видневшемуся за кустами строению, похожему на маленький садовый сарай.

Глаза Кристофера немного привыкли к сумраку, он кинулся следом по открытому пространству, почти догнал, но Эдвард уже захлопнул за собой дверь сарайчика. Кристофер ворвался туда спустя каких-то полминуты — внутри было пусто. Четыре дощатых стены, какие-то садовые инструменты, и никого. Задыхаясь, он ступил на старенький зеленый ковер, протертый в некоторых местах до дыр, осмотрелся, заглянул за пустой жестяной бак, поднял зачем-то пластиковый контейнер для мусора и наконец вынужден был признать очевидное: отец исчез. Тогда он выскочил наружу и обежал сарайчик в поисках скрытой двери, но ничего не нашел. Вернулся обратно, уставился на зеленый ковер и, осененный догадкой, откинул его в сторону. В деревянном настиле был люк. Кристофер опустился на колени, приник ухом к крышке, сколоченной из досок, и услышал приглушенный отцовский голос:

— Нет, я ничего не сказал... Да, все будет уничтожено.

Кристофер затаил дыхание, чтобы не упустить ни слова.

— Нет... Сын не уцелеет. Но должен предупредить — вам тоже придется принять меры, поскольку Паркерен мне сообщил, что какая-то норвежка, инспектор полиции Осло, заинтересовалась Адамом, а значит, и смертью пациента Четыре-Восемь-Восемь. А на острове... там остались документы и аппаратура. Мы ведь уезжали в спешке и... Да, месье, да, мне очень жаль, я должен был все уничтожить, но поймите, мы столько времени и сил потратили, чтобы там все построить и оборудовать, а я рассчитывал вернуться... Да, месье, виноват. Весьма сожалею... Я постараюсь вырваться из Франции... Хорошо, месье... Да, до свидания, месье.

Кристофер рывком откинул крышку люка. Отец успел поднять голову и встретиться взглядом с сыном, перед тем как тот спрыгнул в проем и приземлился на нижние ступеньки деревянной лестницы, чудом удержав равновесие. Эдвард от неожиданности попятился к столику из красного дерева. Еще в маленьком погребе стояли пустой письменный стол с тумбочкой и кресло; к стене были приколоты фотографии каких-то людей и зданий.

— Да кто же ты такой?! — выдохнул Кристофер.

Отец молча смотрел на него.

— А впрочем, мне плевать. Сейчас ты вернешься со мной в дом и скажешь тому человеку все, что он хочет знать. — Кристофер шагнул к нему и взял за плечо.

— Отпусти меня! — рявкнул Эдвард, резко дернувшись.

Тогда сын схватил его за воротник и рывком притянул к себе:

— Мерзавец, вот кто ты такой! Сволочь, которая считает себя умнее всех! Ты не ученый, ты просто псих! Чокнутый садист! — Он с силой толкнул отца к лестнице: — Поднимайся!

Эдвард не пошевелился.

— Поднимайся по этой чертовой лестнице!

Отец отвернулся, и Кристофер, шагнув к нему, занес кулак:

— Ты позволил застрелить свою жену — тебе этого мало? Хочешь, чтобы и внука убили? Да?! А ну лезь наверх!

— Думаешь, я всю жизнь хранил тайну, чтобы сейчас ее выдать?

Даже не дослушав до конца, Кристофер с размаху ударил отца в солнечное сплетение, и тот согнулся пополам.

— Поднимайся по лестнице, — холодно повторил Кристофер.

Эдвард, отдышавшись, взглянул на него снизу вверх с насмешливым любопытством:

— Вот видишь, ты тоже прибегаешь к насилию, чтобы добиться своего. Но не добьешься. — Он устало осел на пол.

Тогда Кристофер, обезумев от ярости, взвалил его себе на спину и попытался втащить по ступенькам, но отец был слишком тяжелым, к тому же сопротивлялся из последних сил, и Кристофер, пошатнувшись, не удержал его. Раздался отвратительный хруст и сдавленный вскрик — Эдвард, упав, сломал бедро.

Кристофер на пределе нервов и сил опустился на ступеньку. Губы дрожали, глаза щипало от слез.

— Почему?.. Почему ты это делаешь? — с отчаянием спросил он, тяжело дыша.

Приподнявшись на локте и кривясь от боли, Эдвард на боку дополз до стены и с трудом сел, привалившись к ней спиной. Пока он полз, рубашка задралась и стало видно, что под ней что-то спрятано. Не дав отцу времени отреагировать, Кристофер подскочил к нему и вырвал из-под ремня стопку бумажных листов.

— Что это?

Эдвард отвел взгляд. Кристофер лихорадочно просмотрел документы — в них часто мелькали слово «пациент» и цифры «488», были еще какие-то числа в колонках с примечаниями, написанными от руки. Вверху каждой страницы стояли даты; все начиналось с 1980 года и заканчивалось текущим февралем. Кроме того, нашлась фотография рисунков, которые Кристофер уже видел — ему их показывала Сара на экране телефона. Только на фотографии они были увеличены и четко различимы: рыбу, дерево и языки огня кто-то заштриховал на фотобумаге разными цветами.

— Что это такое?!

Эдвард вздохнул.

— Говори, или, клянусь, боль от перелома, которую ты испытываешь сейчас, потом покажется тебе даже приятной, — пообещал Кристофер, занося ногу над бедром отца.

Старик поморщился и поднял руку в успокаивающем жесте:

— Ладно, ладно... У тебя за спиной большой стол. Открой тумбочку под ним.

Кристофер покосился на стол через плечо.

— А в тумбочке конверт с ядом, да?

— Нет. Здесь я гостей не ждал.

Кристофер осторожно открыл тумбочку — внутри обнаружились только бутылка виски, стакан и коробка с сигарами.

— Ты издеваешься?! — обернулся он к отцу.

— Дай мне виски и сигары.

— Сначала ты мне все расскажешь.

— Кристофер, — вздохнул отец, — ты не специалист по допросам с пристрастием, у тебя нет ни навыков, ни способностей палача. А я жил в эпоху, когда все мы были готовы хранить секреты при любых обстоятельствах. Так что дай мне бутылку и коробку, а потом поговорим.

У Кристофера в голове безжалостно тикал секундомер, отмеряя время, проведенное вдали от Симона, который остался наедине с убийцей. Делать было нечего — он плеснул виски в стакан и поставил его на пол рядом с отцом. Тот, подняв стакан дрожащей рукой, неспешно сделал глоток янтарной жидкости. Сын наблюдал за ним, сгорая от нетерпения.

— Сигару получишь, когда расскажешь, — презрительно бросил он.

Отец опустил стакан на пол и с облегчением перевел дух.

— Документы, которые ты у меня забрал, — это отчеты о физическом и психическом состоянии пациента Четыре-Восемь-Восемь из «Гёустада» начиная с января тысяча девятьсот восьмидесятого года. Ежемесячные анализы крови, ежедневные записи о поведении и его собственные рисунки.

— Значит, это ты руководил проектом?

— Да.

— Зачем? Что вы исследовали? Говори быстрей!

— Наши исследования и полученные результаты перевернут твое мировоззрение, Кристофер, — неспешно начал Эдвард, будто намеренно испытывая терпение сына. — Ты даже не представляешь, что за открытие мы совершили. И оно заслуживает любых жертв.

— Какое, черт возьми, открытие заслуживает, чтобы ради него убили твою жену и внука?!

— Дай мне сигару.

— Отвечай!

Эдвард молча отвернулся, и тогда Кристофер пнул его ногой в сломанное бедро. Отец взвыл, застонал, а когда стоны затихли, снова крепко стиснул челюсти. После этого Кристофер сдался — достал из коробки сигару и позолоченную зажигалку, бросил их в сторону Эдварда. Тот дотянулся до зажигалки, сунул в рот сигару и медленно раскурил ее. Изо рта вместе со вздохом вырвалось облачко дыма.

— Теперь говори, — потребовал Кристофер. — О каком открытии хочет знать Лазарь?

Теперь уже целое облако сигарного дыма на несколько мгновений скрыло лицо Эдварда, а когда дым рассеялся, выражение его глаз уже было совсем другим.

— В процессе тех экспериментов я увидел и понял такое... что теперь уже не могу смотреть на людей как прежде. Вот оно, открытие, главный результат наших исследований. Каждый раз, глядя на кого-нибудь, я думаю: если бы он только знал...

Кристофер, в свою очередь, впервые видел своего отца таким: бесстрастное лицо Эдварда Кларенса вдруг оживилось, в глазах полыхнула страсть, присущая истинным ученым, странный огонь, который он столько лет скрывал под маской суровости или равнодушия. У Кристофера проснулась надежда, что ему все же удастся получить у отца ответы для Лазаря — нужно просто заставить его разговориться, потерять над собой контроль.

— Если бы знал что?..

Эдвард еще раз затянулся сигарой, проигнорировав вопрос сына, и тот, на сей раз спокойно, продолжил:

— Ты сказал «наши исследования». Я думал, ты работал один.

Эдвард невольно бросил взгляд на стену с фотографиями и тут же опустил глаза, но профессиональный журналист, привыкший следить за реакцией тех, у кого он брал интервью, не мог этого не заметить — он сразу повернулся к снимкам, которые раньше успел осмотреть лишь мельком, когда спустился в погреб.

На фотографиях были древние архитектурные сооружения — греческие, азиатские, египетские — и доисторические наскальные рисунки. Рядом висела карта звездного неба. Еще были снимки людей — лица, как для паспорта, а одна черно-белая фотография, отличавшаяся от других, висела чуть в стороне. На нее-то и смотрел отец. Кристофер подошел ближе. Трое мужчин в белых халатах и в очках с толстой оправой, модной в шестидесятых, улыбались в объектив. В центре он узнал молодого Эдварда.

— Где сделана эта фотография? Кто на ней рядом с тобой?

Отец устремил на сына непроницаемый взгляд:

— Дай мне всю бутылку. Нога болит.

Кристофер пропустил просьбу мимо ушей.

— Ты разговаривал по телефону с кем-то из этих двоих, когда я тебя здесь нашел? А что за остров ты упомянул? Сказал, там остались материалы исследований...

Эдвард, болезненно кривясь, пощупал бедро.

— А ты, оказывается, такой же сообразительный, как твой покойный брат. Имей в виду, для тебя это тоже может плохо закончиться.

— Тоже?! — У Кристофера вдруг закружилась голова, и он так крепко сжал кулаки, что ногти впились в ладони.

— Да, ты правильно понял. Но у меня не было выбора. — Эдвард печально взглянул сыну в глаза. — Все из-за вашей матери...

— Что?!.

— Когда Адам потерял работу, мать за него ужасно беспокоилась и плешь мне проела — мол, помоги ему, найди хорошее место... Капала на мозги каждый день. В конце концов мне это надоело, и я сделал глупость — устроил Адама в «Жантикс». Это была единственная контора, где у меня оставались подходящие связи. Куда еще я мог пристроить экономиста? Адам, конечно, ни о чем не знал, но это я попросил Паркерена взять его на работу. Чудовищная ошибка... Я и представить себе не мог, что случится дальше...

— А дальше Адам выяснил, что фирма «Жантикс» подпольно производит запрещенный препарат ЛС-34 и поставляет его в норвежскую психиатрическую больницу, — тихо проговорил Кристофер.

— Именно так. Узнав, что твой брат затеял самочинное расследование, я пытался его остановить, несколько раз подбрасывал анонимные предупреждения, но на него это не действовало. Даже угрозы Натали и Симону не заставили его отступиться...

Кристофер слушал отца, холодея от ужаса, но молчал — пусть признается в своих преступлениях, может быть, под конец проболтается о результатах исследований, о том, что хочет знать Лазарь.

— Адам не должен был погибнуть, — раздраженно сказал отец, глядя в бокал, на отблески света в янтарной жидкости. — Аварию никто не планировал. В тот вечер я просто хотел дать понять твоему брату, насколько уязвимы близкие ему люди. После анонимных угроз он получил известие о том, что у его сына началась рвота непонятно отчего, и запаниковал.

— Ты отравил Симона, чтобы напугать Адама?!

С каждым признанием отца Кристофер все больше ужасался его злодейскому образу мыслей.

— Я подсыпал ему в сок безобидное рвотное, которое действует всего пару часов, — сердито отмахнулся Эдвард. — Твой брат сам виноват, что гнал машину на бешеной скорости по мокрой дороге. Очень спешил вернуться из гостей. Он один в ответе за собственную смерть и гибель жены. Это Адам сделал Симона сиротой, а не я!

Кристофер едва сдерживался, чтобы не наброситься на отца с кулаками, но спасти Симона было важнее, чем отомстить убийце его родителей.

— Почему ваши эксперименты держались в строжайшей тайне? И почему эту тайну нужно было сохранить ценой стольких жизней?

— Потому что результаты наших экспериментов, преданные огласке, стали бы причиной еще большего количества смертей... И потому что я поклялся в верности тем, кто нас финансировал.

— В рамках программы «МК-Ультра»?

— Я хочу пить. Дай мне бутылку.

— Сначала ответь.

Эдвард презрительно пожал плечами.

— Папа, ты продолжаешь хранить верность тем, кому она уже не нужна, — покачал головой Кристофер. — Мне понадобилось всего два дня, чтобы выяснить, что проект «Четыре-Восемь-Восемь» входил в программу «МК-Ультра», которая финансировалась ЦРУ. Если бы американцы хотели и дальше хранить эту тайну, они бы получше позаботились о ее неприкосновенности. Ты сражаешься за дело, которое давно закрыто и положено на полку. И за людей, которым на тебя наплевать.

Эдвард невозмутимо затянулся сигарным дымом и выдохнул бело-сизое облачко.

— Дай мне бутылку виски или больше ничего не узнаешь.

Кристофер с видом побежденного поднялся, поставил бутылку на пол рядом с ним и отошел к стене. Привалившись к доскам спиной, он подумал, что уже не знает, как заставить этого человека спасти жизнь родному внуку. Чем пробить панцирь равнодушия, чтобы добраться до сердца безжалостного старика, который, несмотря ни на что, остается его отцом?

— Ты столько лет провел рядом с нами, папа... носил на руках меня и Адама, когда мы были маленькими... хотя я уверен, что в глубине души ты нас не любил. По крайней мере, не так, как свою работу, эти чертовы научные исследования... Знаешь что? Я на тебя не обижаюсь за несчастливое детство. Но ты виноват в смерти Адама и позволил убить маму. Вот это простить нельзя. Почему ты не вспомнил про свой конверт с ядом, когда бандит приставил к ее голове пистолет? Почему дал этому ублюдку выстрелить в нее и прицелиться в Симона?

— Потому что, даже если бы нам удалось скрутить бандита, твоя мать стала бы угрозой конфиденциальности моих исследований. Я позволил Лазарю сделать то, что иначе мне пришлось бы сделать самому.

Кристоферу показалось, что его только что изо всех сил ударили в живот, выбив из легких весь воздух.

— Но ты все же попытался спасти Симона, — выдавил он наконец сквозь сжавшееся горло. — И спасешь его, ведь так? Я знаю, ты относишься к нему совсем по-другому... И я знаю, Симон всегда это чувствовал, он тоже тебя любит. После смерти Адама и Натали ты дал ему то, что не успел дать отец, а я просто не смог бы... Возможно, твоя жизнь когда-то была посвящена только науке, но сейчас Симон — единственный, кто придает ей смысл. Симон и ваша с ним привязанность друг к другу... — Кристофер замолчал, в его глазах стояли слезы.

В полной тишине Эдвард наклонился вперед и вытащил из-под рубашки еще несколько документов, которые раньше не заметил сын.

— Человечеству нужны такие люди, как мы, чтобы двигаться вперед, — проговорил он, раскладывая листы вокруг себя. — Люди, которые ставят научное знание выше собственных чувств и привязанностей.

— Что в этих документах?

Отец взял бутылку и вылил виски на бумагу и себе на ноги.

До Кристофера слишком поздно дошло, что происходит: отец во время всего разговора целенаправленно загонял его в ловушку. Молниеносным жестом схватив зажигалку, от которой прикуривал сигару, Эдвард поджег одежду и листы бумаги, пропитанные алкоголем. В мгновение ока ноги старика охватил огонь, как будто в него швырнули «коктейль Молотова».

Глава 21

Кристофер хотел вытащить Эдварда из кольца пламени, но тот оттолкнул его ударом ноги. Виски разлился по деревянному полу, огонь распространился по нему штормовой волной, вполз на стену и неумолимо захватывал тесное подземное убежище. Эдвард кричал, уже превратившись в живой факел. Помещение заволокло дымом, тошнотворно пахло горелым мясом. Закрывая лицо предплечьем, Кристофер лихорадочно озирался, не зная, что взять с собой перед бегством. Зацепился взглядом за черно-белую фотографию с отцом и двумя его приятелями-учеными, висевшую над столом в стороне от других, сорвал ее, уже обуглившуюся по краям, и, спотыкаясь, вскарабкался по ступенькам. Выскочив из погреба, бросился к выходу из сарая по дымящемуся полу. На ватных ногах пересек поляну, сжимая в руке единственную спасенную от пожара улику, и помчался по тропинке, ведущей к дому родителей. За спиной сарай уже полыхал целиком, разбрасывая вокруг пляшущие тени пламени и багровые отсветы.

Рана на лбу воспалилась, каждое движение отдавалось в черепе ударом молота, но страх за Симона гнал Кристофера вперед. Он вбежал в гостиную через застекленную дверь из сада. Бандит на секунду прицелился в него из пистолета, но тут же перевел ствол на Симона, по-прежнему сидевшего с закрытыми глазами.

— Сын вернулся, — доложил Сергей, глядя на телефон, лежащий на журнальном столике. — Но без отца.

— Симон, я здесь, теперь все будет хорошо, обещаю! — Опустившись рядом с племянником на колени, Кристофер приложил руку к его груди — мальчик дышал, но был в глубоком обмороке.

— Где Натаниэл Эванс? — прозвучал вопрос из динамика.

Кристофер выпрямился и, прежде чем ответить, прикрыл глаза на несколько секунд, будто безмолвно молился.

— Мой отец покончил с собой и сжег оставшиеся у него материалы исследований.

— Сергей, ты знаешь, что делать дальше, — жестко сказал Лазарь.

— Стойте! — закричал Кристофер. — Я нашел то, что может вас заинтересовать. Вот фотография, на которой еще двое ученых, коллеги моего отца. У них могут быть ответы, которые вы ищете!

— Я знаю, о ком вы. Они уже умерли. Эванс был последним, кто мог мне ответить.

— Отец упомянул остров, где остались документы и аппаратура, имеющие отношение к его исследованиям, — быстро сказал Кристофер. — Он собирался туда вернуться и все уничтожить, значит, там что-то важное!

— Что за остров?

— Я... я не знаю, — вздохнул Кристофер, опустив голову. — Но...

— Стало быть, это бесполезная информация. Мало ли в мире островов...

Сергей медленно приближался к Кристоферу.

— Послушайте, я сделал все, что мог, — запаниковал тот. — Мы с Симоном не в ответе за преступления отца. Это он чудовище, при чем тут мы?

Лазарь молчал. Из динамика телефона доносился мерный механический шум аппарата искусственного дыхания.

— Клянусь вам, я никому не скажу о том, что здесь произошло! — лихорадочно продолжил Кристофер. — И никто не будет вас искать!

— Избавься от обоих, — приказал Лазарь.

— Нет! — заорал Кристофер.

Убийца невозмутимо взял его на мушку.

— Стойте, стойте! Я сам найду то, что вам нужно! — хватаясь за последнюю соломинку, пообещал Кристофер. — Да, я выясню, чем занимался отец, и дам ответы на все ваши вопросы. Я смогу это сделать! Если ваш помощник меня убьет или хоть пальцем тронет Симона — вы умрете, так ничего и не узнав! И все ваши усилия пойдут прахом!

— Погоди, Сергей... — обронил Лазарь.

Кристофер, обливаясь пóтом, тяжело сглотнул, чувствуя, что дуло пистолета никуда не делось — сталь почти касалась его виска.

— И как вы собираетесь узнать результаты исследований отца? Вы только что сказали, что он все сжег.

— Он кому-то звонил, там, в сарае в лесу, когда я его догнал. Говорил так, как будто это его начальник. Значит, тот человек в курсе дела. Я найду его и заставлю говорить. Любой ценой!

— Ну и где же вы будете его искать?

Кристофер понятия не имел, как можно выйти на след таинственного собеседника отца. Но от его ответа сейчас зависело, уцелеют они с Симоном или нет.

— Дайте мне попытаться. Что вы теряете? Я профессиональный журналист, это моя работа — находить людей, которые хотят оставаться в тени. У меня есть связи, ресурсы, навыки и личная причина докопаться до истины. Я ваш единственный шанс!

Пистолет в руке убийцы давил на висок, и Кристофер ждал решения Лазаря, склонив голову набок.

— Сергей, возьми телефон и отключи громкую связь, — внезапно донеслось из динамика.

Бородатый бандит повиновался, все еще держа Кристофера на прицеле. Некоторое время он молча слушал, иногда отвечая что-то по-русски, затем положил телефон на стол, снова активировав громкую связь, и достал из кармана широкую изоленту.

— Вот как мы поступим, — заговорил Лазарь. — Сейчас за полночь. Я дам вам два с половиной дня на то, чтобы раздобыть для меня ответы. Если верить врачам, мне осталось жить несколько суток, может, чуть больше. Но часов шестьдесят я точно продержусь. Срок для вас истекает в четверг, в полдень.

«Шестьдесят часов! — ужаснулся Кристофер. — Не успею!»

— И чтобы не оставалось неясностей, я еще раз сформулирую задачу. Мне нужно знать, какова была цель проводившихся надо мной экспериментов и какие были получены результаты. Кроме того, мне нужен тот, кто продолжает руководить исследованиями сейчас.

— Понял... Сделаю, что смогу, — тихо произнес Кристофер.

— Надеюсь. Но в качестве гарантии того, что вы сдержите слово, мальчик останется со мной.

Кристофер невольно устремил взгляд на Симона, и в этот момент убийца залепил малышу рот изолентой.

— Нет, нет, нет! — в ужасе забормотал Кристофер. — Не надо так!

Симон очнулся и непонимающе уставился на бандита. Накинув ему на голову черный мешок, Сергей подхватил мычащего и отбивающегося мальчика на руки.

— Не дергайся, паршивец, а то больно сделаю!

— Симон! Симон, пожалуйста, не сопротивляйся! — взмолился Кристофер. — Я скоро приду за тобой, хорошо? Этот дядя не сделает тебе больно, ведь он знает, что тогда не получит от меня то, что нужно его начальнику! Не надо вырываться, не надо!

Но Симон не слушал — рыдал и пытался вырваться. Сергей, уже не обращая на это внимания, закинул его на плечо и понес к выходу из дома.

— Куда вы?! — закричал Кристофер, рванувшись за ним.

Бандит обернулся, демонстративно приставив пистолет к голове Симона, и журналист попятился.

— Симон, клянусь, я приду за тобой, где бы ты ни был!

Сергей переступил порог и захлопнул дверь.

— Пожалуйста, не трогайте мальчика, — в отчаянии проговорил Кристофер, глядя на мобильник, оставшийся на журнальном столике.

— Я свяжусь с вами по этому телефону, — донеслось из динамика. — И на случай, если вы чего-то не поняли, имейте в виду: если вы попытаетесь вернуть Симона, не добыв ответов, которые мне нужны, я его убью. Это ясно? Если вы попробуете разыскать меня, один или с помощью полиции, Симон умрет. Забейте это себе в голову.

Кристофер молчал.

— Дошло до вас или нет?

— Да, да...

Сергей вернулся в дом один, подошел к мертвой матери Кристофера и взвалил труп себе на спину.

— Что вы делаете?!

— Полагаю, мы избавляемся от тела, чтобы вам не пришлось давать показания о том, что произошло этой ночью, — пояснил Лазарь. — Я позвоню вам через шестьдесят часов. Надеюсь, к тому времени у вас будет то, что мне нужно.

Сергей вынес из дома тело Маргариты. Кристофер, парализованный ужасом, даже не вздрогнул, когда входная дверь с треском захлопнулась. Сил у него хватило лишь на то, чтобы проводить взглядом из окна гостиной черный фургон, увозивший Симона.

Как только фургон исчез из виду, Кристофер со стоном рухнул на колени.

Часа через полтора Сара, которая все это время улаживала вопросы с французской полицией в поместье Паркерена, нашла Кристофера в состоянии прострации. Он сидел, забившись в угол родительской гостиной и слепо уставившись в одну точку. Присев рядом, она ласково положила руку ему на плечо — только тогда он поднял голову, посмотрел ей в лицо и даже не заметил, что на левой скуле у нее синяк, а губы разбиты.

— Что здесь случилось? — тихо спросила Сара.

Кристофер обвел долгим взглядом комнату и опустил глаза.

Глава 22

Два с половиной часа назад, в Миннесоте

Черный кроссовер марки «додж» с тонированными стеклами плавно качнулся, съезжая с 90-го шоссе, по которому он следовал от самого Колумбуса, на широкую аллею, по обеим сторонам которой росли пихты и простирались аккуратно подстриженные лужайки.

— Мы только что въехали на территорию кампуса университета «Либерти», сэр. Сейчас шестнадцать часов сорок шесть минут. Ваше выступление должно начаться через четверть часа, мы будем на месте вовремя. Прикажете вас пока не тревожить или желаете, чтобы я вкратце изложил содержание новых сообщений?

Молодой человек, задавший вопрос, был в деловом костюме черного цвета, такого же, как кожаная обивка салона автомобиля. Узкое лицо с острым подбородком, круглые очки в тонкой позолоченной оправе, аккуратная короткая стрижка — при обычных обстоятельствах вид он имел строгий и самоуверенный, даже надменный, но сейчас покорно ждал ответа начальника.

Занимавший соседнее сиденье Марк Дэвисберри отвечать не торопился — он задумчиво крутил на пальце перстень-печатку, разглядывая зеленые просторы кампуса за окном. На бизнесмене, как всегда, безупречно сидел сшитый по индивидуальной мерке костюм с идеально подобранным галстуком; белоснежные волосы были гладко зачесаны назад. Во взгляде присутствовала отстраненность, характерная для людей, которые привыкли поручать мелкие ежедневные заботы ближайшему окружению, а сами все свое время и энергию посвящают решению стратегических задач, размышляя, как эффективнее и выгоднее распорядиться собственной властью.

— Назначьте мне встречу с министром здравоохранения. Скажите, я придумал, как ему сэкономить двадцать пять миллиардов, чтобы заткнуть дыру в бюджете. Какой сейчас курс у наших акций?

Помощник несколько раз быстро коснулся пальцами экрана планшета и развернул его к Дэвисбери, показывая страницу с биржевой котировкой «Мэдик хэлс груп».

— Мы преодолели отметку сорок девять долларов тридцать шесть центов, сэр, это означает средний прирост... э-э...

— Пять процентов в неделю. Составьте пресс-релиз о предстоящем выпуске нового магнитно-резонансного томографа по низкой цене. Подойдите к делу формально, никакой конкретики — много прибыли он нам не принесет. Есть что-нибудь срочное?

Пока помощник напряженно соображал, планшет подал сигнал о новом сообщении в электронной почте. Молодой человек стремительно пробежал глазами письмо, и у него порозовели щеки от волнения. Стараясь сохранять внешнее спокойствие, он слегка оттянул воротник рубашки, поскольку вдруг сделалось трудно дышать, и незаметно прикоснулся к вмонтированному в подлокотник устройству климат-контроля, чтобы понизить температуру в салоне на один градус.

— Административный совет ждет вашего согласия на внеплановое совещание, которое назначено на двадцать четвертое февраля... в очередную годовщину смерти вашей матери, сэр.

— Пока отложим. А теперь рассказывайте плохую новость, Джонас.

— Простите, сэр?..

— Вы понизили температуру в салоне, потому что от последнего письма вас бросило в жар, не так ли? И чем же, по вашему мнению, это письмо может меня огорчить?

Джонас выпрямился на сиденье. Его шеф несколько месяцев назад отпраздновал свое восьмидесятилетие, но все еще был в прекрасной физической форме и сохранил такую живость ума, что молодому помощнику постоянно приходилось быть начеку.

— Дело в том, что «Дейли трибьюн» опубликовала результаты недавнего социологического исследования на тему религиозных взглядов наших сограждан, сэр. Результаты внушают некоторую тревогу, однако на этом фоне ваша борьба приобретает еще больший смысл. — Джонас ждал реакции шефа, но тот и бровью не повел. — Несколько опросов, проведенных с сентября по декабрь среди десятков тысяч человек, — снова заговорил молодой человек с пересохшим от волнения ртом, — свидетельствуют, что численность протестантов в Соединенных Штатах упала ниже пятидесятипроцентного исторического минимума — до сорока восьми процентов. В две тысячи одиннадцатом году она составляла те же пятьдесят процентов, а в две тысячи седьмом — пятьдесят три. Таким образом, мы должны констатировать падение интереса к вере. Эта беда постигла не только протестантизм, но и другие конфессии и религии. Сейчас один из пяти наших соотечественников, — голос Джонаса дрогнул от возмущения, — утверждает, что он не имеет никакой религиозной принадлежности...

Дэвисберри поднес к губам перстень-печатку с изображением Михаила Архангела, убивающего дракона. Старик не сомневался, что очень скоро люди посмеются над результатами этих соцопросов, и ему будет веселее всех. С удовлетворением подумав о том, что произойдет, когда его планы воплотятся в жизнь, он позволил себе предаться ностальгии. Кроссовер как раз проезжал мимо гигантского стадиона — спортивной гордости университета «Либерти», — и бизнесмен вспомнил, как побывал здесь в первый раз. Тогда на стадионе начинался матч по американскому футболу. Дэвисберри увидел, что игроки двух команд стоят на коленях друг напротив друга, опустив головы, и поначалу подумал, что они заняли специальную позицию для рывка. Но свисток судьи все запаздывал, и члены команд простояли в полной неподвижности не меньше минуты. Лишь подойдя ближе, он вдруг понял: игроки молятся перед началом состязания.

В «Либерти», располагавшем общей площадью восемь гектаров, обучались двенадцать тысяч студентов. Это был не только самый крупный, но и самый престижный евангельский христианский баптистский университет в мире, о чем, собственно, было заявлено прописными буквами на въезде в кампус, обустроенный в Миннесоте: «LIBERTY UNIVERSITY. TRAINING CHAMPIONS FOR CHRIST»[1].

Кроссовер мягко замедлил ход и остановился перед главным зданием университета. Это было величественное сооружение в романском стиле, с колоннадой, увенчанной треугольным фронтоном.

Заместитель ректора встречал гостя у нижних ступеней лестницы, заложив руки за спину и улыбаясь с видом человека, осознающего свои грехи. Ему было за шестьдесят, он красил волосы в каштановый цвет, а его второму подбородку было тесновато в застегнутом воротничке сорочки.

— Мы на месте, сэр, — на всякий случай сообщил Джонас, готовясь покинуть кожаный салон кроссовера. — До вашего выступления две минуты.

Марк Дэвисберри постучал по стеклу, отделявшему салон от водителя, без нужды поправил безупречный узел галстука и вышел из машины, как только расторопный шофер открыл для него дверцу.

— Добро пожаловать, мистер Дэвисберри! Мы счастливы видеть вас здесь сегодня и невероятно польщены оказанной нам честью! — торжественно заверил заместитель ректора, протягивая гостю руку.

— Умоляю вас, Марк, давайте без церемоний, — поморщился бизнесмен, быстро пожав жирную ладошку. — Тем более у нас сейчас на это нет времени.

— Да-да, конечно. Прошу за мной, декан объявит вас с минуты на минуту.

Марка Дэвисберри отвели за кулисы амфитеатра — огромной университетской аудитории. Стоявший на сцене декан как раз заканчивал благодарственную молитву, в которой славил щедрых донаторов, чьи пожертвования принесли в этом году университету бюджет на сумму пятьдесят четыре миллиона долларов. Две тысячи студентов на скамьях амфитеатра хором выдохнули «Аминь!» и энергично захлопали в ладоши. Когда восстановилась тишина, декан обернулся удостовериться, что гость ожидает за кулисами, а увидев его, радостно заулыбался и поприветствовал жестом. Дэвисберри ответил тем же.

---

[1] Букв.: «Университет «Либерти». Тренируем чемпионов для Христа» (англ.). Можно перевести и как «Университет «Либерти». Готовим воинство Христово».

— Сегодня мы имеем честь принимать здесь не только самого преданного нашего донатора, поддерживающего университет многие годы, но и человека, чья жизнь и общественная деятельность сами по себе являются огромным вкладом в дело укрепления и процветания христианской веры. Он впервые согласился прийти сюда и поделиться своим бесценным опытом. Прошу вас должным образом поприветствовать Марка Дэвисберри!

Пока зал оглушительно аплодировал стоя, бизнесмен прошел по сцене и остановился в лучах мощных прожекторов. Декан — высокий, сутулый и очень худой человек с лошадиным лицом, — пожал ему руку, обнял с дружеской улыбкой и исчез за кулисами, а Дэвисберри обвел взглядом аудиторию. Перед ним была трибуна, за спиной — огромное распятие на фоне тяжелого занавеса гранатового цвета. Положив на трибуну обе руки, он подождал, пока студенты усядутся и умолкнут, и, лишь когда весь зал погрузился в полнейшую тишину, старый бизнесмен заговорил.

— Я не верю в Бога, — произнес он и сделал паузу.

Шокированные студенты заахали и зашептались, по аудитории распространился беспокойный гомон, у всех возникло чувство неловкости. Декан, стоявший за кулисой, заметно побледнел.

— «Я не верю в Бога». Эти слова отец заставлял меня повторять каждый день, когда я был ребенком, — продолжил Марк Дэвисберри.

На лицах в первых рядах тотчас появились улыбки, кое-кто с облегчением перевел дух, студенты опять зашептались — уже с воодушевлением.

— Я родился в городке Сент-Энтони, в Миннесоте. Там отец открыл маленькую фабрику по производству медицинского оборудования и назвал ее «Мэдик хэлс груп». Сейчас это название вам, вероятно, хорошо знакомо, но в те времена «Мэдик хэлс груп» была скромным семейным предприятием с десятком сотрудников, хотя отец гордился своим достижением. Я сказал «своим», потому что он был уверен, что всего добился сам, без Божьей помощи, и каждое утро, когда я получал очередную порцию овсянки, он спрашивал меня, верю ли я в Бога. Ответ мог быть только один: «Нет, папа, я не верю в Бога». Услышав это, он одобрительно кивал:

«Вот и славно, сынок. Значит, ты далеко пойдешь, так же как и я».

Бизнесмен снова сделал паузу, дав студентам время шепотом выразить возмущение.

— Моя мать, учительница математики, была верующей. До свадьбы, ухаживая за ней, влюбленный отец притворялся убежденным баптистом, чтобы завоевать ее сердце. Однако, когда ему это удалось, после свадьбы все изменилось: он запретил маме ходить в церковь, носить крестик и держать в доме Библию. Для него вера в Бога была пустой тратой времени и признаком глупости. Однажды, застав маму, когда она прятала маленькое распятие в шкатулку с драгоценностями, он ударил ее и закричал, что в следующий раз она будет страдать, как страдал ее дурацкий Иисус на кресте.

Не обратив в этот раз внимания на негодующие возгласы студентов, Марк Дэвисберри повысил голос, перекрывая галдеж:

— Но, как вам известно, вера сильнее страха! Мама сделала вид, что смирилась с требованиями отца, но она конечно же продолжала верить и тайком от него наставляла в религии меня. Отец выбросил из дома все духовные книги — зря старался, мама знала наизусть целые страницы из Священного Писания и читала мне их. Перед сном мы с ней молились о том, чтобы Господь отвратил папу от Зла. А на двенадцатый день рождения она подарила мне миниатюрное издание Библии, чтобы его можно было надежно прятать.

Дэвисберри достал из кармана книжечку высотой не больше пальца и толщиной с обычное издание карманного формата.

— Когда мне было шестнадцать, мама умерла, погибла в автобусе, который попал в аварию. — Он почувствовал внезапное волнение, справился с дрожью в голосе и продолжил рассказ: — Еще четыре года я прожил вдвоем с отцом, а в двадцать лет ушел из дому, солгав ему, что получил работу коммивояжера. Отец был доволен, что я решил взяться за такое сложное ремесло. На самом же деле я отправился в Техас, стал пастором в маленьком поселке и служил там Господу пять лет. — Марк вздохнул. — А потом случилась беда. Однажды я возвращался домой после вечерней службы, путь лежал через сад, и там я увидел, что банда хулиганов пристает к одной моей юной прихожанке. Не стану кривить душой — я очень испугался. Мой голос дрожал от страха, когда я громко потребовал отпустить девушку. Я понимал, что меня могут избить до полусмерти. Так и случилось — они избили меня железными прутьями и подкованными сапогами. Но девушка смогла вырваться и убежать.

Марк знал, что дальше придется отчасти солгать слушателям, но пока что было не время открывать им правду.

— Несколько дней я пролежал в коме, однако Господь пожелал меня исцелить. Открыв глаза, я в тот же миг осознал важнейшую истину: вместо того чтобы постоянно просить Всевышнего о помощи и совершать службы в церкви, мне надлежит самому способствовать воплощению Его замыслов на земле. Был тысяча девятьсот шестьдесят первый год, разгар холодной войны, ЦРУ всеми силами противостояло советским спецслужбам. И я подумал, что именно там, на незримом фронте, мое место, ибо я должен помочь Господу защитить американский народ.

Тут он почувствовал, как в нагрудном кармане завибрировал телефон, хотя был уверен, что отключил его перед выступлением.

— Я отработал в разведуправлении тридцать три года, а потом умер отец и оставил мне в наследство «Мэдик хэлс груп», занявшую двадцать второе место в списке самых прибыльных предприятий США. Господь снова указал мне путь, сделав владельцем состояния, которое могло послужить распространению Евангелий по всему миру. Спустя какое-то время я уволился из ЦРУ, возглавил отцовский бизнес и большую часть доходов направлял на...

Впервые в жизни Марк Дэвисберри прервал свою речь. Потому что телефон снова завибрировал, и старик вдруг понял: это не первый, а второй мобильник, в левом кармане. Тот самый, номер которого известен только одному человеку. Он окинул взглядом удивленные лица студентов — те шушукались, недоумевая, почему благодетель замолчал на середине фразы, — затем развел руками в знак извинения и молча ушел со сцены. Оказавшись за кулисами, он быстро достал телефон, не обращая внимания на остолбеневших от растерянности декана и своего помощника, поднял палец — мол, оставьте меня в покое, — и ответил на вызов:

— Натаниэл, что случилось?..

ГЛАВА 23

Кристофер неподвижно сидел на краю дивана, обхватив голову руками. Ему едва достало сил на то, чтобы вкратце рассказать Саре о драме, разыгравшейся здесь, в доме его родителей, и с тех пор он молчал, застыв в одной позе.

Сара тоже молчала, глядя на него в тишине. Задавать вопросы не было нужды — она и так знала, что Кристофер все еще видит лицо матери, каким оно было в последнюю секунду перед тем, как пуля пробила ее висок, и все еще слышит крики и плач Симона, которого уносит на плече убийца. А еще он умирает от мучительного чувства вины, потому что не смог этого предотвратить.

Она села рядом на диван, взяла руку Кристофера в свои ладони, и он вдруг так резко сжал ее пальцы, что стало больно. Но Сара не высвободила руки — ему сейчас нужна была поддержка. Этот человек перевернул всю свою жизнь ради заботы о племяннике, он согласился помочь в расследовании, доверился ей и теперь сам нуждается в ее помощи.

Наконец Кристофер, словно очнувшись, отпустил ее руку.

— Из шестидесяти часов у нас осталось меньше пятидесяти восьми, — напомнила Сара.

Кристофер с надеждой взглянул на нее:

— У нас?..

Она, как всегда, ограничилась кивком в качестве ответа и продолжила:

— А теперь слушай меня внимательно. Если хочешь спасти Симона, немедленно выброси из головы все самое страшное из того, что произошло этой ночью. Симону нужны твои мыслительные способности и сила воли в полном объеме.

Кристофер в отчаянии закусил губу. Он чувствовал себя слабым и бесполезным.

Сара заметила, что рана у него на лбу опять кровоточит.

— Где у твоих родителей хранятся лекарства?

— В ванной наверху.

Она сбегала на второй этаж, через минуту вернулась с аптечкой и принялась обрабатывать рану.

— Я не знаю, что делать, — пробормотал Кристофер. — Лазарь хочет, чтобы я за два с половиной дня нашел то, что он не сумел найти за двадцать лет! Это же невозможно! Физически невозможно! Отец сжег все документы вместе с сараем, и я понятия не имею, где искать этот растреклятый остров!

— Что за остров?

Кристофер, спохватившись, что опустил в рассказе важную деталь, пояснил:

— Когда я прибежал в сарай, отец в погребе разговаривал с кем-то по телефону. Сказал, что на острове, где у него, видимо, была исследовательская лаборатория, остались какие-то документы и оборудование. Он, мол, собирался туда вернуться, но теперь все это нужно уничтожить. Только вот название острова он не упомянул, и я не представляю, где его искать! — Кристофер в сердцах треснул кулаком по подлокотнику дивана.

Сара спокойно закончила обрабатывать рану. Таким Кристофер нравился ей больше — пусть лучше злится, чем впадает в уныние.

— На, положи пока вату в карман — не нужно тут ничего оставлять, — сказала она, поднявшись.

— Почему? Куда мы идем?

— Твой отец кого-то предупредил о том, что происходит, и надо думать, он сделал это не для того, чтобы нас оставили в покое. А еще сюда очень скоро заявится французская полиция, которую заинтересует сгоревший сарай. Так что здесь нас ждут неприятности, оставаться нельзя. Снимем номер в отеле и хорошенько все обдумаем на свежую голову.

Чтобы подняться, Кристоферу понадобилась помощь Сары.

— У тебя все необходимое с собой? — спросила она. — Паспорт, кредитка? Не знаю, куда нас заведет расследование.

Кристофер ответил кивком.

— Тогда идем.

Перед тем как переступить порог, он обернулся и окинул взглядом гостиную. В голове теснились воспоминания. Он как наяву снова увидел мать в любимом кухонном фартуке, гордую оттого, что приготовила что-то вкусное, а еще брата и себя детьми — они играли с машинками на паркете, — потом совсем маленького Симона, разворачивающего рождественские подарки под елкой, рядом с мамой и папой, и опять Маргариту, которая смотрела на них и улыбалась, довольная тем, что вся семья снова в сборе...

— Кристофер, — окликнула его Сара.

Он качнул головой — мол, я слышу — и закрыл дверь, оставив за ней последние, страшные, воспоминания.

ГЛАВА 24

Марк Дэвисберри спустился по мраморной лестнице главного здания университета мелкими торопливыми шажками. Джонас следовал за ним.

При виде шефа водитель тотчас выбросил недокуренную сигарету и кинулся открывать для него дверцу кроссовера. Бизнесмен опустился на заднее сиденье, помощник занял место с другой стороны, обеспокоенно кося на шефа — подобная спешка была для мистера Дэвисберри нехарактерна, — но тот лаконично пояснил, не дожидаясь вопросов:

— Проект «Четыре-Восемь-Восемь», — и дернул узел галстука, мешавшего дышать.

— Могу я спросить, что... — начал Джонас.

— Мне сейчас звонил Натаниэл Эванс из своего тайного укрытия, — перебил Дэвисберри. — Его преследовал второй сын по требованию Лазаря. Натаниэл боится, что Кристофер, как и Адам, может добраться до документов, которые позволят установить местоположение острова, где проводились первые эксперименты... и все будет предано огласке до того, как мы закончим.

— Подождите... Почему вы боитесь, что кто-то найдет лабораторию на острове? Там же ничего не осталось. Все было вывезено или уничтожено сразу после того, как проект официально закрыли.

Дэвисберри покачал головой:

— Эванс только что признался, что часть материалов и оборудования осталась на месте.

— Что?! Но как он...

— Помолчите, Джонас. Представьте себя на его месте. Когда в семидесятых разгорелся скандал вокруг «МК-Ультра», наше правительство потребовало уничтожить все связанное с этой программой как можно скорее. Проект Эванса просуществовал еще два года после доклада парламентской комиссии, затем нас поставили перед фактом: лаборатория на острове ликвидируется. Это вызвало панику среди исследователей. К ним заявились военные и потребовали немедленно покинуть остров. Эванс с командой взяли все, что смогли, но в спешке могли о чем-то забыть. Случайно или намеренно.

— А военные разве не подчистили за ними?

— Подчистили, — вздохнул бизнесмен, — только вот Эванс показал им лишь наземные этажи, где проводились «официальные» эксперименты.

Помощник наконец оценил масштаб надвигавшейся катастрофы:

— Господи боже...

— Я всецело доверял ему, Джонас. Но что самое ужасное, я прекрасно понимаю, почему он не смог уничтожить результаты своего труда. Эванс всю жизнь посвятил этим исследованиям, он не хотел ломать оборудование, которое не было возможности увезти с собой. Ведь на то, чтобы сконструировать и построить эти приборы, ушло столько сил и времени... Думаю, он и правда надеялся вернуться туда однажды, когда уляжется шумиха в прессе и в правительстве.

— Но он ведь так и не вернулся?

— Сразу после скандала остров закрыли для широкой публики, его взяли под контроль военные, а учитывая, что правительство заняло позицию покаяния перед общественностью за тайные действия ученых и спецслужб, Эванса туда не допустили бы ни при каких обстоятельствах. Запрет действовал двадцать шесть лет. Когда же лет десять назад на острове снова заработал гражданский аэропорт для туристов, Эвансу уже нельзя было туда лететь по другой причине — врачи не рекомендовали полеты после инфаркта. А отправить туда кого-то вместо себя он, разумеется, не согласился бы.

— Значит, он успокоился, решив, что все давно забыли о закрытой лаборатории на полупустынном острове, куда мало кто заглядывает?

— Собственно, кроме Эванса и нескольких его коллег, умерших в последние годы, никто и не знал ни об истинной природе экспериментов на острове, ни о подземном этаже.

К тому же для «Гёустада» удалось реконструировать один из аппаратов, разработанных Эвансом. Там продолжались опыты над пациентом Четыре-Восемь-Восемь, и Эванс регулярно получал все данные, так что ему не нужны были старые инструменты или оборудование — у него было все, что нужно, поэтому он сам предпочел забыть о научно-исследовательской базе на острове, вместо того чтобы добиваться у властей разрешения на поездку туда и таким образом подвергать риску наше общее дело.

— То есть если второй сын Эванса найдет остров...

— Он теоретически получит доступ к информации, которая поможет ему понять пусть не всё, но многое, и тогда почти пятьдесят лет наших изысканий пойдут прахом. Священные жертвоприношения во имя истины будут объявлены преступлениями, — тихо сказал Дэвисберри. — Эксперименты, проводившиеся во благо человечества и ради прогресса, будут признаны негуманными, а проект либо уничтожен, либо, что более вероятно, передан другим людям, которые извратят идею и извлекут из этого личную выгоду.

— Что вы намерены предпринять?

Марк Дэвисберри покрутил на пальце перстень-печатку, как всегда делал, погружаясь в размышления.

— Едем в офис, — наконец сказал он и принялся листать в смартфоне длинный список контактов.

Джонас молча наблюдал за шефом, гадая, кому он собирается сейчас звонить. Дэвисберри нашел что искал, нажал на «вызов», и прошло довольно много времени, прежде чем на другом конце линии включился автоответчик.

— Джоанна, привет, — произнес бизнесмен. — Мне нужны твои услуги. Это срочно. Перезвони мне.

— Я думал, только мы с вами вдвоем в курсе проекта «Четыре-Восемь-Восемь», — позволил себе заметить Джонас.

— Джоанне не интересны причины, по которым перед ней ставят те или иные задачи. Ее волнует исключительно цена вопроса.

Старик отвернулся, дав помощнику понять, что разговор окончен. Постучав в разделительное стекло, он велел шоферу ехать в офис как можно быстрее. Кроссовер сорвался с места и покинул кампус университета «Либерти», оставив декана и студентов в полнейшем недоумении.

Глава 25

Цветы на обоях были бледного серо-зеленого цвета, и не представлялось возможным догадаться, задумал ли так художник или краски выцвели за долгие годы службы, приняв на себя толстый слой пыли и грязи. На прикроватном столике стоял невзрачный абажур с бахромой, рассеивая вокруг тускло-зеленый свет, которого хватало лишь на то, чтобы разглядеть кусок застиранного покрывала. Было 3:30 утра, и комната тонула в сумраке.

— Ну, зато нам не захочется подольше понежиться в постели, — хмыкнула Сара, оглядывая из коридора жалкий интерьер гостиничного номера.

Кристофер первым переступил порог.

— Я в ванную на две минуты — приму душ.

Это были первые слова, произнесенные им с тех пор, как они покинули дом Кларенсов, до этого момента Сара вела его за собой как слепоглухонемого. Тоже войдя в номер, она удостоверилась, что в коридоре никого нет, закрыла дверь и приставила к ней стул, подсунув деревянную спинку под дверную ручку.

— Я эту гостиницу не по количеству звездочек выбирала! — попыталась она оправдаться, приложив ухо к двери ванной, за которой исчез Кристофер. — Просто здесь нет вайфая — нас труднее будет найти.

В ответ послышался лишь шум воды. Пожав плечами, Сара окинула взглядом свое отражение в зеркале и пришла к выводу, что душ ей тоже не помешал бы — надо было взбодриться физически и морально. С обожженным глазом, разбитой губой, порезом на руке и синяками на лице она была похожа на чудом уцелевшую жертву катастрофы. Однако Сара решила, что сейчас не время волноваться о своей внешности, и разложила на кровати документы, найденные в сейфовой ячейке Адама. «Ну и как тут найти хоть намек на название острова с секретной лабораторией? — подумала она. — Вероятно, терпеливо прочитав все от начала до конца».

Через пять минут Кристофер вышел из ванной, с мокрыми волосами и полностью одетый. Он даже успел побриться, и теперь, несмотря на круги под глазами и никуда не девшуюся тень тревоги на лице, казался помолодевшим и посвежевшим. Сара с удивлением поймала себя на том, что разглядывает его с откровенным интересом, и сразу отвела глаза.

— Двуспальная кровать в однокомнатном номере — это часть твоей стратегии по заманиванию одиноких несчастных мужчин? — попытался он пошутить.

Довольная тем, что Кристофер прилагает усилия, чтобы держаться вопреки всему, Сара ему подыграла:

— То есть, по-твоему, я настолько ужасно выгляжу, что мне не обойтись без таких уловок?

При других обстоятельствах Кристофер нашел бы что ответить и непременно продолжил бы приятный флирт, но страх за Симона опять возобладал, и продолжать легкомысленный разговор уже не было сил. Он лишь кивнул в знак того, что оценил шутку, и благодарно улыбнулся:

— Спасибо, что ты здесь, Сара.

— Профессиональный долг. Ну что, за работу?

Кристофер опять покивал, давая понять, что оценил и ее деликатность.

— Сара, я все-таки не могу не спросить, почему ты это делаешь. Ты ведь умная и прекрасно понимаешь, во что ввязалась. Наверняка тебе приходится врать своему начальству, и, кроме того, ты подвергаешь опасности собственную жизнь... Я к тому, что ты вовсе не обязана здесь быть.

Сара знала, что рано или поздно ей придется ответить на подобный вопрос. Она отложила послание из ЦРУ в «Жантикс».

— Скажем, я делаю это и для себя тоже. У меня есть причина, оправдывающая любой риск, который может сопутствовать этому расследованию.

— И даже угрозу твоей жизни?

— Смотря что ты называешь жизнью. Пока я не могу сказать больше. Единственное, что тебе нужно знать, — я обещаю сделать все ради того, чтобы спасти Симона. О'кей?

— Ну, поскольку ты не дала мне выбора, придется удовольствоваться этим ответом. За работу.

Кристофер сел на кровать и тоже принялся изучать документы, разложенные на ветхом покрывале. Доказательства того, что фирма «Жантикс» поставляла в «Гёустад» препарат ЛС-34 после официального запрета на его производство и продажу, схема, нарисованная Адамом, и примечания по поводу связи между ЦРУ и Фондом Форда, фотография с обгоревшими уголками, на которой отец в лабораторном халате стоит между двумя коллегами...

— Черт, — пробормотал Кристофер.

— Что случилось?

— Не могу сосредоточиться. Все время думаю о Симоне. Где он, как с ним обращаются, что он сейчас чувствует? Может, плачет или... — Не договорив, он прижал руку к животу — внутренности опять скрутило от страха.

Сара подвинулась к нему поближе.

— Кристофер, я скажу тебе кое-что всего один раз, потому что такое трудно и говорить, и слушать... Лучший способ спасти Симона — это вообще о нем не думать. Выброси из головы все мысли о нем. Единственное, что сейчас тебя должно заботить, — как найти то, что нужно Лазарю.

— Я понимаю... понимаю. Но я готов умереть ради Симона!

— Если продолжишь себя изводить, это он умрет, а не ты.

Кристофер потрясенно уставился на Сару, но не мог не признать, что она права.

— О'кей, — твердо сказал он. — Сейчас сосредоточусь... Но мало ли в мире островов! Как искать эту чертову лабораторию? Да к тому же отец всполошил по телефону своего босса, и тот наверняка уже послал туда людей, чтобы все уничтожили. А они, в отличие от нас, точно знают, где этот остров, и будут там раньше, а Симон...

— Стоп. Ты осознал, что мы уже опаздываем и что дорога каждая минута, поэтому больше не будешь ни думать об этом, ни говорить — у нас нет времени ударяться в панику. И я уверена — паниковать не в твоем характере. Ты сильный человек, Кристофер, настоящий боец, в противном случае тебя бы сейчас не было в живых. Так?

Сара пристально смотрела на него светло-голубыми глазами, в которых читалась твердая вера в то, что она сказала, и Кристофер устыдился собственной слабости. Он и правда позволил себе расклеиться, хотя обычно в стрессовых ситуациях демонстрировал решительность и силу воли. Еще он удивился тому, что Сара сумела разглядеть это в нем за короткое время их знакомства.

— Нужен мозговой штурм, — спокойно сказала она и взяла фотографию Натаниэла Эванса с двумя учеными. — Из слов твоего отца и Лазаря следует, что это трое исследователей, работавших над проектом «Четыре-Восемь-Восемь». Согласен? Значит, велика вероятность, что снимок сделан на острове, именно там, где они проводили эксперименты. Посмотри на дальний план.

— Кажется, это гора... Да, подножие горы!

Кристофер перебрал в памяти все, что им было известно на данный момент. Сара занялась тем же самым, попутно записывая в блокноте ключевые пункты.

— Проект «МК-Ультра» финансировался ЦРУ, — внезапно заговорил Кристофер, — но исследования проводились в военных целях, как полагал Адам и как я понял опять же со слов отца. Поэтому экспериментальную лабораторию, скорее всего, устроили на одной из американских военных баз. Мне это кажется логичным — военные могли таким образом контролировать процесс и одновременно обеспечивать секретность. Что думаешь?

Сара кивнула — звучало действительно логично — и набрала номер на мобильном телефоне.

— Кому ты звонишь? — спросил Кристофер, прервав свои рассуждения.

— Тому, кто сумеет достать для нас список всех американских баз, существовавших в шестидесятых — семидесятых годах.

Он уставился на Сару во все глаза, восхищенный ее стремительной реакцией.

Глава 26

— Сорок четыре, сорок пять... сорок шесть...

Лицо быстро приближалось к полу, удалялось и снова приближалось.

— Сорок семь... сорок восемь... сорок девять и пятьдесят.

Плотно сжатые от физических усилий челюсти расслабились, громила пружинисто вскочил на ноги, сделал глубокий вдох и поиграл железными мускулами, отчего дьявол, вытатуированный у него на правой лопатке, принялся корчить рожи.

Подхватив полотенце, висевшее на умывальнике, громила вытер засохшую на предплечье кровь. Оказывается, долбаный новичок, которому он за обедом слегка почикал щеку лезвием, в отместку набрызгал крови не только ему в тарелку с чили. А надзиратели, как обычно, все ушами прохлопали. Удовлетворенно осклабившись при мысли об уроке покорности, преподанном очередному щеглу, здоровяк растянулся на койке и вперил взгляд в верхний матрас, провисший под тяжестью сокамерника. Этот чудила сутками напролет валялся у себя на втором ярусе, нацепив наушники. Ну натуральный чудила, вот кому врезать бы в табло со всей дури...

Но татуированный заключенный не сдох в тюрьме до сих пор только потому, что умел различать, кому можно врезать, а кого лучше не трогать в целях собственной безопасности.

— Уильям Хоткинс! — рявкнули вдруг из коридора, отделенного решеткой.

Татуированный нахмурился и не шелохнулся — звали не его, — но с интересом ждал, рискнет ли надзиратель в одиночку сунуться в камеру. Не рискнул — рядом выросли еще два мордоворота, и татуированный презрительно хмыкнул.

Загремел засов, решетка с металлическим скрежетом отъехала в сторону. Порог переступил главный надзиратель, похлопывая по бедру дубинкой.

— Встать!

Громила нехотя поднялся с койки, отошел к дальней стене и, широко расставив руки, уперся в нее ладонями на уровне головы.

— Хоткинс, ты оглох? На выход! Только что получен приказ о твоем досрочном освобождении за хорошее поведение. Приказ вступает в силу с этой минуты. Похоже, у ангелов-хранителей есть связи даже в аду. — Не глядя на татуированного, застывшего у стены, надзиратель шарахнул дубинкой по остову койки и сердито проворчал: — Не заставляй себя упрашивать, Хоткинс. Мало тебе десяти лет тюряги? Неохота на волю? Тут, что ли, будешь ночевать?

Только после этого одеяло на верхней койке откинулось и показалось худое лицо человека лет сорока с бритым наголо черепом и круглыми, как шарики, бесстрастными черными глазами. Сняв наушники, он ловко соскочил на пол. В отличие от своего сокамерника, Хоткинс не мог похвастаться раздутыми мускулами, но был высок и явно обладал большой физической силой. Прихватив плеер с наушниками и достав из-под матраса карманное издание Библии, он под настороженными взглядами надзирателей двинулся в коридор.

Татуированный сокамерник дождался, когда за Хоткинсом закроется решетка, и выдохнул с облегчением.

Уильям Хоткинс наслаждался каждым шагом, приближавшим его к выходу. Он ступал легко и неспешно, с презрительной улыбкой, адресованной другим заключенным, которые впервые осмелились так откровенно его разглядывать.

Ему выдали справку об освобождении, вернули бумажник — 56 долларов 75 центов были на месте, — связку ключей, документы, металлическое распятие величиной с ладонь и одежду, в которой его арестовали, даже куртку с эмблемой морской пехоты. Он переоделся, расписался где велели и уже через несколько минут оказался на вольном воздухе.

Оставляя за спиной стены тюрьмы Стиллуотер, Хоткинс знал, что за десять лет в его душе ничего не изменилось. Он не раскаивался в попытке убийства, его религиозные убеждения не пошатнулись, а тело, которое он все эти годы неустанно тренировал, было готово к новым битвам.

По Пикетт-стрит, ярко освещенной фонарями, бывший морпех вышел на 95-е шоссе, к автобусной остановке.

Мимо проходила молодая пара с младенцем в коляске. Младенец пристально уставился на незнакомца огромными голубыми глазами.

— Вы ей понравились, — горделиво сообщила мамаша.

— Много она понимает, — пожал плечами Хоткинс, направляясь к раскрытым дверям автобуса.

Мамаша слегка опешила, но не стала выяснять, что этот странный человек имел в виду.

Почти пустой в поздний час автобус довез его до маленькой церкви в северном предместье Миннеаполиса. Во всем городе только здесь принимали прихожан и по ночам, поскольку местный священник считал, что двери дома Божьего всегда должны быть открыты, как сердце Спасителя.

Хоткинс вошел в храм, чувствуя себя астронавтом, впервые вдохнувшим кислород Земли после долгого пребывания в космосе. Наполнив легкие свежим воздухом с легким ароматом ладана, он опустился на колени, осенил себя крестным знамением и возблагодарил Всевышнего за то, что не оставлял его в трудные годы. За молитвой пролетел час, под конец Хоткинс дал обет продолжать борьбу во имя Господа и зашагал к своему дому, который находился в паре кварталов от церкви.

В квартирке на шестом этаже старого жилого здания все было на своих местах: кресло перед телевизором, спортивные тренажеры, фотография бывшей жены и схемы огнестрельного оружия в рамках на стене. В спертом воздухе пахло пылью, толстым слоем покрывшей все вокруг.

Хоткинс закрыл за собой дверь и впервые с тех пор, как вышел за ворота тюрьмы, расслабился. Именно поэтому шок от внезапного нападения оказался еще сильнее: его неожиданно огрели сзади железным прутом по бедру. Упав на одно колено, он получил еще один удар по спине, собирался врезать нападавшему локтем, но в этот момент почувствовал, как в затылок уперлось ледяное дуло пистолета, и передумал.

— Это тебе за то, что ты сделал с Гласки! — прорычали сзади.

Хоткинс резко крутанулся на месте, сменив колено, поймал ствол, молниеносно вырвал оружие у противника и, перехватив рукоятку, нажал на спуск. Раздался щелчок, выстрела не последовало.

— Ты чё, думал, я буду угрожать тебе заряженной пушкой, зная о твоих способностях? — усмехнулся убийца, отступая на шаг и целясь в него из второго пистолета.

На этот раз Хоткинс был в неудобной позиции — слишком далеко, чтобы снова обезоружить врага. Он поднял руки, стараясь выиграть время. Однако, если Господу угодно, чтобы Его верный слуга умер здесь и сейчас, да будет так.

— На колени, — велел убийца.

Хоткинс послушался.

— Мой босс велел разобраться с тобой медленно и вдумчиво, да еще снять весь процесс на видео, чтобы он мог пересматривать эту киношку долгими зимними вечерами, — сказал убийца. — Но я, пожалуй, ускорю процедуру.

Он взвел курок, и в этот самый момент входная дверь с треском распахнулась. Убийца, стоявший к ней спиной, успел лишь обернуться — и был сразу отброшен назад ударом ноги в живот. Женщина, так эффектно ворвавшаяся в квартиру, тотчас оглушила его, шарахнув по уху рукояткой пистолета, сломала кулаком нос и, схватив за волосы, несколько раз приложила головой о стену. Когда убийца обвис в ее руках тряпичной куклой и перестал подавать признаки жизни, она бросила его на пол и как ни в чем не бывало пошла закрывать дверь.

Хоткинс, все это время простоявший на коленях, с легким недоумением наблюдал за спасительницей. У женщины была атлетическая походка; толстовка с капюшоном и мешковатые штаны надежно скрывали очертания фигуры. Когда она наконец повернулась к нему и удалось рассмотреть ее лицо, бывший морпех подумал, что в иных обстоятельствах нашел бы ее даже хорошенькой — черные волосы подстрижены аккуратным каре, а личико прямо как с обложки глянцевого журнала.

— Надо избавиться от тела, — сказала она, всаживая пулю из пистолета с глушителем в голову вырубленного незнакомца.

— Ты кто?

— Джоанна. Меня прислал Марк Дэвисберри. У него для тебя задание.

Хоткинс конечно же не забыл имя человека, который устроил ему перевод из страшной колонии строгого режима на острове Райкерс в местечко поспокойнее — тюрьму Стиллуотер. Возможно, тем самым Марк Дэвисберри спас ему жизнь; кроме того, бизнесмен все десять лет оплачивал его счета за квартиру.

— Ты лично знаешь Дэвисберри? — спросил Хоткинс.

— Мы сотрудничали, еще когда он служил в ЦРУ.

— Так ты работаешь на разведуправление?

— На Дэвисберри. В доме есть подвал? — Она кивнула на труп.

— Секундочку, принцесса, — помотал головой Хоткинс. — Ты сказала, Дэвисберри хочет поручить мне какое-то дело?

— Нам.

— То есть мы будем напарниками?

— А ты думал, я пришла весточку передать и прибраться тут у тебя?

— В чем состоит задание?

— Насколько я поняла, два человека поставили под угрозу его планы.

— Я не убиваю без разбора.

Джоанна сердито вскинула бровь. Но бизнесмен предупреждал, что бывшего морпеха на кривой козе не объедешь, и снабдил ее подходящим объяснением.

— Дэвисберри много лет занимается очень важным проектом, который должен вызвать религиозный бум во всем мире. Эти двое хотят ему помешать. А теперь, если здесь нет подвала, помоги мне затащить жмура в ванну.

Хоткинсу не нравились властные манеры этой дамочки, но ее слова о «религиозном буме» вызвали у него воодушевление, которого он давно уже не испытывал.

— Ладно. А что потом?

— Обсудим.

Они положили тело в ванну; Джоанна, выглянув из квартиры, удостоверилась, что в коридоре никого нет, и сделала Хоткинсу знак следовать за собой.

— Но нельзя же вот так просто оставлять труп, — обеспокоенно заметил он, запирая входную дверь.

— Если ты так хорош, как уверяет Дэвисберри, значит, вернешься сюда быстрее, чем жмур завоняет и всполошит соседей.

На лестнице Джоанна вручила ему «глок». Бывший морпех, молча проверив обойму, сунул оружие за брючный ремень на пояснице.

Господь только что снова указал ему путь, и никогда еще Уильям Хоткинс не чувствовал такой готовности повиноваться воле Его. Кем бы ни были люди, которых надлежит устранить, он выполнит задание ради возрождения славы Божьей.

Глава 27

Сара, быстро приняв душ, натягивала джинсы, когда пришло сообщение от Норберта Ганса. Помощник из Главного управления полиции Осло, как и ожидалось, отреагировал со всей оперативностью — ему понадобилось меньше часа, чтобы ответить:

«Вот документ, который вы просили. Он оказался в открытом доступе государственной информационной базы. Я отформатировал таблицу, чтобы удобнее было искать нужные сведения, но думаю, вам все равно придется повозиться. Если понадобится что-то еще, пишите-звоните».

Закончив одеваться, Сара с влажными, растрепанными волосами вышла из ванной.

— Я получила список американских военных баз, — сообщила она, открывая файл на телефоне.

Кристофер в очередной раз перечитывал материалы из сейфовой ячейки брата. Сара села рядом с ним на кровать — так, чтобы ему тоже была видна таблица на экране. Журналист прищурился — экран бликовал — и, оценив масштабы, выдохнул:

— Быть этого не может...

Сара промолчала, но мысленно согласилась.

Под заголовком «Department of Defense. Base Structure Report. Real Property Inventory. 2011» следовал список из 187 000 объектов собственности министерства обороны США на территории Штатов и за их пределами.

— Сто восемьдесят семь тысяч вариантов... — сокрушенно покачал головой Кристофер. — Нужно отсортировать базы по году открытия — нас не интересуют те, что построены после семидесятого.

Сара не ответила, но Кристофер увидел, что она уже запустила сортировку. Правда, это не слишком помогло — в результате осталось 5683 объекта.

— А теперь наш главный козырь, — сказал он. — Какие из них находятся на островах?

— Автопоиск тут не сработает, — разочаровала его Сара. — Придется просматривать весь список самим.

— Перекинь файл на мой телефон. Давай работать параллельно, потом сверим результаты, чтобы убедиться, что мы ничего не пропустили в этих колонках.

Сара, переслав ему таблицу, сосредоточилась на своем экране.

Дело было сложное, утомительное и требовало больших познаний в географии, чтобы навскидку определить по названию, остров это или нет. Часто приходилось лезть в Интернет — проверять, где находится незнакомый город или местность.

В середине дня, после наскоро проглоченного обеда, у Кристофера уже щипало глаза и не удавалось сфокусировать взгляд. Он обработал три четверти списка и нашел четыре острова.

— У меня четыре. Но поди догадайся, какой из них тот самый...

— Поспи, — сказала Сара.

— Что?

— Ты уже в третий раз читаешь одну и ту же строчку. Утром у нас было мало времени на сон. Тебе надо еще отдохнуть.

Кристофер вынужден был согласиться — ему казалось, что сердце вот-вот замрет от усталости.

— Симона не спасет приемный отец, который не способен ни соображать, ни действовать, — добавила Сара.

— Родной отец не допустил бы, чтобы Симона похитили, — грустно покачал головой Кристофер.

— Адам поступил так, как ему велела совесть, и тем не менее это он подверг вас всех опасности. Ты унаследовал от брата дело, которое он начал. И вместе с делом — долг спасти Симона.

Кристофер сходил в ванную, побрызгал в глаза холодной водой и, когда вернулся, по его щекам и подбородку катились капли.

— Через час сверим наши списки.

Сара покосилась на него — увидела изможденное лицо, рану на лбу, тени под глазами, но взгляд у журналиста был оживленный, страх за мальчика придавал ему сил.

Кристоферу хватило получаса.

— Я нашел еще три. Итого семь.

— У меня тоже семь, — кивнула Сара. — Сошлось.

Он взял со стола чей-то старый счет за проживание и на обратной стороне выписал названия семи островов и архипелагов, на которых находились американские военные базы:

1. *Остров Уэйк.*
2. *Маршалловы острова.*
3. *Доминиканская Республика.*
4. *Остров Вознесения (Асенсьон).*
5. *Американские Виргинские острова.*
6. *Гавайи.*
7. *Окинава.*

— Лаборатория могла быть на каком угодно из них, — сказал Кристофер, отложив шариковую ручку.

Сара на всякий случай сверила его названия со своими — все совпало.

— Окинаву можно исключить — ее передали Японии в семьдесят втором.

Кристофер вычеркнул японский остров и прошелся по комнате.

— Какие зацепки у нас еще есть? К острову должны иметь какое-то отношение «Жантикс» и...

— И Фонд Форда, — подхватила Сара. — Если у этих двух контор есть собственность на каком-то из островов, считай, мы нашли то, что искали.

Кристофер с сомнением покачал головой:

— Вряд ли фирма «Жантикс» настолько тесно связана с программой «МК-Ультра». Судя по тому, что нам известно, ЦРУ заключило с ней договор уже после запуска проекта. И не было никаких причин размещать научно-исследовательский центр поблизости от фармацевтического завода, с которым предстояло сотрудничать. Наоборот, руководителям проекта нужно было поменьше привлекать к себе внимание, чувствовать себя в безопасности и регулярно получать заказанные препараты не важно откуда. А вот Фонд Форда — другое дело. Эта организация финансировала многие операции церэушников и давала им прикрытие, так что есть смысл проверить, нет ли у нее филиалов на каком-то из этих островов.

— Один из офисов Фонда Форда находится на Банана-Айленде. Это искусственный островок у побережья Нигерии, — прочитала Сара в Интернете. — Еще у них большое представительство на Род-Айленде.

— Этих островов нет в нашем списке... Черт, единственный след, и тот привел в тупик! — Кристофер в отчаянии ударил кулаком по стене, снова плюхнулся на кровать и в очередной раз перечитал список. Затем перебрал документы, надеясь, что попадется какая-нибудь зацепка, пропущенная по причине ее очевидности. Задержал взгляд на фотографии отца с двумя исследователями. — Погоди-ка... У всех шести островов горный рельеф?

Сара снова полезла в Интернет и за три минуты нашла нужную информацию.

— Нет, не у всех. Остров Уэйк — плоский атолл. На Маршалловых островах тоже нет гор. Минус два пункта, уже хорошо!

— Да-а, если, конечно, снимок сделан именно на острове... С другой стороны, зачем бы отец стал хранить столько лет эту фотографию, если бы она не имела отношения к самому важному делу его жизни? Значит, остаются четыре острова, и, чтобы выбрать из них один, нужен какой-то намек, который мы упустили... Наверняка он где-то у нас под носом... например, название проекта — «Четыре-Восемь-Восемь». Что означают эти цифры? Может, географическое положение или какой-то код острова? Вполне вероятно! — Кристофер оживился. — Почему мы не подумали об этом раньше?

— В таблице, которую прислал Норберт, полно цифр в описании каждой военной базы, — сказала Сара. — Площадь территории, личный состав и так далее.

Они начали заново просматривать файл на своих телефонах, выискивая сочетание «488» в колонках, содержащих статистические данные по четырем базам на островах из списка. А солнце за окном уже садилось, напоминая, что отведенный Лазарем срок неумолимо сокращается.

Кристофер поднял голову от экрана:

— Нет, ничего. Я проверил географические координаты, перевел названия островов в цифры... Никаких совпадений с числом четыреста восемьдесят восемь или с комбинацией цифр «четыре, восемь, восемь».

Сара закончила анализ с тем же результатом. Этот путь тоже привел в тупик.

— А время все убывает, — пробормотал Кристофер, заметив, что в гостиничном номере уже совсем темно. Они потратили весь день на поиски ответов и не нашли ничего, что помогло бы спасти Симона. — У нас не получится, — в отчаянии сказал он. — Наверное, мне придется позвонить в полицию, все рассказать и...

— Подожди. — Сара открыла на экране телефона папку с фотографиями стен из палаты пациента 488. — Пациент из «Гёустада» провел на острове несколько лет. Что, если в этих рисунках заключены его воспоминания о жизни там? Может, для него это был способ вернуться на остров или описать то, что он там видел? — предположила она, указав на три символа, до бесконечности повторявшиеся на стенах палаты.

— Ты думаешь, образы рыбы, дерева и огня связаны с островом, где его подвергали экспериментам?

— Возможно, они имеют конкретное значение. Например, это символы острова, метафорическое указание на его название или схематическое изображение места, где его держали...

Кристофер нахмурился. Идея была неплохая, но все же не выдерживала критики.

— Если бы подопытные знали название или местонахождение острова, Лазарь давно нашел бы его, — заметил он. — Нет, я думаю, они понятия об этом не имели. Наверное, даже не догадывались, что это остров. Рисунки говорят о чем-то другом, мы опять взяли неверный след.

Сара вынуждена была признать несостоятельность своей гипотезы. Сев на край кровати, Кристофер задумчиво потрогал рану на лбу.

— Не надо, инфекцию занесешь, — сказала Сара. — У тебя осталась грязь под ногтями.

Он убрал руку от лица, и Сара, глядя на этот жест, вдруг увидела его словно в замедленной съемке.

— Мы кое-что упустили... — пробормотала она.

— Что?

— Главную улику, которая поможет найти остров!

— О чем ты? Какую улику?!

Сара, не ответив ему, схватила телефон и набрала номер человека, который — она не сомневалась — будет рад оказать ей услугу.

Глава 28

Марк Дэвисберри, сидя за рабочим столом в своем кабинете на двенадцатом этаже самого высокого небоскреба на Пятой улице Миннеаполиса заканчивал диктовать распоряжения помощнику.

— И последнее, Джонас. Удостоверьтесь, что двести тысяч долларов переведены на офшорный счет Джоанны, перед тем как я отправлюсь на встречу с ней. Она не довольствуется обещаниями. И не забудьте передать ей обе визы.

— Будет сделано, сэр, но...

— Вы, вероятно, хотите знать, кто такие Джоанна и Уильям Хоткинс?

— Не из пустого любопытства, сэр. Зная, с кем имею дело, я смогу эффективнее удовлетворять их запросы. Тем более что эти люди, судя по всему... особенные.

Бизнесмен развернулся на кожаном кресле к панорамному окну за спиной и окинул задумчивым взглядом город, простиравшийся у его ног.

— Верно, особенные. Я уже давно работал в ЦРУ к тому времени, когда Джоанна прошла конкурсный отбор, показав блестящие результаты, и поступила на службу. Мне сразу удалось разглядеть в этой девочке нечто большее, чем набор профессиональных качеств, — у нее была отчаянная жажда преуспеть в жизни, она словно хотела взять реванш за какие-то прошлые беды. Я принял ее в свою команду, и мы познакомились поближе. Оказалось, Джоанна осиротела в семнадцать лет — ее родители погибли от рук грабителей, и она с тех пор терзалась чувством вины из-за того, что не сумела их защитить. Я выслушал ее, поддержал и утешил, а со временем фактически заменил ей покойного отца. Вместе мы многого добились — она участвовала в полевых операциях, которые проводились под моим контролем. Джоанна подавала большие надежды, и никто не сомневался, что ее ждет прекрасное будущее в разведуправлении. Не сомневался до того самого дня, когда она... скажем так, вдруг показала свое истинное лицо. Джоанна хладнокровно застрелила подозреваемого после того, как он сдался. Я спросил, почему она это сделала, и услышал в ответ: «Не смогла с собой совладать. Это было сильнее меня». В итоге я уладил дело — прикрыл ее, избавив от суда и приговора, но потребовал написать заявление об увольнении из ЦРУ. Проблема была в том, что Джоанна умела только выслеживать и при необходимости убивать людей, больше она ни на что не годилась. — Дэвисберри снова развернулся на кресле к помощнику. — И вот тогда мне пришла в голову идея сделать ее внештатным агентом для наших... незаконных операций. Джоанна отлично проявила себя в этой роли, все были довольны.

— А Хоткинс? — спросил Джонас.

— Это совсем другой случай. Уильям Хоткинс — убежденный протестант, в отличие от Джоанны, которая не верит ни в Бога, ни в черта. Десять лет назад он чуть не убил гинеколога своей жены, который согласился сделать ей аборт. Уильям ворвался в кабинет с пистолетом в руке, связал врача, поставил его на колени и велел исповедаться перед казнью. Но довести начатое до конца ему не удалось — подоспела полиция. На суде Уильям заявил, что его действия были вызваны необходимостью спасти жизнь нерожденного ребенка. В юности, как выяснилось, он был членом одной радикальной группы евангельских христиан, которые совершали нападения на больницы, где проводились аборты. В двадцать два года вступил в морскую пехоту, и за время службы его вера лишь укрепилась, он стал сильнее и опаснее.

— Где вы с ним познакомились?

— Я услышал о судебном процессе и заинтересовался. Мне понравилась решимость этого человека во всем идти до конца и то, как он защищался, оправдывая свой поступок, — даже вызвал у некоторых присяжных сомнение в его виновности. Мне тогда подумалось, что нашей религии нужны такие люди, как он. Воспользовавшись старыми связями, я добился перевода Уильяма из колонии на острове Райкерс в тюрьму Стиллуотер, где у него было больше шансов выжить. Он несколько раз писал мне оттуда и клялся в вечной признательности.

Марк Дэвисберри встал, надел пальто из шерсти альпаки и направился к двери. Перед тем как выйти из кабинета, он обернулся к помощнику:

— Проект близится к завершению, Джонас. В ближайшие двое суток держите со мной связь по закрытой линии. Я буду в Соудене.

Глава 29

— Тобиас, это Сара Геринген. Перезвоните, пожалуйста, вы мне очень нужны.

Сара отложила мобильник под вопросительным взглядом Кристофера.

— Может, объяснишь? Что за улика, про которую мы забыли?

— Тело.

— Что?..

— Тело пациента Четыре-Восемь-Восемь. Этот человек прожил десяток лет на острове, который мы ищем. И его тело наверняка сохранило... скажем так, следы воздействия окружающей среды.

— Какие такие следы?

— Если провести химический анализ грязи у тебя под ногтями, этот след приведет нас в поместье Шарля Паркерена, — пояснила Сара.

— Ну да, только в ближайшие часы грязь все-таки исчезнет из-под моих ногтей, а пациента Четыре-Восемь-Восемь, насколько нам известно, перевезли с острова в «Гёустад» в конце семидесятых, почти сорок лет назад... И ты думаешь, на его теле сохранились... не знаю, как это назвать... какие-то вещества с острова, который мы ищем?

— Не *на* теле, а *в* теле. Грязь, конечно, смывается, но, например, асбестовая пыль, или ртуть, или еще какая-нибудь гадость остается в организме на всю жизнь. Тобиас может установить, чем этот человек дышал на острове, а по составу воздуха...

— Понял. Кто такой Тобиас?

— Судмедэксперт, который проводил вскрытие пациента Четыре-Восемь-Восемь. Он мастер своего дела.

Через десять минут завибрировал мобильник Сары.

— Тобиас! Спасибо, что перезвонили так быстро.

— Сара, у вас все хорошо?

— Да. Послушайте, долго объяснять, но если в двух словах, то расследование заведет нас еще дальше, чем ожидалось.

— Ясно. Если я правильно понял, вам нужна моя помощь. Когда выезжаем?

— Увы, мне нужны только ваши знания.

— Ну вот, я так и думал. Но что вы хотите — в моем возрасте нельзя упускать ни единого шанса в общении с такими прекрасными женщинами!

— Тобиас, дело срочное.

— Слушаю внимательно.

— Во время вскрытия пациента Четыре-Восемь-Восемь вы, случайно, не обнаружили в его тканях какие-нибудь необычные химические вещества?

— Помимо огромного количества кальция, который его убил, и ЛС-34?

— Да.

— Минутку, я возьму свои записи. А вы ищете что-то конкретное? — спросил судмедэксперт, шелестя листами бумаги.

Сара переключила телефон на громкую связь.

— Тобиас, вы не могли бы говорить по-английски, чтобы мой коллега вас понимал?

— Постараюсь. Кстати, приветствую счастливого избранника.

— Здравствуйте, — отозвался Кристофер тоже по-английски.

— Так что же вы ищете, Сара?

— То, что поможет нам установить местность, где жертва подвергалась научным экспериментам до прибытия в «Гёустад».

— Ага... Задача интересная, но непростая. Погодите, я нашел его досье, сейчас быстро перечитаю.

Сара терпеливо ждала продолжения разговора, а Кристофер, которому не сиделось на месте от волнения, поглядывал на нее, недоумевая, как этой женщине удается сохранять спокойствие.

— Вот оно! — воскликнул вдруг Тобиас. — Помните, я говорил вам, что у него был силикоз?

— Да, сейчас вспомнила! Какие-то минеральные частицы остались в легких. Это может нам помочь?

— Не исключено. Это означает, что наш покойник длительное время провел там, где у него была возможность вдоволь надышаться пылью кремнезема.

— А где можно найти пыль кремнезема в таких количествах?

— К примеру, в окрестностях шахт, карьеров... или же, в более редких случаях, там, где есть застывшая лава.

— Застывшая лава... — пробормотал Кристофер. — Он жил на вулканическом острове!

— Что вы говорите, Сара?

— Это не я... Вы можете еще что-нибудь добавить, Тобиас?

— Ну, не хотелось бы вас разочаровывать, но пациент Четыре-Восемь-Восемь обзавелся силикозом необязательно в зрелом возрасте. Он мог надышаться пылью в детстве или когда был подростком...

— О'кей, но, кроме этой зацепки, у нас больше ничего нет! — раздраженно буркнул Кристофер.

— Мы думаем, жертва приобрела силикоз на вулканическом острове, Тобиас, — сказала Сара. — И нам нужно, чтобы вы помогли понять, на каком из четырех возможных.

— Но я же не геолог! — воскликнул судмедэксперт. — Ладно, а какие у вас варианты?

— Американские Виргинские острова, остров Вознесения, Гавайи и Доминиканская Республика.

— Вот Доминикану можете исключить, там точно нет вулканов, — сразу отреагировал Тобиас. — Я каждый год езжу туда отдыхать. Так что у вас остаются три острова, это все, чем я могу помочь.

— Спасибо, Тобиас.

— Сара, что бы вы там ни затеяли, пожалуйста, будьте осторожны. Я видел вас в деле и знаю вашу репутацию — вы всегда идете до конца. Не забывайте только, что у вас есть муж и семья. Надеюсь на скорую встречу.

— До свидания, Тобиас.

Сара проигнорировала упоминание о муже и с облегчением убедилась, что Кристофер пропустил последние слова судмедэксперта мимо ушей, поскольку был слишком погружен в свои мысли, чтобы обращать внимание на чьи-то персональные рекомендации.

— Значит, остров Вознесения, Гавайи или Виргинские острова США, — подытожил журналист. — Нужны географические данные по каждому из них.

Сара в очередной раз вбила в поисковую строку Гугла названия островов и пробежала взглядом найденные статьи.

— На Гавайях и на Виргинских островах много дождей и тучная почва, так что минеральная пыль не задерживается в воздухе и не может накопиться в большом количестве в легких живущих там людей, — подытожила она для Кристофера. — Остается... — Сара протянула ему свой телефон, и он прочитал вслух с экрана:

— «Остров Вознесения отличается засушливым климатом, характерным для пустынь». То есть вулканическая пыль там концентрируется в воздухе и легко проникает в легкие...

В гостиничном номере воцарилась тишина.

Кристофер поспешно набрал на своем смартфоне «остров Вознесения», и Гугл по этому запросу выдал всего несколько страниц — остров был почти неизвестен широкой публике. Крошечный участок земли, площадь всего 90 квадратных километров, население 900 человек. Кочка посреди Атлантики, в тысячах километров от побережий Африки и Южной Америки, сразу над экватором и неподалеку от знаменитого острова Святой Елены.

— Жуткая дыра, — прокомментировал Кристофер.

— Тут пишут, — отозвалась Сара, быстро читая информацию в Интернете, — что именно на острове Вознесения в шестидесятых годах НАСА в огромной секретности проводила фальшивые съемки высадки на Луну, потому что местный ландшафт очень похож на лунный. Но самое главное — там находится совместная англо-американская военная база, построенная еще во времена Второй мировой войны.

Слушая инспектора, Кристофер чувствовал, как тревога и страх уступают место нетерпению и желанию действовать, хотя он все еще никак не мог поверить, что они нашли-таки остров, где у отца была исследовательская лаборатория.

— А гражданских туда пускают?

— Да, — кивнула Сара.

— Как будем добираться?

Она несколько раз тапнула по экрану и удивленно подняла бровь:

— Сначала придется доехать до Лондона, а потом...

Кристофер, уже не слушая, открыл сайт продажи билетов на рейсы «Евростар» в надежде, что на вечернем высокоскоростном поезде, идущем из Парижа в Лондон через туннель под Ла-Маншем, окажутся свободные места. На часах было 21:35.

— Черт! — выпалил он. — Последний поезд ушел двадцать минут назад! Придется ждать до утра. — И начал заполнять бланк заказа двух билетов на завтрашний восьмичасовой, но пальцы так дрожали, что он все время попадал мимо нужных клавиш.

Сара, заметив, как он нервничает, взяла его за руку:

— Давай-ка я этим займусь. Поспи, ты совсем вымотался.

— Но мы уже потеряли столько времени, каждая минута на счету!

— Завтра утром, когда мы будем сидеть в поезде, у нас останется еще почти двадцать восемь часов. А пока нужно отдохнуть, чтобы завтра лучше соображать. Ложись.

— Подожди. На поезде мы доберемся только до Лондона. А как попадем на остров?

— Я все устрою, о'кей?

— Ты уверена?

— Абсолютно.

— И откуда у тебя столько энергии? — вздохнул Кристофер, растянувшись на кровати.

Сара хотела сказать, что она тоже на нервах и не может позволить себе распуститься, но так ей вряд ли удалось бы успокоить спутника.

— Служба у меня такая.

Кристофер и правда так устал, что удовольствовался этим ответом. Выставив будильник на шесть утра, он перевернулся на бок, устроился удобнее на подушке и закрыл глаза.

Сара тем временем поискала в Интернете воздушные рейсы на остров Вознесения. Самолеты отправлялись только с одного военного аэродрома в маленьком городке Бриз-Нортон, который находился в двух часах езды от Лондона. И тут нарисовалась проблема: оказалось, что для получения разрешения на вылет паспорта будет недостаточно — нужна виза.

Выбора не было — Сара поморщилась при мысли о том, что придется солгать другу. Выйдя из номера в гостиничный коридор, она позвонила Стефану Карлстрёму. Он ответил на третьем гудке.

— Сара! Ты где?!

— Долго объяснять. Дело очень запутанное...

Стефан испустил тяжелый вздох, и Сара представила себе, как он откинул голову на спинку кресла.

— Я же по голосу слышу: ты собираешься попросить меня сделать то, чего мне делать не захочется, поэтому сначала давай выкладывай все, что удалось узнать, а там посмотрим.

Она этого ждала, потому заранее подготовила ответ — рассказала Стефану версию событий, немного отличавшуюся от реальности, чтобы он не всполошился, иначе наверняка приказал бы ей немедленно возвращаться в Осло и поручил бы расследование большой команде. Сара не упомянула о нескольких смертях и о похищении мальчика, а Кристофера представила как сына Натаниэла Эванса и добавила, что только он может найти исследовательскую лабораторию отца на острове Вознесения, поэтому должен сопровождать ее в поездке. Под конец, чтобы окончательно заручиться поддержкой Стефана, она намекнула, что раскрытие такого крупного дела международного значения принесет норвежской полиции громкую славу.

— То есть ты собираешься лететь на какой-то остров с этим типом?

— Да.

— Сара, я не могу давать добро на одиночные миссии, мы с тобой уже не в спецназе. Возвращайся в Осло, и вместе сформируем группу специалистов.

— Стефан, мне нужно самой довести это расследование до конца.

— Сара, что ты творишь? До сих пор я тебе не мешал, но мало того, что ты мне не сказала и половины правды, как я подозреваю, так еще и наверняка собираешься выкинуть какой-нибудь опасный фортель! Так что слушай меня, это приказ: ты вернешься в Осло, мы заключим официальный договор о сотрудничестве с французской полицией и будем вести расследование по всем правилам.

Сара закусила губу, подумав, что все-таки придется сказать правду.

— Эрик мне изменил и потребовал развода в ту самую ночь, когда в «Гёустаде» умер пациент Четыре-Восемь-Восемь. Если я сейчас остановлюсь, уже не смогу взять себя в руки, Стефан. В этот раз не смогу...

Карлстрём на другом конце линии замер в кресле, разинув рот от неожиданности. Его одолели противоречивые чувства: с одной стороны, он всегда втайне надеялся, что брак Сары и Эрика долго не продержится, поскольку считал, что она выбрала не того мужчину — ей нужно было остаться с ним, со Стефаном. Но сейчас, услышав печальный, подавленный голос Сары, он испытывал искреннее сочувствие к женщине, ради которой всегда был готов рисковать собственной жизнью. Она подарила ему несколько месяцев счастья и спасла его во время роковой миссии в Афганистане. Кроме того, Стефан лучше, чем кто бы то ни было, знал, что, несмотря на внутреннюю силу и железную волю, у нее очень ранимая душа.

Сара быстро смахнула слезу, скатившуюся по щеке.

— Стефан, ты должен мне доверять.

— Я доверяю тебе, Сара. Но еще я должен тебя защищать.

— Ты не понимаешь! Не понимаешь, что, если ты снимешь меня с этого дела, я сорвусь! Это дело — единственное, что сейчас удерживает меня на поверхности, спасательный круг, который не дает мне утонуть, Стефан! Последняя соломинка!

— Ты просто устала, Сара. Выспись хорошенько, и завтра, на свежую голову, все увидишь в другом свете.

— Не говори так! Не смей повторять мне их слова!

— Чьи?

— Ты прекрасно знаешь чьи! Лучше сдохнуть, чем снова оказаться в психушке! Если я вернусь в Осло, пусть даже на несколько дней, пока ты будешь собирать команду... я знаю, что не выдержу и... и что меня опять туда упекут. Но на этот раз я уже оттуда не выйду. — Привалившись спиной к стене гостиничного коридора, Сара медленно осела на пол, закрыв ладонью глаза. — Стефан, в тот раз, когда армейское начальство отправило меня на принудительное лечение... это же ты меня вытащил. И ты прекрасно помнишь, в каком состоянии меня нашел. Если бы я провела в психушке еще один день, сейчас мы с тобой не разговаривали бы. Поэтому умоляю, если я тебе хоть немного дорога, не отзывай меня в Осло. Помоги мне получить две визы на остров Вознесения — лучше уж погибнуть там, чем ждать смерти в обитой войлоком палате...

Стефан, сидя в своем кабинете в Главном управлении полиции Осло, проклинал себя за любовь к этой женщине, но ничего поделать не мог.

— О'кей... Я все улажу. Когда вы намерены выехать из Парижа?

— Завтра утром.

— Ясно...

— Стефан, спасибо.

— Береги себя.

Пряча мобильник в карман, Сара чувствовала полное опустошение. Она еще немного посидела на полу, дав себе время успокоиться, затем вернулась в номер. К счастью, Кристофер уже спал и не слышал, как она вошла.

Два билета на ближайший рейс к острову Вознесения удалось забронировать без проблем — в дождливый сезон туристы туда не стремились, так что сражаться за свободные места, отведенные для гражданских в самолете Королевских ВВС Великобритании, не пришлось. Чтобы не терять времени утром, Сара спустилась в скромную приемную гостиницы и попросила распечатать билеты на принтере. За эту нехитрую услугу у нее потребовали десять евро, и она безропотно выложила деньги на стойку, хоть и подумала, что портье — гнусный вымогатель.

Первый этап подготовки к отлету, таким образом, был закончен. Затем Сара поднялась в номер и забронировала два места на поезде компании «Евростар» маршрута Париж—Лондон, отбывающем в 8:37. Суммарный расход составил ни много ни мало 2954 евро, но она расплатилась рабочей кредиткой — Стефан Карлстрём позаботился, чтобы бухгалтерия выдавала такие всем инспекторам полиции на расходы, имеющие отношение к расследованиям.

Наконец Сара с глубоким вздохом упала на подушку, повернулась спиной к Кристоферу и с удивлением подумала, что лежит в одной постели с мужчиной, которого знает всего несколько дней. И опять же с удивлением не нашла в этом ничего неприличного или волнующего — наоборот, почувствовала себя вдруг в полной безопасности. Положив пистолет на тумбочку, она взбила подушку и закрыла глаза, торопясь заснуть, пока мысли не взбаламутились в голове и не прогнали сон.

Глава 30

Кристофер затылком почувствовал движение за спиной, резко обернулся и выглянул поверх кресла. По тамбуру поезда компании «Евростар», на котором они с Сарой вот-вот должны были отправиться в Лондон, торопливо шагали мужчина и женщина, приближаясь к ним.

— Сара, — напряженно шепнул Кристофер, — это за нами! Она тоже обернулась. Женщина в английском деловом костюме не отрывала глаз от экрана смартфона; одетый как бизнесмен мужчина с очень деловым и озабоченным видом разговаривал, на первый взгляд, сам с собой, но при ближайшем рассмотрении у него в ухе обнаружилась гарнитура. Оба опоздавших пассажира поспешно заняли свои места, и поезд тронулся.

Кристофер с глубоким вздохом откинулся на спинку кресла. Сара закрыла глаза, решив немного поспать.

— Никто не знает, что мы здесь, — ободряюще шепнула она спутнику. — До Лондона два с половиной часа, постарайся расслабиться и отдохнуть. До сих пор тебе помогал держаться опыт военного журналиста, но боюсь, что скоро у нас вообще не будет времени перевести дух. Так что пользуйся моментом. — Она склонила голову набок и, казалось, мгновенно погрузилась в сон.

Кристофер, еще раз выглянув в проход, убедился, что опоздавшие даже не смотрят в их сторону, и попробовал последовать совету Сары. Она была права: предстоящее путешествие могло оказаться тяжелее всего, что им уже довелось пережить. По прибытии в Лондон нужно будет сразу мчаться на другой вокзал, ехать на электричке в Оксфорд, дальше — на машине в Бриз-Нортон, городок, где находится база Королевских ВВС, в сотне километров от британской столицы, и оттуда на военном самолете вылететь на остров Вознесения. Другим способом добраться до места назначения невозможно, а учитывая установленный Лазарем дедлайн, опоздать на самолет означало бы провалить все дело, потому что в этом случае им придется ждать следующего рейса еще двадцать часов — в итоге Симона будет уже не спасти.

— Соседи моих родителей наверняка что-то слышали, — вдруг сказал Кристофер, хотя не был уверен, что Сара еще не заснула. — Так или иначе, они заметят, что отца с матерью нет дома. И что Симон исчез. А кто-нибудь найдет в лесу головешки, оставшиеся от сарая. Полицейские захотят со мной поговорить и обнаружат, что я недоступен. Это, разумеется, вызовет подозрения, и меня начнут разыскивать повсюду...

— Да, но прежде всего во Франции, а ты к тому времени уже будешь далеко, — отозвалась Сара. — Если, конечно, сейчас успокоишься и немного поспишь, а то свалишься с трапа самолета от усталости.

Кристофер покорно закрыл глаза. Заснуть он не надеялся, но все же задремал.

Из полудремы его вырвал шум встречного поезда — журналист подскочил на кресле, сердце панически колотилось. В приснившемся кошмаре Симон упал в яму посреди болота, оказавшегося в глубине родительского сада, и Кристофер никак не мог к нему подобраться — ноги увязали в мокрой земле, тянули вниз...

Он потер глаза, сфокусировал взгляд на экране мобильника — парижский Северный вокзал они покинули полтора часа назад; в вагоне было тихо, здесь ехали в основном бизнесмены, отправившиеся в Англию по делам: все склонились над планшетами или читали газеты.

Сара, откинувшись на спинку сиденья и слегка повернув голову к спутнику, дышала во сне медленно и ровно. Кристофер полюбовался веснушками, изысканным изгибом губ. Красивое лицо казалось безмятежным, но, приглядевшись, он заметил морщинки в уголках глаз, как будто она кривилась во сне от каких-то болезненных эмоций.

Кристофер перевел взгляд за окно. Мелькание зеленых и бурых холмов Нор-Па-де-Кале, мимо которых поезд проносился на огромной скорости, убаюкивало. Территория была малонаселенная, в полях изредка попадались деревеньки, над каждой возносился церковный шпиль... И вот тут Кристофера вдруг осенило — он рывком выпрямился, выхватил из кармана авторучку и лихорадочно вырвал страницу из рекламного буклета, лежавшего в кармашке сиденья впереди.

— Месье желает чего-нибудь выпить? — осведомился подошедший стюард, но Кристофер будто не слышал.

— Ему кофе, мне чай, — отозвалась вместо него только что проснувшаяся Сара.

Стюард с лучезарной улыбкой протянул им две чашки и покатил тележку с напитками дальше.

— Чего делаешь? — поинтересовалась Сара, отпив чаю.

Кристофер вкривь и вкось дописывал что-то на свободных от текста местах вырванного листка. Она наклонилась к нему и увидела грубо набросанные силуэты рыбы, дерева и огня, а рядом — косые строчки примечаний от руки.

— Ты догадался, что могут означать эти символы?

— Есть одна идея — пришла в голову, когда я увидел колокольни церквей. Но это всего лишь предположение.

Он сделал глоток кофе, на секунду задумался, собираясь с мыслями, и принялся рассуждать вслух. Сара сразу вспомнила его на лекции в Сорбонне: сейчас Кристофер, хоть и понизил голос, настороженно оглядевшись — не подслушивает ли кто, — но говорил с той же оживленной жестикуляцией и с тем же воодушевлением, как будто привычная работа ума на время прогнала страх и тревогу.

— Видишь ли, рыба, дерево и огонь — наверное, главные символы христианства. В ранних христианских общинах рыба служила аллегорическим изображением Иисуса, потому что буквы слова «ихтис», «рыба», соответствуют в греческом языке начальным буквам слов «Иисус Христос, Божий Сын, Спаситель». На местах тайных собраний христиан первого и второго веков найдено много изображений рыбы. Для гонимых почитателей Христа это был знак, по которому они распознавали друг друга, скрываясь от римлян.

— Да, я где-то об этом читала, — кивнула Сара — ей не терпелось, чтобы Кристофер перешел к выводам.

— Дерево, — продолжал он, — самый что ни на есть библейский символ, соотносящийся с Древом Жизни в Эдемском саду, посаженным, согласно Писанию, самим Богом.

Сара опять кивнула.

— И наконец, огонь всегда был воплощением Святого Духа, витающего над верующими. Наверняка ты читала или слышала об описанном в Новом Завете схождении Святого Духа на апостолов — об огненных языках над их головами. В общем, у нас есть символическое изображение Бога Отца — дерево, Бога Сына — рыба, и Бога Святого Духа — огонь. Я думаю, именно это и рисовал пациент из «Гёустада» на стенах своей палаты.

— То есть у пациента Четыре-Восемь-Восемь были галлюцинации на тему Троицы в символической форме? — подняла бровь Сара.

Кристофер развел руками — мол, все возможно.

— Единственное, что могу сказать точно, — это что мой отец... вернее, Натаниэл Эванс был верующим. Еще каким.

Поезд «Евростар» углубился в туннель под Ла-Маншем, и теперь в вагоне осталось лишь тусклое искусственное освещение. Сара взглянула на искаженное отражение своего лица в оконном стекле. Сама она верующей никогда не была, но странная гипотеза Кристофера представлялась ей вполне правдоподобной.

— Получается, твой отец и его коллеги провоцировали у подопытных состояние мистического транса?

Кристофер помассировал виски. Ему казалось, еще немного — и он поймет, что хотела найти исследовательская команда в процессе экспериментов. Нужно было сделать всего один шаг за привычные границы своего рационального, картезианского, сознания. Но постоянный страх за Симона и потрясения, пережитые в течение нескольких дней, мешали ему спокойно мыслить.

— Не знаю. Но ради чего еще они могли пойти на такие жертвы и десятилетиями строго соблюдать секретность? — Он вздохнул и принялся разглядывать отблески светильников и галерею отражений в стекле, подумав, что Сара, наверное, тоже сейчас пытается преодолеть границы, установленные разумом.

ГЛАВА 31

Марк Дэвисберри любил бывать в маленькой баптистской церкви Святого Павла на окраине городка Соудена. Здесь всегда царило благостное спокойствие, и здесь, в старинной деревянной часовне, он чувствовал себя ближе к Создателю, чем где-либо еще. Поставив локти на молитвенную скамью, бизнесмен славословил Господа, когда вдруг услышал позади детский голосок.

Темноволосая девочка лет пяти только что вошла в церковь, держась за руку мужчины, и разглядывала все вокруг широко открытыми глазками. Отец опустился на колени, заставил дочь сделать то же самое, и она послушалась, с интересом рассматривая статую распятого Христа над алтарем.

— Папа, почему Иисус такой грустный и зачем его прибили к кресту?

Отец нахмурился — вопрос явно застал его врасплох, — а Марк Дэвисберри навострил уши, любопытствуя услышать ответ.

— Ну, потому что он должен страдать, чтобы искупить грехи всех людей.

— А он умрет?

— Э-э-э... да.

— Тогда ему, наверное, очень больно и страшно?

— Нет, детка, он ведь знает, что воскреснет.

— Что значит «воскреснет»?

— Это значит, что после смерти он снова оживет.

Девочка с серьезным видом обдумала полученную информацию.

— А я тоже сначала умру, а потом воскресну?

— Ну конечно, ты же веруешь в Господа.

— А тот, кто не верует, умрет насовсем? И не оживет?

— Ни в коем случае.

— А что с ним тогда будет?

— Ну, он просто перестанет существовать. Только вера дает вечную жизнь. А теперь помолись и попроси у Бога прощения за все свои шалости.

— А если я не буду молиться, что сделает Бог?

— Он тебя накажет и не подарит вечной жизни. Когда ты умрешь, превратишься в ничто. Раз — и исчезнешь навсегда.

— Это нечестно! Какой-то сердитый Бог, я его боюсь!

— А чего ты хотела, милая? Нельзя только брать, отдавать тоже нужно.

Девочка вздохнула и уставилась в пол, подражая отцу, который погрузился в молитву.

Дэвисберри покинул церковь с чувством глубокого удовлетворения от того, что некоторые родители все еще почитают своим долгом наставлять детей на путь истинный. Он сел в машину — до входа в шахту оставалось проехать меньше километра.

Старинная механика с металлическим стоном и скрежетом разматывала трос. Марк Дэвисберри всегда ненавидел этот допотопный лифт, на котором приходилось спускаться под землю; наверное, они ровесники, лифту как минимум лет восемьдесят. Шахта уходила вниз на семьсот метров. По счастью, в этот поздний час туристы уже покинули территорию Соуденского государственного железорудного музея-заповедника, и в кабину, кроме него, никто не втиснулся. Зато днем здесь кишмя кишели желающие поглазеть на самые старые и глубокие железные рудники в Миннесоте, обустроенные в недрах красно-желтых скал округа Сент-Луис. Нахлобучив оранжевые каски, как того требовали правила безопасности, посетители усаживались в подземный поезд и, замирая от страха, завороженно таращились на гигантский лабиринт из галерей, вырытых больше сотни лет назад людьми, большинство которых здесь же и расстались с жизнью. Вдоволь наохавшись и наахавшись, туристы вылезали на поверхность, переполненные впечатлениями — еще бы, им удалось прикоснуться к живой американской истории, а после затхлого воздуха подземелий так приятно дышалось на свежем ветру...

И никто из них не догадывался, что таилось там, внизу, за пределами экскурсионного маршрута.

Кабина лифта замедлила спуск, и пожилой бизнесмен, зевая, надел каску. Он уже чувствовал усталость — этот день начался для него в пять утра, а теперь уже было почти одиннадцать вечера. Организм требовал отдыха, но ни за что на свете Марк Дэвисберри не проспал бы запуск нового экспериментального модуля, на разработку которого он потратил пятьдесят шесть миллионов долларов. Смешная сумма, если учесть, что с помощью этого модуля будет сделано самое ошеломительное открытие в истории человечества.

Лифт остановился с глухим скрежетом. Секции металлической дверцы сложились гармошкой, и Дэвисберри ослепил мощный свет прожектора, вмонтированного в неровную стену шахты. На фоне яркого пятна проявился силуэт местного сотрудника.

— Добрый вечер, сэр, — сказал он; голос раскатился эхом под каменными сводами.

Бизнесмен ответил кивком и, подняв воротник, прошел мимо плаката, поздравлявшего посетителей с тем, что им посчастливилось пережить спуск под землю на расстояние, в полтора раза превосходящее высоту Эмпайр-стейт-билдинг. Затем он уселся в вагонетку маленького подземного поезда, служитель занял место машиниста, и состав тронулся в путь, немилосердно громыхая на старых, плохо пригнанных рельсах.

Минут десять они следовали по туристическому маршруту — этот участок был освещен такими же мощными прожекторами, как у лифта, на стенах были щиты с историческими справками, а по обочинам воспроизведены сценки из шахтерской жизни: то тут, то там манекены с чумазыми лицами долбили стены кирками или толкали вагонетки, груженные гематитом.

Дальше сделалось холоднее, яркое освещение экскурсионной зоны сменилось полумраком. Теперь громыхание исчезло — колеса пошли как по маслу, слышался только рокот электрического мотора, а фары головного вагончика освещали лишь часть туннельных стен, скалистый свод тонул во мраке.

Дэвисберри скрестил руки на груди и сгорбился, стараясь сохранить тепло — сырой промозглый воздух пробирал до костей. Тут поезд остановился, машинист, соскочив с сиденья, перевел стрелки с помощью длинного рычага, и состав свернул в боковой туннель, узкий и низкий. Здесь Марк Дэвисберри всегда чувствовал себя хорошо — вдали от чужих взглядов, в сотнях метров под землей. Бизнес и связанная с ним суета были для него всего лишь необходимостью, долгом и средством достижения более важной цели — завершения проекта, результаты которого потрясут весь мир.

Это был их общий проект — Марка Дэвисберри и Натаниэла Эванса, познакомившихся на службе в ЦРУ. Они сразу сошлись во взглядах и убеждениях, почувствовали духовное родство и решили работать вместе. Натаниэл был ученым и занимался исключительно исследовательской частью проекта, а Дэвисберри обеспечивал его всем необходимым — как мог добывал деньги и материалы, оборудование и транспорт. С продлением программы «МК-Ультра» им подвернулась прекрасная возможность, и Дэвисберри немедленно добился щедрого финансирования для уже набиравшего обороты проекта. В итоге их тандем получил необходимые условия для плодотворной работы, и все шло без запинки многие годы. Кое-кто думал, что скандал вокруг «МК-Ультра» и парламентское расследование деятельности ЦРУ положат этому конец, но приобретенные за время службы в разведуправлении связи и влияние, а также особое положение, которое их проект занимал в научно-исследовательской программе в разгар холодной войны, помогли Дэвисберри и Эвансу выторговать себе еще два года на острове, а затем продолжить исследования тайно. В девяностых первый этап проекта был завершен, и они перешли ко второму.

Вот тогда-то Дэвисберри неожиданно для непосвященных и стал щедрым спонсором Высшей школы физики и астрономии, которая располагала собственной научно-исследовательской базой в Соуденских рудниках. Чтобы не привлекать к себе внимания из-за особого интереса к отдельно взятому техническому вузу, бизнесмен начал финансировать и другие учебные заведения, чьи нравственные установки совпадали с его собственными. Среди них оказался и университет «Либерти». План сработал превосходно и, помимо прочего, сделал Дэвисберри влиятельной фигурой в системе образования.

Поезд затрясся и остановился под визг тормозов. Выйдя из вагонетки, старик прошел несколько метров в полной темноте по земле, смешанной с гравием.

— Я вам еще нужен? — спросил машинист.

— Позвоню вам, когда соберусь возвращаться.

— Понял, сэр.

Поезд тронулся в обратный путь, и вскоре уже были видны только пятна света от фар на каменных стенах туннеля.

Дэвисберри сделал еще несколько шагов во мраке, и тут сработал автоматический фонарь. Налево, перпендикулярно туннелю, уходила короткая галерея, в конце которой была металлическая дверь со штурвальным засовом. Набрав код и крутанув рукоятку, Дэвисберри оказался в маленькой шлюзовой камере, обитой листовым металлом. Красная лампочка под потолком рассеивала тусклый свет. Тяжелая металлическая дверь с глухим стуком закрылась за спиной, громыхнул запорный механизм.

Бизнесмен снова набрал шестизначный код на цифровой клавиатуре и поднял глаза к видеокамере, через которую за ним наблюдал охранник.

— Добрый вечер, мистер Дэвисберри, — раздался голос из динамика. — Открываю.

Внутренняя дверь распахнулась, и Марк Дэвисберри переступил порог, скользнув взглядом по названию секретной лаборатории, состоящему из прописных букв: «МИНОС».

Глава 32

За двадцать минут до прибытия «Евростар» на вокзал Святого Панкратия в Лондоне в среду 24 февраля Кристофер и Сара уже стояли у дверей вагона в тамбуре, опередив даже самых расторопных деловых людей.

Было всего 10:30 утра, а вылет с военного аэродрома в Бриз-Нортоне был назначен на 19:15, однако о том, чтобы позволить себе расслабиться, и речи не шло. Им предстояло сначала добраться на такси до Паддингтонского вокзала, оттуда поездом доехать до Оксфорда и уже там взять напрокат машину, чтобы отправиться в Бриз-Нортон.

Не успел «Евростар» остановиться, а Сара и Кристофер уже выскочили на перрон и зашагали, чуть оторвавшись от небольшой толпы пассажиров, к выходу, нашли указатель стоянки такси и были одними из первых занявших черный кеб[1]. Машина тотчас сорвалась с места и поехала в сторону Паддингтонского вокзала.

Они так спешили, что не обратили внимания на двоих преследователей. Заказчик снабдил Джоанну и Хоткинса фотографией Кристофера, так что им не составило труда рассмотреть его во главе толпы и плотно сесть на хвост.

Наемные убийцы тоже взяли такси и велели шоферу следовать за черным кебом.

Дорога до Паддингтона, однако, заняла больше времени, чем рассчитывали Кристофер и Сара, — бесконечные лондонские пробки сильно замедлили продвижение, и вместо десяти минут понадобилось добрых полчаса, чтобы добраться до вокзала.

---

[1] К е б — традиционное английское такси.

Оказавшись на месте, Сара и Кристофер сразу бросились в кассу, где с облегчением узнали, что поезда в сторону Оксфорда отправляются каждые десять минут. Это означало, что в университетском городке они будут уже к полудню.

Джоанна и Хоткинс заняли места в другом конце вагона. Их задачей было ликвидировать объект и его спутницу до того, как они взойдут на борт самолета, отправляющегося на остров Вознесения из Бриз-Нортона. И единственным местом, где можно было это проделать беспрепятственно, убийцам казался пятикилометровый участок сельской дороги между съездом с автомагистрали А40 и окраиной Бриз-Нортона.

В Оксфорде Сара и Кристофер потеряли целый час, пытаясь взять в аренду машину — желающих в этот день оказалось много, персонал не справлялся.

В 13:15, когда они уже минут десять ехали по А40 со скоростью, обычной и для французских загородных шоссе, трафик вдруг замедлился. Поначалу они подумали, что образовался случайный затор и движение сейчас восстановится, однако пробка все росла, машины встали намертво, а далеко впереди поднимался столб черного дыма. Водители начали выходить на дорогу, чтобы посмотреть, что творится, и в конце концов выяснилось, что впереди перевернулась здоровенная цистерна — шофер в последний момент увидел перебегавшее автомагистраль животное, ударил по тормозам и не справился с управлением. Теперь цистерна горела посреди дороги, полностью перекрыв проезд. То есть было очевидно, что все застряли здесь надолго. По обочинам росли густые кусты и деревья, так что объехать пробку или вырулить на параллельную дорогу не представлялось возможным.

Кристофер и Сара, переминаясь с ноги на ногу от нетерпения возле арендованного автомобиля, подсчитали, что им понадобится около шести часов, чтобы добраться до военного аэродрома в Бриз-Нортоне пешком, притом идти надо в быстром темпе и без остановок, а на такое была способна только Сара с ее отличной физической подготовкой. В общем, их шансы успеть на самолет внезапно уменьшились и неумолимо стремились к нулю.

В небе застрекотал вертолет — помощь прибыла по воздуху, и они, сев обратно в машину, решили еще немного подождать в надежде, что через час дорога все-таки будет расчищена. Небо заволокло тучами, казалось, что уже наступают сумерки, хотя не было еще и двух часов дня.

— Мы не успеем! — около трех выпалил Кристофер, теряя терпение. — Уже полтора часа тут торчим!

— Время еще есть.

Заметив, что он не сводит глаз с вертолета, который все еще маневрировал над дорогой в километре от них — цистерну уже потушили, теперь ее нужно было оттащить с полотна, — Сара покачала головой, догадавшись, о чем он думает:

— Даже если мы угоним вертолет, вряд ли нам удастся тайком приземлиться в поле рядом с военной базой и как ни в чем не бывало дойти до аэродрома. Боюсь, это не понравится ни военным, ни полиции.

— Я понимаю, — хмыкнул Кристофер, — идея глупая, но что будет, если мы застрянем тут еще на час? Ведь тогда...

— Вопрос снимается, — перебила Сара. — Кажется, тронулись.

Дорожная полиция наконец расчистила одну полосу автомагистрали, чтобы стоявшие в пробке машины могли проехать мимо места аварии. Пробка стала рассасываться. Кристофер так обрадовался, что рванул с места в карьер, и машина наподдала по бамперу замешкавшейся впереди «вольво», разбив той фару. Из тормознувшей «вольво» выскочил бритый водитель, осыпая проклятиями обидчика, машины сзади яростно засигналили — всем не терпелось уехать. Кристофер выругался сквозь зубы.

— Давай я поведу, — сказала Сара и, не дожидаясь согласия, вышла на дорогу и обогнула машину.

Джоанну и Хоткинса, стоявших в той же пробке, от них отделял один автомобиль. Увидев, как спутница Кристофера выходит из машины, бывший морпех тоже рванулся наружу, решив, что цель собирается сбежать. Сара, уже садясь за руль, заметила его краем глаза, но подумала, что это нервный водитель хочет их поторопить. Дождавшись своей очереди выехать на расчищенную полосу, она влилась в поток выезжавших из затора автомобилей.

Еще через час Сара свернула с А40, увидев указатель «Бриз-Нортон», проехала по мосту над автомагистралью и вырулила на скромную сельскую дорогу, петлявшую по полям между рощами. Уже наступал вечер, да и погода была такая пасмурная, что пришлось включить фары, чтобы не влететь в густые заросли на обочине или в колдобину.

— Кажется, у нас проблема, — вдруг сказала Сара.

— Что такое? — забеспокоился Кристофер.

— Машина позади, видишь? Она тоже стояла в пробке и единственная из всего потока свернула за нами к Бриз-Нортону.

— Ну и что? Может, они тоже едут на аэродром.

— Парень в машине, увидев, как я вышла, чтобы пересесть за руль, странно отреагировал — дернулся за мной. Похоже на профессиональный рефлекс.

Она бросила настороженный взгляд в зеркало заднего обзора и почти не удивилась, когда машина позади внезапно резко прибавила скорость. Сара тоже вдавила педаль газа так, что Кристофера вжало в спинку сиденья.

— Пристегнись потуже, — велела она.

Два автомобиля теперь мчались друг за другом на скорости больше 110 километров в час при допустимых на этой дороге 70 километрах в час. Малейшая ошибка водителя могла закончиться полетом в кусты.

Джоанна пыталась догнать и подрезать Сару, но той удавалось сохранять небольшой отрыв. Мотор надсадно ревел на пределе возможностей.

— Кто они? — спросил Кристофер.

Сара взглянула на экран GPS — до аэродрома оставалось два километра, а машина преследователей была мощнее, так что они вполне могли выиграть гонку.

— Если они нас догонят, все закончится плохо. Держись!

Кристофер схватился за поручень над окном и надежней уперся ногами в пол. Когда Сара ударила по тормозам, его бросило вперед так, что ремень безопасности врезался в грудь. Оглушительно завизжали покрышки, оставив на асфальте черный след.

Машина преследователей тоже встала как вкопанная всего в нескольких метрах от них. Сара, дав задний ход, вкатилась в заросли на обочине, ломая кусты.

— Как только я остановлюсь, вылезай и беги прямо к аэродрому, не оборачиваясь! — Она отстегнула ремень безопасности Кристофера, одновременно выкручивая руль; проехать дальше не удавалось — мешали деревья. — Беги! Я догоню!

Кристофер вывалился из машины в кусты и, прикрывая лицо предплечьями, ломанулся скозь ветки. Ширина полосы зарослей на обочине составляла метра три-четыре — дальше простирался огромный луг, казавшийся в лучах выглянувшего вдруг закатного солнца зеленой гладью пруда.

Выскочив из зарослей вслед за Кристофером, она убедилась, что он мчится прямым курсом, не оглядываясь и никуда не сворачивая, затем пробежала за ним несколько метров и спряталась за куст. В тот же момент затрещали ветки — подоспели преследователи и, увидев Кристофера на горизонте, вдвоем бросились догонять. Сара, затаившись, пропустила сначала мужчину, затем женщину, выскользнула из своего укрытия и устремилась за ними.

Она быстро настигла Джоанну — та, услышав топот, обернулась, и Сара, не дав противнице времени отреагировать, прыгнула вперед, обхватила ее за талию и опрокинула на землю. Хоткинс на бегу оглянулся, однако вмешиваться не стал — предоставил напарнице самой разобраться с врагом и продолжил преследовать главный объект.

Оседлав Джоанну, Сара наносила ей удары, метя в лицо, но та ловко закрывалась предплечьями, а затем, неожиданно крутанув бедрами, скинула ее с себя, уложив на спину, и навалилась сверху.

Кристофер тем временем уже видел в сотне метров огни. «Аэродром! Осталось совсем чуть-чуть!» — мелькнула мысль, но радость тотчас сменилась страхом — он услышал размеренный топот в нескольких метрах за спиной, бросил взгляд через плечо и в наступивших сумерках увидел сосредоточенное лицо преследователя.

— На самолет ты не сядешь! — рявкнул бывший морпех по-английски с гнусавым выговором американского Среднего Запада.

Сейчас Кристофер уже не мог рассчитывать на Сару — нужно было действовать самому, и единственная надежда была на собственные ноги. Он свернул к зарослям, чтобы выбраться на подъездную дорогу.

А в сотне метров позади Сара, прижатая к земле, судорожно пыталась вдохнуть — Джоанна вцепилась ей в горло обеими руками. Разжать эту железную хватку было невозможно, тогда Сара кончиками пальцев нащупала на земле камень, дотянулась до него, нанесла противнице удар, но та вовремя заслонилась плечом. Тем не менее это заставило Джоанну немного ослабить хватку и пригнуть голову. Воспользовавшись этим, Сара ткнула ее большим пальцем в глаз. Джоанна, вскрикнув от боли, шарахнулась назад, разжав руки, и Сара отшвырнула ее в сторону, а в следующую секунду, пружинисто вскочив, вырубила ударом ноги в голову. Не дав себе даже перевести дух, Сара вгляделась в сгустившуюся темноту — впереди маячили огни аэродрома, она надеялась, что Кристофер уже там, в безопасности.

— Стойте, стойте! Задержите взлет! — заорал в это время журналист, из последних сил преодолевая последние метры по темной дороге.

Хоткинс уже дышал ему в затылок, протянул руку и коснулся плеча. У Кристофера разрывались легкие, сердце грозило вот-вот остановиться, он не мог бежать быстрее. Хоткинс схватил его за плечо.

Кристофер почувствовал себя добычей хищника, который вот-вот перегрызет своей жертве хребет, и в этот момент их обоих осветили лучи мощных прожекторов. Хоткинс, получивший приказ действовать осторожно и не поднимать шума, тотчас выпустил добычу.

На мгновение растерявшись, Кристофер опомнился и бросился бежать дальше.

— У меня билет на рейс до острова Вознесения! Подождите!

Пробежав еще несколько метров, он оказался перед железными воротами военной базы. Двое часовых настороженно смотрели на гостей, положив пальцы на спусковые крючки автоматов.

— Стоять! — приказал один из солдат.

— Я... прошу... прощения, — задыхаясь, выговорил по-английски Кристофер, согнувшись и упираясь ладонями в колени. — На шоссе... на А40 была жуткая пробка... мы опаздывали... пришлось срезать путь... пешком...

Солдат сделал ему знак подойти и потребовал предъявить билет.

— Билеты... у жены в смартфоне... электронные. — Кристофер никак не мог отдышаться. — Она отстала, — добавил он, всматриваясь в темноту над лугом.

— Вы вместе? — спросил военный, переводя подозрительный взгляд с него на медленно подошедшего Хоткинса и обратно.

Кристофер решил не будить у часовых лишних подозрений:

— Да и нет. Мы приехали на одном автобусе, а потом вместе шли пешком. Верно?

Хоткинс подтвердил кивком.

— Ваш билет? — обратился к нему солдат.

Бывший морпех достал из кармана и протянул ему билет, но часовой вдруг поднял руку, заметив на дороге силуэт женщины.

Хоткинс и Кристофер обернулись одновременно. К ним быстро шагала Сара, тоже запыхавшаяся. Ей хватило одного взгляда, чтобы оценить всю деликатность ситуации.

— Простите за опоздание, но я не такая выносливая, как мой спутник, — широко улыбнулась она часовым.

Кристофер мысленно оценил ее иронию.

— К тому же споткнулась и упала, — добавила Сара, чтобы оправдаться за испачканную в земле и траве одежду.

Военный кивнул в знак понимания.

— Ваши билеты, пожалуйста. А также паспорта и визы.

Сара и Кристофер протянули ему паспорта и смартфон с электронными билетами; Хоткинс между тем постоянно оборачивался в надежде увидеть Джоанну.

— А визы? — напомнил часовой.

— Вы должны были получить специальное распоряжение насчет нас двоих по радиосвязи, — сказала Сара.

Военный, недоверчиво взглянув на нее, связался по рации с начальством — ему подтвердили, что Кристоферу Кларенсу и Саре Герринген пребывание на острове Вознесения разрешено особым приказом.

— Хорошо, вы можете пройти на аэродром. Ваш паспорт и визу, сэр, — обратился он к Хоткинсу.

Бывший морпех обернулся в последний раз — напарница так и не появилась, а обе визы были у нее.

— Подруга запаздывает, пойду ее искать. Мы сейчас вернемся. — Хоткинс побежал обратно по дороге.

Оказавшись на территории аэродрома, Кристофер и Сара уже без спешки зашагали бок о бок.

— Что ты с ней сделала?

— Потом расскажу.

— Она мертва?

— Нет, конечно. Нам же придется возвращаться через Бриз-Нортон. Если в окрестностях аэродрома найдут труп, нас арестуют сразу по прибытии.

— Но тогда убийцы полетят с нами?

— Это вряд ли, — покачала головой Сара и, достав из кармана две пластиковые карточки с надписью «Visa», помахала ими у Кристофера перед носом. На одной была фотография Джоанны, на другой — Хоткинса. — Когда им удастся получить копии, мы будем уже далеко.

У Кристофера не было сил, чтобы выразить радость, но в глубине души он возблагодарил высшие силы за то, что послали ему Сару.

В маленьком зале аэродрома они еще раз прошли контроль.

— Счастливого пути, — сказал военный за стойкой регистрации, возвращая им паспорта и смартфон с электронными билетами. — Ваш рейс отправится по расписанию. Пройдите через ворота А.

Сара на всякий случай удостоверилась, что больше их никто не преследует.

По бетонированной площадке аэродрома гулял ледяной ветер, лез в прорехи разорванной куртки — Сара, еще мокрая от пота после схватки с Джоанной, подняла повыше воротник свитера и вслед за Кристофером поднялась по трапу на борт А330, ожидавшего только их, чтобы оторваться от земли и отправиться в ночной полет, который продлится почти девять часов.

В салоне обоих охватило странное чувство — стюардессы не было, никто их не встречал, пассажиров оказалось всего трое. Двое мужчин в военной форме спали, разлегшись каждый на трех сиденьях. Один гражданский — лет сорока, с усталым лицом — смотрел в иллюминатор отсутствующим взглядом. Было по-ночному тихо.

Сара, сверившись с билетами, указала Кристоферу на два кресла в самой середине самолета, пропустила его вперед и села со стороны прохода.

— Не любишь иллюминаторы? — спросил он.

— Тебе нужно отвлечься, смотри в окошко, — отозвалась Сара, с наслаждением вытянув ноги.

Стюардесса все-таки появилась — вышла из кабины пилотов, задраила входной люк, затем разбудила двух военных и удостоверилась, что все пятеро пассажиров пристегнули ремни безопасности.

Кристофер, прислонившись виском к раме иллюминатора, все это время высматривал в темноте убийцу и его спутницу, но ни на площадке, ни за ее пределами не было видно ни души.

А330 вздрогнул и покатился вперед, несколько раз свернул, выруливая на взлетную полосу, ускорился и через несколько сотен метров оторвался от земли. Только после этого Кристофер, откинувшись на спинку сиденья, издал глубокий вздох облегчения.

— Кто все-таки были эти люди? — повернул он голову к Саре.

Она пожала плечами:

— Ну, если не считать того, что их наверняка нанял тот самый человек, которому твой отец звонил перед самоубийством... я про них ничего не знаю.

— Они полетят следующим рейсом, но это уже не важно — на острове у нас будет только восемь часов на то, чтобы найти секретную лабораторию и оставшиеся там материалы до истечения установленного Лазарем срока. А мы понятия не имеем, где искать! — Кристофер потер виски так, что кожа покраснела, но тут же опустил руки и вцепился в коленки, чтобы не было видно, как дрожат пальцы.

— Успокойся, — мягко сказала Сара. — Смотри-ка, в кармане того сиденья есть туристические брошюры про остров Святой Елены и остров Вознесения. Принесешь?

Он поднялся, перешагнул через ее ноги и вернулся с двумя рекламными проспектами.

— Все-таки здорово вас тренируют в норвежской полиции, — покосился он на спутницу, усаживаясь обратно. — Даже представить себе не могу на твоем месте какого-нибудь французского инспектора... То есть я хочу сказать, что не все умеют так быстро решать проблемы, связанные с угрозой жизни...

Сара молча полистала брошюру, затем взглянула на него:

— Я три года отслужила в норвежском спецназе, а до этого четыре года в армии. В полицию, на должность инспектора, пришла меньше пяти лет назад.

— Ты начинала в армии? — удивился Кристофер.

— Угу.

— Я понимаю, что сейчас не время для таких разговоров, но это поможет мне отвлечься. К тому же у меня всего один вопрос.

— Я тебя слушаю, — проговорила Сара, не отрывая взгляда от брошюры.

— Что может заставить женщину пойти служить в армию?

Она подняла голову:

— То же самое, что может заставить мужчину выбрать профессию военного журналиста.

— О'кей, вопрос, конечно, сексистский, но для женщины армия — это ведь и правда странный выбор, разве нет?

Сара опустила столик на спинке сиденья впереди и положила на него брошюру. Затем откинула волосы назад и посмотрела на Кристофера:

— Тебе действительно поможет... болтовня?

Он пожал плечами:

— Отвлечет от тревожных мыслей.

— Ладно. Мой отец занимался тем же, чем и ты, до того как тебя избрали своим кумиром неокрепшие умы в Сорбонне. — Сара улыбнулась, показывая, что пошутила. — В общем, папа тоже был военным журналистом. И тоже французом. Он часто надолго уезжал из дома, а когда возвращался, не мог оставить за порогом все те ужасы, которые видел в горячих точках. Не мог держать это в себе и рассказывал нам с матерью и сестрой о том, что там происходило у него на глазах. Ящики рабочего стола он не запирал на ключ, и я, забираясь туда без спроса, рассматривала фотографии. В основном гражданского населения. Так что, в отличие от многих, я выросла, прекрасно зная о том, что беды не минуют ни детей, ни женщин и что страдания слабых и невинных будут длиться до тех пор, пока им не положит конец какая-нибудь высшая сила.

Кристофер покивал — он лучше, чем кто-либо, мог понять, о чем говорит Сара. И сочувствовал ей, несмотря на собственные переживания о Симоне.

— Когда настало время выбирать профессию, родители настаивали, чтобы я пошла в какой-нибудь престижный университет. Они были разочарованы тем, что моя сестра не стала получать высшее образование. А я заявила, что хочу вступить в армию, чтобы помогать тем, кто в этом нуждается. Родители в панике попытались пристроить меня на экономический факультет, тогда я сказала, что принесу больше пользы, спасая женщин от смерти, а не впаривая им косметику, с помощью которой они каждый день превращают себя в отфотошопленные манекены.

При других обстоятельствах Кристофера позабавила бы такая формулировка, но сейчас у него не было сил смеяться.

— Вот почему женщина может пойти служить в армию, — заключила Сара. — Чтобы не пользоваться косметикой. Достаточно сексистский ответ на сексистский вопрос? — Она отвернулась.

Кристофер догадывался, что Сара не из тех, кто любит откровенничать о своей жизни, да и вообще предаваться душевным излияниям, а это означало, что она сделала над собой титаническое усилие, чтобы его «развлечь» — как-то успокоить и унять страхи, не дававшие ему взять себя в руки. Требовать от нее большего было бы попросту невежливо. Но Кристофера волновал еще один вопрос, и ответ ему нужен был для того, чтобы окончательно ей довериться. Даже если при этом он рисковал вызвать ее раздражение.

— Почему ты ушла из армии?

Сара снова устремила на него взгляд светло-голубых глаз — почти с вызовом.

— Да уж, ты настоящий журналист — чувствуешь, что нужно оставить жертву в покое, но продолжаешь задавать вопросы.

Кристофера это замечание задело — он растерялся и не знал, что ответить. Сара еще некоторое время смотрела на него не моргая, затем опять молча отвернулась к проходу между рядами.

Он не решился еще раз ее потревожить. В конце концов, какие еще доказательства того, что этой женщине можно довериться, ему нужны? Она здесь, рядом, и этого достаточно. И еще Кристофер знал — Сара, хоть и не подает виду, все равно благодарна ему за то, что он не настаивает на продолжении беседы.

А Сара, даже если бы он настоял, вовсе не собиралась рассказывать ему о событиях на северо-западе Кандагара в тот проклятый день, когда их патруль проходил мимо пшеничного поля. О страхе, который ее охватывал каждый раз при виде безобидных на первый взгляд афганских крестьян. Эти люди, простые афганцы, думали лишь о том, как прокормить свои семьи и спасти близких от кошмара, который неминуемо обрушивался на них с наступлением сумерек — в дом врывались талибы и требовали ответа, почему они днем не перебили «неверных». Нет, об этом она ни за что не будет говорить. И прежде всего — о своей чудовищной ошибке. Кристофер, с его опытом военного репортера, конечно же поймет, что поступить иначе было невозможно — Сара в нем не сомневалась, — но на его лице все равно мелькнет осуждение, возможно даже отвращение, и она этого не вынесет.

Поэтому Сара опять открыла брошюру, посвященную острову Вознесения, и по примеру Кристофера погрузилась в чтение — нужно было найти хоть какую-то зацепку, которая поможет им установить местоположение старого научно-исследовательского центра. Через час светильники над проходом в салоне погасли — пассажирам предлагалось поспать во время ночного полета над океаном. Бодрствовали только Сара и Кристофер, уткнувшись носом в брошюры при тусклом свете лампочек над сиденьями.

Остров Вознесения обладал очень богатой историей для крошечного вулканического рифа, отданного на растерзание ветрам и безжалостному солнцу в самом сердце Атлантического океана.

В XIX веке он был оккупирован британской армией с целью помешать французам создать там штаб для освобождения Наполеона с острова Святой Елены, а во времена Второй мировой войны служил секретной базой для связи США с Европой. Именно тогда там и была построена протяженная взлетная полоса, которая в дальнейшем использовалась в качестве запасной площадки для знаменитых космических шаттлов. НАСА развернуло здесь, вдали от любопытных взглядов, часть программы по исследованию космоса — этот клочок земли с каменистой почвой показался ученым идеальным местом для испытания первых луноходов. А некоторые журналисты поговаривали, что именно на острове Вознесения были сняты постановочные кадры первых шагов астронавтов на Луне, выданные за документальные.

Кристофер закрыл брошюру, озабоченно вздохнув — он боялся, что лаборатория, где проводились эксперименты в рамках проекта «488», находится на территории британско-американской военной базы, действующей до сих пор. Если так, проникнуть туда не получится.

Глаза щипало от напряжения; он откинулся на спинку кресла и повернул голову к Саре. Они уже час не разговаривали и не смотрели друг на друга, и только теперь Кристофер заметил, как осунулось ее лицо и покраснели белки глаз — она тоже вымоталась.

— Появились какие-нибудь идеи? — спросил он.

— Фотография твоего отца.

— Не понял...

— Фотография твоего отца, — терпеливо повторила Сара. — Это единственное, что поможет нам найти место, где находится лаборатория.

— Да, нужно сравнить горный пейзаж на дальнем плане снимка с тем, что мы увидим на острове... Если только лаборатория не за забором военной базы...

— Я думала об этом, — кивнула Сара. — Но вряд ли армейское начальство скрывает на своей территории научно-исследовательский центр проекта, который правительство распорядилось закрыть.

Решив, что это разумный довод, Кристофер слегка расслабился.

— У нас семь часов на то, чтобы собраться с последними силами, — напомнила Сара. Откинув спинку кресла, она накрылась одеялом и повернулась на бок.

Кристофер не возражал. В полутьме и тишине салона самолета все произошедшее казалось ему еще более нереальным, чем раньше. Зато тревога была очень даже настоящей и не собиралась утихать.

Его веки сомкнулись в тот самый момент, когда военный самолет лег на крыло, разворачиваясь над Атлантическим океаном, и взял курс на юго-запад, к острову Вознесения, быстро удаляясь от африканского побережья.

ГЛАВА 33

Проснулся Кристофер за два часа до того, как А330 начал снижаться на подлете к месту назначения, и теперь он, прижавшись лбом к иллюминатору, с нетерпением ждал, когда внизу появятся очертания острова, о котором ему до вчерашнего дня и слышать не доводилось.

Самолет нырнул в кучевые облака, а потом за иллюминатором вдруг оказалось ярко-синее небо, сливавшееся внизу с лазурью океана в россыпи белопенных барашков на волнах. И остров был там — неровный каменный треугольник площадью всего несколько десятков квадратных километров выныривал посреди безбрежной Атлантики, в тысяче шестистах с лишним километрах от обоих континентов. Его вулканическое происхождение выдавал древний кратер, верхушку которого прикрывали разбросанные вокруг на сотню километров редкие белые облака. Пятна зелени маячили только на склонах этого вулкана — остальное пространство острова было разорено буйными ветрами, раскрасившими его в охристый и угольно-черный цвета. Пыль и камни, больше ничего. Кристоферу сверху казалось, что он приближается к гигантской заброшенной шахте под открытым небом. Никаких строений не было видно — только несколько бараков на конце короткой и узкой взлетно-посадочной полосы, к которой стремительно снижался А330.

Сара проснулась, когда шасси коснулись асфальта, и сразу сощурилась, ослепленная заглянувшим в иллюминатор солнцем. Самолет замедлил скорость — она рассмотрела за бортом пустынный ландшафт без деревьев. Сразу почудилось, что они оказались где-то вне времени и пространства или на другой планете, больше похожей на Марс, чем на Землю.

— Отец и двое его коллег могли сфотографироваться только на фоне вулкана, других гор здесь нет, — доложил Кристофер. — По крайней мере, с воздуха я не рассмотрел больше никаких возвышенностей на острове. Так или иначе, лабораторию нужно искать где-то на склоне или у подножия.

Сара кивнула и, поднявшись с кресла, пошла к выходу, опередив других пассажиров. Стюардесса, стоявшая у открытого люка, посоветовала всем закрыть лицо и, едва ступив на трап, Кристофер, догнавший спутницу, понял почему — в лицо изо всех сил ударил соленый ветер, в котором брызги смешались с земляной пылью и песком, поднятыми с посадочной площадки. Заслонив глаза ладонью, пассажиры один за другим спустились по ступенькам.

Вдалеке ворчал прибой, мощно накатывая на скалы; с ним мерялся силой шквалистый ветер — неугомонно налетал на гостей, рвал волосы, трепал одежду. Сара и Кристофер торопливо зашагали к скромному зданию аэропорта, тоже казавшемуся заброшенным и пришедшим в запустение, как и весь остров.

Единственный полицейский, принимавший пассажиров на пропускном пункте, судя по виду, страдал синдромом хронической усталости. Когда формальности были улажены, Сара с Кристофером вышли с другой стороны аэропорта и очутились в городе-призраке Джорджтауне. Путь пересекала единственная улица без тротуаров. Напротив дремало какое-то унылое серо-белое строение с закрытыми ставнями и плоской крышей; рядом прикорнуло другое, поменьше, над которым вяло плескался на ветру британский флаг. Машин на улице не было, только стоял на обочине бурый ослик и, постукивая задним копытом, ждал у моря погоды.

— Ну и дыра... — пробормотал Кристофер.

Им с Сарой, единственным, кроме ослика, живым существам в обозримом пространстве, на краю безлюдной дороги, по которой ветер гонял клубы земляной пыли и песка, не было необходимости делиться впечатлениями — каждый и так знал, о чем думает другой. А думали они о том, что Натаниэл Эванс и его команда недаром выбрали этот остров для проведения секретных экспериментов. Здесь, на клочке земли, отрезанном от мира и течения времени, обоим казалось, что их жизнь в Париже и в Осло отошла далеко в прошлое, превратившись в воспоминания.

— Четыре пятнадцать утра во Франции и пять пятнадцать на острове. У нас осталось меньше восьми часов до истечения срока, назначенного Лазарем, — сказал Кристофер.

— Вон там, за поворотом справа, должен быть магазин, который еще и машины напрокат сдает. Я прочитала об этом в брошюре.

По пути к магазину Кристофер вдруг поймал себя на том, что ему хочется взять Сару за руку, он даже уже протянул ладонь, но тут же отдернул ее в надежде, что спутница не заметила этого жеста. Сара конечно же заметила и, несмотря на внешнее равнодушие, немного расстроилась оттого, что он передумал. Впрочем, она сразу же мысленно сказала себе, что это неуместная блажь, вызванная избытком адреналина, тремя ночами, проведенными рядом с этим мужчиной, и желанием хоть как-то заглушить душевную боль от разрыва с Эриком.

Не подав и виду, что разволновалась, она остановилась перед дверью скромного магазинчика, которая оказалась заперта. Выругавшись, Сара забарабанила в створку кулаком, а Кристофер тем временем обошел маленькое строение вокруг. Ставни были закрыты — он постучал, крикнув по-английски, что им срочно нужна машина. Наконец ставни распахнулись — выглянул человек со светлыми, добела выгоревшими на солнце волосами, потребовал не шуметь и поплелся открывать входную дверь. Впустив нежданных утренних посетителей в магазин, он сонно облокотился на стойку, ворча проклятия в адрес неугомонных туристов.

Через десять минут Сара и Кристофер уже сидели в кабине пикапа, снятого за тридцать ливров в день. Заодно, раз уж продавец проснулся, они купили фруктов, сэндвичей и воды, два фонарика и новый, подробный туристический путеводитель по острову Вознесения.

— Послушай, что тут написано, — сказала Сара севшему за руль Кристоферу, который пытался по карте разобрать дорогу к вулкану, и прочитала: — «Гарден-коттедж» на самой вершине Грин-Маунтин — древнейшее сооружение острова Вознесения. Построенный около тысячи восемьсот двадцатого года, он воплощает в себе архитектурные... бла-бла-бла... Вы безусловно оцените уют и высокий уровень сервиса в этом гостиничном комплексе, принадлежащем прямым потомкам первых португальских колонистов, которые открыли остров в тысяча пятьсот первом году. Хозяева «Гарден-коттедж» откроют вам все тайны вулкана Грин-Маунтин и его окрестностей».

— Типичная завлекалка для туристов, — прокомментировал Кристофер. — Но у нас, в общем-то, нет выбора. Может, хозяева гостиницы и правда знают что-нибудь такое, что поможет сэкономить время.

Кабина, где застоялся запах плесени, немного проветрилась, они захлопнули дверцы, запрограммировали навигатор на маршрут к вершине Грин-Маунтин, и Кристофер на полной скорости погнал пикап по главной дороге на запад.

Минут через десять пейзаж, являвший собой красную марсианскую пустыню, внезапно преобразился. Пустоши с обломками скал, как будто упавшими с неба, уступили место пальмам, зарослям гигантского папоротника и прочей буйной зелени, постепенно принимавшей масштабы тропического леса.

Пикап свернул на ухабистую кривую дорогу, которая змеей извивалась вверх по склону, воздух мало-помалу набухал влажностью, а вскоре они нырнули в густой туман — это были те самые облака, что Кристофер видел сверху, из иллюминатора.

Он зажег фары, то и дело поглядывая на циферблат часов приборной панели, и слегка сбросил скорость, жалея, что приходится терять время. Но желтоватый свет проигрывал в битве с туманом — Кристоферу с трудом удавалось рассмотреть край серпантина, за которым начинался обрыв. Заложив пять крутых виражей, дорога привела их к указателю с надписью «Вершина Грин-Маунтин». Кристофер на радостях ударил по газам и, в очередной раз покосившись на циферблат, следя за временем, не заметил выбоину на дороге впереди — пикап тряхнуло и вынесло на самый край пропасти. Схватившись за руль, отпущенный журналистом от неожиданности, Сара крутанула его в обратном направлении. Кристофер в это время, по счастью, рефлекторно нажал на педаль газа, а не на тормоз. Прошуршав покрышками по скату, машина на две страшные секунды зависла левым передним колесом над обрывом, оно прокрутилось в пустоте, Сара резко отклонилась вправо, чтобы создать противовес, и пикап благополучно вынесло обратно на дорожное полотно.

Ошарашенный Кристофер уставился на спутницу, но ей хватило ума не ругать его за невнимательность. Переведя дух, Сара указала пальцем на возникшую из тумана вывеску, и, молча кивнув, Кристофер подогнал машину поближе.

ГАРДЕН-КОТТЕДЖ
Домики сдаются круглый год!

Здесь от серпантина сворачивала в густые заросли узкая подъездная дорожка. По бортам и окнам пикапа с обеих сторон забарабанили ветви кустов.

— Приехали, — констатировал Кристофер, когда заросли вдруг расступились, открыв взгляду просторную расчищенную лужайку, поросшую сочной травой. В центре лужайки угадывался силуэт здания, окутанного туманом.

— И как мы спросим хозяев о том, что нам нужно? — поинтересовалась Сара, когда Кристофер, газанув и остановив машину в густой траве, выпрыгнул наружу, не забыв в очередной раз посмотреть на часы.

Ничего не ответив, он торопливо зашагал к дому.

— Эй, погоди! — крикнула Сара.

Но журналист уже пересек лужайку, вокруг которой стояли коттеджи для туристов, и взбежал на крыльцо хозяйского особняка. Там он замер на пять секунд, пытаясь успокоить дыхание, затем решительно дернул шнурок звонка. За дверью громко тренькнул колокольчик.

Кристофер ждал, отгоняя от себя мысль о том, что в доме никого нет. Наконец скрипнула дверная ручка, и створка открылась. На пороге стоял пожилой сутулый мужчина с бледной кожей и тонкими усиками. Прищурив близорукие глаза, он настороженно оглядел гостя, будто сомневаясь, что перед ним живой человек, а не призрак.

— Доброе утро, — начал Кристофер, отчаянно стараясь говорить помедленнее, чтобы не показаться хозяину не только призраком, но еще и сумасшедшим в бегах. — Я впервые на этом острове и пришел спросить у вас совета...

— О, да вы отважный путешественник, раз уж рискнули залезть на вулкан в такую погоду! — Старик выглянул в туман. — И похоже, солнышко к нам не скоро вернется. Хотите снять коттедж?

— Вообще-то я хотел бы поговорить...

— Угу. И о чем же?

— Простите, не представился. Меня зовут Кристофер, я журналист, пишу для одной французской газеты. А это Сара... — указал он на подошедшую спутницу. — Мой фотограф.

— Мадам, — светски поклонился хозяин. — Я Эдмунду Саргаль, владелец гостиничного комплекса.

— Очень приятно, — отозвалась Сара, заставив себя пожать ему руку.

— Мы готовим репортаж, — вмешался Кристофер, — о забытых уголках планеты, которые когда-то были важной частью истории. Уже побывали в фортах Бедфорд и Хейес, а еще слышали, что свидетельства времен Второй мировой и холодной войны можно найти в окрестностях Грин-Маунтин. Говорят, вы здесь живете давно и многое можете рассказать, вот мы и подумали к вам наведаться.

Хозяин некоторое время рассматривал гостей, задержал взгляд на правой, обожженной, стороне лица Сары без брови и ресниц, потом все же знаком пригласил гостей в дом.

— Могу, конечно, покопаться в памяти — вдруг что любопытное найдется. Но ничего не обещаю.

Он проводил Сару и Кристофера в гостиную — просторную комнату в колониальном стиле, украшенную макетами кораблей и чучелами птиц.

— Странно, что вас Вторая мировая и холодная война интересуют, даже не припомню, чтобы меня об этом кто-нибудь спрашивал. В основном люди хотят знать, правда ли, что этот тропический лес был посажен в шестнадцатом веке поселенцами, которые хотели изменить таким образом климат на острове. Еще любопытствуют, откуда на вершине горы взялась старинная якорная цепь от парусного корабля или какую роль сыграл Дарвин в распространении здесь новых видов животных... В общем-то, я и про военные времена рассказать могу, но занятные вы все-таки люди, журналисты, вечно вам подавай что-нибудь этакое!

Эдмунду Саргаль уселся в старое кресло-качалку возле панорамного окна с видом на укутанный туманом сад. Если бы не часы с маятником, неумолимо отмерявшие драгоценные для Кристофера секунды, создалось бы полное ощущение, что время здесь остановилось.

— Надеюсь, если моя помощь вам пригодится, вы окажете ответную любезность и не забудете упомянуть обо мне в своей газете — этой гостинице в нынешние времена не помешало бы немного рекламы.

— Непременно постараемся сделать все, что сможем, — поспешно заверил Кристофер.

— Ладно, тогда говорите, что именно вас интересует.

— В первую очередь все, что было построено вокруг Грин-Маунтин... скажем, больше сорока лет назад.

Пожилой хозяин задумчиво погладил тонкие усики.

— Ну, для начала здесь есть старые бараки. Думаю, они подойдут вам для статьи.

— Что это такое?

— Старые бараки из серого камня. Английские моряки году этак в тысяча восемьсот пятнадцатом построили здесь укрепления и казармы — боялись, что французы сюда нагрянут, чтобы освободить этого вашего захватчика Наполеона с острова Святой Елены.

— А потом бараки для чего служили? — нетерпеливо спросил Кристофер.

— Одно время в них были овчарни, но теперь они давно пустуют. Находятся на самой вершине горы, и добраться туда несложно. Пойдете по прогулочной тропе, потом...

— Нет-нет-нет! — взволнованно перебил Кристофер. — Бараки нам ни к чему! Нужны здания, за которыми будет видно гору, а если бараки на вершине...

Сара положила ладонь на его руку, призывая успокоиться.

— Простите, — спохватился Кристофер, заметив недоумевающий взгляд хозяина гостиницы. — Я, наверное, плохо объяснил. Нам нужно старое здание, которое можно сфотографировать так, чтобы на дальнем плане было видно Грин-Маунтин.

Хозяин гостиницы ненадолго задумался.

— Странная у вас задача... При таких условиях могу назвать вам только одно место, где можно сделать подобный снимок. Только вот не советую туда соваться.

— Говорите! — опять оживился Кристофер.

Эдмунду недовольно поморщился:

— А зачем вам вообще все это понадобилось?

— Потому что мы хотим рассказать людям, что у острова Вознесения очень богатая история, которая уходит в глубину веков, — терпеливо пояснила Сара. — Расскажите нам о том месте, что вы упомянули, и он напишет прекрасную статью.

Эдмунду распушил и пригладил тонкие усики.

— В конце шестидесятых американцы снова заинтересовались нашим островом после ухода англичан и кое-что здесь построили. Однажды, кажется в шестьдесят восьмом, на аэродроме приземлились несколько грузовых самолетов ВВС США, а на следующий день группа людей, навьюченных как мулы, полезла в гору, прорубая себе дорогу в джунглях. Они нашли относительно ровную площадку на склоне вулкана и сгрузили там то, что приволокли: лопаты, кирки, листы железа, трубы, доски — в общем, все, что нужно для строительства.

— Для строительства чего? — подался вперед Кристофер.

— Если честно, понятия не имею, — развел руками старик. — Я видел то место только издалека. И знаю о нем лишь благодаря своей любви к музыке. В ту пору мне было лет восемнадцать, мы с родителями недавно эмигрировали из Португалии, и я помогал отцу строить вот этот дом. А военные, охранявшие стройплощадку на склоне, все время включали ритмическую музыку, которую я никогда раньше не слышал, но сразу в нее влюбился. Так что, как только выдавалась свободная минутка, я пробирался по джунглям к тому месту, где американцы расчищали пространство для строительства, и слушал их радио. Транслировали «Битлз», «Лэд Зэппелин», «Дип Пёрпл», «Дорз»... Это было потрясающе!

— Значит, вы все-таки видели, *что* они строили?

— Ну, через пять месяцев там появился еще один барак, вдобавок к тем, старинным, и другой самолет привез электронное оборудование — какие-то здоровенные аппараты с кнопками, лампочками, проводами и экранами. И с логотипом НАСА. Никогда в жизни не видел ничего подобного. Строители затащили все это богатство внутрь, а через неделю приехали новые люди, четверо или пятеро, по виду интеллектуалы. Ученые, наверное. Заселились в эти бараки. Не знаю, чем они там занимались. Поскольку музыку на площадке никто уже не слушал, я перестал туда ходить. Так, наведался пару раз из чистого любопытства. Видел, как двое очкариков в куртках с нашивками НАСА выходили покурить. Курили, болтали, но радио не включали.

— Вы не помните, о чем они говорили? — спросила Сара.

— Оба раза говорили об одном и том же — что расчеты оказались слишком сложными и ни в коем случае нельзя ошибиться. И еще злились, что «эти» — не знаю, кого они имели в виду, — слишком громко орут, шумят и не дают сосредоточиться. Один жаловался, что прямо-таки с ума от их криков сходит.

Сара и Кристофер коротко переглянулись.

— А дальше? Что было дальше? — поторопил старика журналист.

— Ну, они пробыли тут лет десять и уехали. Просто однажды собрались — и поминай как звали. Так никто и не узнал в итоге, что они тут делали и почему сбежали, как воры.

Кристофера трясло от нетерпения; Сара, спокойно сидя рядом с ним, внимательно смотрела на Эдмунду, стараясь уловить малейшие признаки лжи.

— Почему вы сказали, что не советуете нам туда ходить?

— Сами прикиньте: если те люди решили обустроиться на богом забытом острове, значит, они не хотели, чтобы кто-нибудь пронюхал, чем они тут занимаются. Ходят слухи, что перед отъездом они там все заминировали или устроили какие-то другие ловушки. Но это всего лишь слухи, конечно. Я-то думаю, что они просто не успели бы это сделать, потому что удирали в спешке.

— А внутрь барака вы никогда не заглядывали?

— Там везде здоровенные замки на цепях.

— Замки можно сломать! — с энтузиазмом воскликнул Кристофер.

— Нет уж, я неприятностей на свою голову не ищу, — проворчал Эдмунду. — А если учесть, что на острове осталась военная база, рисковать и вовсе не следует. Вы ведь уже заметили, что народу у нас тут мало, все всё про всех знают... — Он вздохнул и пожал плечами.

— Как добраться до того барака? — спросил Кристофер.

— На словах так просто не объяснить, да и на местности сориентироваться теперь будет трудно — тропа небось давно заросла... По ней, помнится, нужно было обогнуть пруд, а дальше открывалась узкая просека в джунглях, по которой я и выходил к бараку. Может, какие-то ориентиры до сих пор остались.

— Вы нас проводите? — улыбнулась Сара.

Кристофер возмущенно покосился на нее — мол, подумай, сколько ему лет.

— Что, все же хотите рискнуть? — прищурился старик.

Сара кивнула:

— Мы оба были военными репортерами, так что обещаем вести себя очень осторожно. А вы, судя по спортивной обуви и вон по той трости в углу, любите долгие прогулки в горах.

— Однако вы наблюдательны, недаром работаете фотографом, — усмехнулся Эдмунду. — Глаз у вас наметан. Ладно, я провожу. Но только не сейчас.

— Почему?! — вырвалось у Кристофера.

— Туман видели? Это ж все равно что лезть в джунгли с завязанными глазами!

— А когда он рассеется?

Старик пожал плечами:

— Когда ветер разгонит облака, которые наползают с вершины. В этот сезон можно весь день прождать. Чаю хотите?

Кристофер сжал кулаки:

— Послушайте, сеньор Саргаль, я уверен, что вы отлично знаете дорогу и даже в тумане сумеете ее найти!

— Он у вас всегда такой торопыга? — обратился Эдмунду к Саре.

Она покивала с таким видом, будто и сама устала быть жертвой нетерпения своего коллеги.

— Вообще-то, если так подумать, — сказала она, — туман нам только на руку. Читателям понравится эта история, к тому же она даст нам возможность всех убедить, что вы непревзойденный гид: «Эдмунду Саргаль может с закрытыми глазами найти дорогу в любой уголок острова! В доказательство тому он провел нас в это секретное место сквозь джунгли, окутанные туманом, плотным, как вата!»

Упоминание собственного имени в столь лестном контексте хозяину гостиницы явно понравилось. А следующий аргумент Сары окончательно сломил его сопротивление.

— Между нами говоря, фотографии секретного центра НАСА в белой дымке получатся просто загляденье — такие таинственные, романтические... Шеф-редактор решит немедленно опубликовать статью, как только их увидит, и широкий резонанс в прессе вам обеспечен.

— А чем вы будете фотографировать? — неожиданно спросил Эдмунду.

Сара на мгновение растерялась — до нее только сейчас дошло, что никакой аппаратуры у них нет.

— Забавно, что вы спросили, — пришел на помощь Кристофер. — Когда она заявилась ко мне с пустыми руками, я тоже выразил недоумение. Но теперь, когда меня просветили, могу вас заверить, что айфон 6S — очень крутая штуковина. Его фотокамера из двухсот компонентов уделает любой профессиональный фотоаппарат!

Сара с видом фокусника достала из кармана мобильный телефон — мол, вот в чем секрет.

— В нашем ремесле теперь все так работают.

Эдмунду понимающе кивнул и со вздохом поднялся с кресла-качалки. Кристофер тем временем тайком показал Саре поднятый вверх большой палец — все прошло отлично! — и она, тоже украдкой, ободряюще улыбнулась в ответ.

— В хорошую погоду дорога туда заняла бы меньше часа, — сказал хозяин гостиницы. — Но в тумане нам понадобится часа полтора. — Зашнуровав кроссовки, он надел куртку цвета хаки и взял стоявшую в углу трость. — Должен сразу предупредить: это будет не туристическая прогулка. Всю дорогу держитесь поближе ко мне.

Глава 34

Ступив за порог особняка, они нырнули в молочно-белый туман облаков, и влажный прохладный воздух наполнил легкие. Спустились по склону, поросшему садом, — первым шел Эдмунду, за ним Кристофер, замыкала процессию Сара, — вышли за калитку и свернули на утонувшую в тумане тропинку в густых зарослях.

Провожатый часто менял направление, не замедляя шаг, и Сара подумала, что не так уж и сильно преувеличила, назвав его «непревзойденным гидом», когда хотела польстить: пожилой португалец ориентировался в туманном лабиринте джунглей с поразительной легкостью. Однако и Сара, и Кристофер, закрываясь руками от веток, которые так и норовили неожиданно хлестнуть по лицу, следовали за ним с неприятным чувством, что они заблудились в неведомой тропической чаще и никогда отсюда не выберутся.

Через час пути по склону вулкана у всей троицы по спине крупными каплями катил пот, густым влажным воздухом было трудно дышать. Сара, мокрая как мышь, сняла парку, затем стянула свитер и повязала рукава на талии, оставшись в белой футболке с длинными рукавами и глубоким вырезом, облепившей тело. Кристофер последовал ее примеру и теперь шел в майке с надписью «beLIEve».

— Всё в порядке? — обернулся Эдмунду.

Саре было жарко, но она совсем не устала и даже не запыхалась.

— У меня-то да. — Она иронично кивнула в сторону Кристофера, который обливался потом и тяжело дышал.

Он хотел было сказать, мол, она и сама вспотела так, что через промокшую и ставшую почти прозрачной ткань футболки видно грудь, но не успел — Сара, видимо, прочла это по его взгляду и, смутившись, скрестила на груди руки. Однако это действие возымело противоположный эффект — блестящие от пота округлости в декольте стали еще заметнее.

— Дайте мне передохнуть пару минут, — взмолился Кристофер. — Или я свалюсь и не встану.

Он и правда повалился на землю в переплетении корней. Сел, устроился поудобнее и обхватил голову руками.

Сара, привалившись плечом к дереву, посмотрела на Эдмунду Саргаля:

— Как вам удается так безошибочно находить дорогу в этих джунглях спустя столько лет? Наверняка ведь растительность здесь сильно изменилась.

— Листва, конечно, изменилась, но стволы-то остались прежними. Я здесь помню почти каждое дерево, ведь они все разные. Одно похоже на дракона, другое — на осьминога. И все они вот тут, — он постучал по виску, — хранятся в моей памяти долгие годы. Достаточно оглядеться, чтобы тотчас вспомнить.

При этих словах Кристофер вдруг вскинул голову и поднял палец, будто ему на ум пришла важная идея. Сара, раздвинув гигантские листья какого-то растения, села на корень рядом с журналистом.

— Я вас оставлю на пять минут — нужно проверить, та ли это тропа, — сказал Эдмунду.

— О'кей, — кивнула Сара. — Только, пожалуйста, не задерживайтесь. — И повернулась к спутнику: — Ну, ты что-то придумал?

Усталость Кристофера как рукой сняло — теперь его лицо приняло сосредоточенное выражение.

— Насчет пациента Четыре-Восемь-Восемь и его рисунков. — Он вытер глаза, которые защипало от пота, катившегося со лба.

— Угу. И что же?

— Что, если эти три символа — не галлюцинация, а воспоминание?

Вдали пронзительно закричала тропическая птица, и ответом ей стала целая россыпь мелодичных трелей под древесными кронами.

— Как это — воспоминание? — удивилась Сара.

— Ты рассказывала мне о своем разговоре с Олинком Вингереном, бывшим директором «Гёустада». Помнишь? Он считает, что Четыре-Восемь-Восемь умер от страха, вызванного не галлюцинацией, а реальным событием — препарат ЛС-34 вынес на поверхность подавленное воспоминание, которое его и убило.

— То есть ты хочешь сказать, что Четыре-Восемь-Восемь когда-то в своей жизни имел честь увидеть Святую Троицу, забыл об этом, а потом эксперименты твоего отца вернули ему память?

— То, что я на самом деле хочу сказать, покажется тебе странным, но что, если из этого твоего резюме убрать слова «когда-то в своей жизни»?

Сара не могла не признать, что она, со своим рациональным, практическим умом, уступает Кристоферу в способности к абстрактному мышлению, поэтому с любопытством ждала объяснений.

Кристофер облизнул губы — у него пересохло во рту при одной только мысли о том, что́ сейчас придется произнести вслух.

— Мой отец был глубоко верующим человеком, как и Шарль Паркерен. Существование Бога как Творца, источника всего, для них обоих не вызывало сомнений... А если исходить из убеждения, что человек создан Богом, когда-то люди должны были об этом знать, но забыли. Вот я и подумал: что, если эксперименты имели целью воскресить в человеческом подсознании воспоминание о Боге и Творении?

У Сары по спине побежали мурашки. Она и сама не могла сказать почему — то ли успела остыть, пока сидела без движения, то ли ее охватил метафизический страх.

— Дорога верная! — крикнул Эдмунду, выглянув из густых зарослей папоротника дальше по тропе. — Вы готовы?

Кристофер и Сара обменялись взволнованными взглядами — оба пришли к молчаливому согласию обсудить идею позже. Если, конечно, у них будет время. Остаток пути они проделали в молчании, размышляя над странной гипотезой.

Через полчаса, как и обещал Эдмунду, папоротники вдруг расступились, и впереди, под кронами деревьев, показался пруд, окруженный зарослями бамбука.

— Вот сюда я и приходил слушать радио, работавшее у американских солдат. Мы почти на месте.

Кристофер оживился, сразу забыв о своих религиозных домыслах и вернувшись к реальности.

Эдмунду обошел пруд и поискал проход в зарослях, раздвигая палкой крупные листья.

— Как тут все разрослось... Тропы больше нет, дальше вам придется пробираться сквозь джунгли самостоятельно. Но это будет несложно — насовский барак всего метрах в десяти за этими деревьями. А в мои времена здесь были только кусты... Ну да ничего, прорветесь.

— Вы не пойдете с нами? — спросила Сара.

— Ваша компания чрезвычайно приятна, мадам, но вынужден вас оставить — не хочу соваться в то место, мне не нужны неприятности. Мало ли что... Как я вам уже говорил, казармы британских ВВС находятся ниже по склону, с той стороны. Ладно, надеюсь, вы найдете то, что ищете, и не забудете упомянуть меня в статье. Возвращайтесь в «Гарден-коттедж», когда закончите.

С этими словами Эдмунду зашагал в обратном направлении, но Сара его окликнула:

— Постойте! А как мы найдем дорогу назад?

— Я сделаю зарубки на деревьях — вы их не пропустите.

Махнув рукой старику, Сара обернулась на треск веток — Кристофер уже проламывался сквозь стебли бамбука и кусты, отделявшие их от цели. Продвигался он довольно быстро, не обращая внимания, что по лицу хлещут ветки, а паутина липнет к рукам и лезет в рот. Воспользовавшись проложенной им дорогой, Сара пошла следом. Последние метры Кристофер преодолевал в лихорадочной спешке, сгорая от нетерпения, — за ним уже было не угнаться. А когда Сара тоже наконец вырвалась из зарослей, он неподвижно стоял спиной к ней, глядя прямо перед собой.

Там, на склоне вулкана, было небольшое плато, поросшее дикими травами и окруженное все тем же густым тропическим лесом. Посреди открытого пространства стоял длинный одноэтажный барак с плоской крышей, не выше домика для строителей. Стены из белого камня, обросшие лианами и наполовину скрытые гигантскими папоротниками, были покрыты черными пятнами грязи и плесени. Над входной дверью висела заржавевшая табличка, на которой еще можно было прочитать: «NASA Center. Deep Space Station. Danger. Keep out»[1].

Сара сделала Кристоферу знак, что пойдет первой, и осторожно двинулась к бараку, внимательно вглядываясь в буйную траву, прежде чем сделать очередной шаг. Она, разумеется, не поверила слухам о том, что здесь все заминировано, но лучше уж было перестраховаться.

За спиной слышалось тяжелое неровное дыхание Кристофера, которому не терпелось попасть в лабораторию — он едва сдерживался, чтобы не побежать к зданию со всех ног.

— Стой, — сказал он вдруг.

Сара замерла, словно ее предупредили о мине под пяткой. Но Кристофер смотрел вверх, на макушку горы, затем отступил на пару шагов. Его глаза блестели от возбуждения.

— Та фотография, на которой отец с двумя коллегами, сделана именно здесь, я уверен. Посмотри.

Сара, быстро взглянув на снимок у него в руке, оценила ракурс — ошибки быть не могло. Но она тотчас подавила радость оттого, что место, где проводились эксперименты проекта «488», все-таки найдено, — нужно было сохранять сосредоточенное внимание.

— Не будем терять время. У нас осталось меньше пяти часов до конца ультиматума Лазаря.

Вспомнив о событиях, которые их сюда привели, Кристофер вздрогнул и последовал за Сарой, охваченный странным волнением: он шел по земле, на которую его изверг отец впервые ступил почти пятьдесят лет назад.

Возле ступенек перед входной дверью Сара остановилась. Ветер клонил к земле травы и шуршал древесными листьями вокруг, стало прохладно — они вспотели, продираясь через заросли, теперь разгоряченная кожа остывала, и пришлось натянуть свитеры и куртки. Короткая лесенка, увитая плющом, вела ко входу в барак, дверные створки были скреплены железной цепью, на которой висел замок.

— Замок на вид не очень крепкий, — сказала Сара. — Наверное, получится его сбить тяжелым камнем.

---

[1] «Центр НАСА. База космических исследований. Опасно. Не приближаться» (англ.).

Однако найти камень подходящего размера оказалось не так-то просто — они потратили полчаса, прежде чем Кристофер приступил к делу. С каждым ударом по округе разносился железный звон, и Сара невольно оглядывалась — только бы не всполошить военных на авиабазе.

Наконец металлическая петля замка погнулась и выскочила из паза, цепь выскользнула из скоб на крыльцо. Взявшись за скобы, они одновременно, по сигналу Сары, распахнули створки, и она первая переступила порог. Кристофер, устремившись следом, закрыл двери за собой, и стало темно.

Сара включила ручной фонарь.

Вперед уходил узкий коридор и терялся в сумраке. Луч света дотянулся до трех дверей — две с правой стороны, одна с левой. Первая, слева от входа, была приоткрыта, вторая, справа, тоже, и на ней красовался логотип НАСА, а третья оказалась притворена, но не заперта. Заканчивался коридор, как они увидели, пройдя чуть дальше, четвертой дверью, двустворчатой.

На полу, выстеленном серым линолеумом, который растрескался и вздулся от старости, валялись смятые запыленные листы бумаги и полусгнившая футболка. Полистироловые плитки на потолке были изъедены жесткокрылыми насекомыми, а в некоторых местах и вовсе обвалились — из прорех свисали переплетенные электрические кабели. В застоявшемся, спертом воздухе пахло плесенью.

Подобрав пару скомканных документов, Кристофер расправил их и попросил Сару посветить ему — на бумаге были только колонки цифр, отпечатанные на пишущей машинке и почти выцветшие. Но на каждом листе был отчетливо виден гриф НАСА.

— Боюсь, все, что мы здесь найдем, принадлежит американскому космическому управлению. — Бросив бумаги на пол, Кристофер, скользнув лучом света по стене, отыскал выключатель и нажал на него. Как и можно было ожидать, ничего не произошло. Тогда, отводя руками свисавшие с потолка провода, он направился в первую комнату справа.

Это была отделанная плиткой ванная с двумя раковинами, в которых от кранов до сливных отверстий тянулись дорож-

ки ржавчины, и с душем за почерневшей от плесени пласти-
ковой занавеской. В дальней стене, за дверью, был туалет с
унитазом без воды, на полу лежала стопка американских жур-
налов, датированных 1968 годом. На самом верху оказался
«Лайф» со статьей об убийстве Мартина Лютера Кинга, под
ним — выпуск «Роллин стоун» с голыми Джоном Ленноном
и Йоко на обложке.

Посветив во все углы помещения и не обнаружив ничего
полезного, Сара с Кристофером пошли в комнату напротив.

Судя по всему, это была спальня, но в ней не осталось
ничего, кроме металлического каркаса кровати и комода из
фанеры с выдвинутыми ящиками. В ящиках лежали останки
поеденной молью мужской одежды и почти целая куртка из
плотной ткани с нашивкой НАСА.

В скользнувшем по полу луче фонаря что-то блеснуло.
Сара, заметив это краем глаза, наклонилась и подняла с пола
грязную рваную газету — выпуск «Нью-Йорк таймс» от
12 октября 1968 года. Первая полоса была посвящена церемонии открытия Олимпийских игр и студенческим выступле-
ниям против войны во Вьетнаме. Понятное дело, газета, как
и журналы в туалете, тут валялась еще со времен строительства барака, так что никто из ученых, сбежавших в 1979-м, не
позаботился уничтожить или увезти эту макулатуру. Но между страницами свисал хвостик золотой цепочки, и Сара, потянув за него, достала распятие.

— Они и правда удирали как воры, если бросили самое
ценное, — прокомментировал Кристофер. — И это дает нам
надежду, что отец мог оставить какие-нибудь очень важные
материалы по своим исследованиям.

Они вышли из спальни; под ногами в коридоре захрустело
битое стекло. Третья комната, по правую руку, тоже оказалась жилой: здесь была такая же металлическая кровать, как
в первой, но с матрасом, простыней и одеялом. На дверце
шкафа висел постер группы «Дорз» с названием альбома
Waiting for the Sun. В тумбочке нашелся бумажник, в нем
около сорока долларов и мелкие монеты. Еще на полке лежали Библия, початая пачка сигарет «Бенсон & Хеджес», спи-
чечный коробок и толстая картонная папка с бумагами, которую Кристофер тотчас схватил и открыл. В луче фонарика
взметнулось облако пыли, оба закашлялись. Прикрыв пред-

плечьем рот и нос, Сара, поудобнее перехватив другой рукой фонарик, посветила на первый лист. Там было напечатано: «Apollo 1. Accident investigation report».

— Рапорт о расследовании пожара на борту «Аполлона-1», — прокомментировал Кристофер. — При других обстоятельствах я, как журналист, был бы счастлив завладеть этими документами. Но, увы, они не имеют никакого отношения к тому, что мы ищем... Черт! — Он яростно скинул с кровати матрас, выдернул ящики из шкафа, вытряхнув из них на пол одежду, и даже сорвал с дверцы плакат «Дорз». Внутренности опять скрутило от ужаса, что он не сумеет спасти Симона.

— Пойдем посмотрим, что за дверями в конце коридора,— сказала Сара, которая понимала, что не имеет права распускать нервы.

Кристофер бросился в коридор, распахнул двойные створки и влетел в просторное помещение, которое не мог целиком охватить свет фонаря.

Дальше они двигались медленно и осторожно, обшаривая лучами стены в переплетении электрических проводов. В глубине пустого помещения высился массивный пульт управления с экраном радара, кнопками, тумблерами и запыленными циферблатами каких-то измерительных приборов. Подойдя поближе, Кристофер подобрал с пола наушники, штекер которых находился в гнезде аудиовыхода на панели, как раз под табличкой с буквами «НАСА».

— Смотри, — сказала Сара, заглянув за пульт. — Они начали демонтировать эту штуковину, но, видимо, не хватило времени.

Металлические панели кожуха были отвинчены и валялись на полу среди брошенных инструментов и деталей приборов.

Кристофер посветил фонариком внутрь пульта, затем прошелся по помещению, обыскал все углы, но больше там ничего не было. Сара слышала, что его дыхание становится все тяжелее и прерывистее.

— Эдмунду вроде бы сказал, что спецы из НАСА злились на тех, кто мешал им работать, — вдруг обернулся он к ней. — Мол, шумели, кричали...

Сара кивнула.

— Это кричали пациенты моего отца. Эксперименты проводились здесь, не может быть иначе! Но где именно? Тут повсюду только барахло НАСА! — Кристофер, кусая губы, посмотрел на часы. — Нужно еще раз все обшарить, простучать стены, каждый сантиметр, найти тайную дверь, люк или... не знаю что!

На это они потратили еще два часа. Передвинули все предметы мебели, осмотрели перегородки, стряхнули клубы пыли со всех документов — измятых, порванных, — прочитали все, что удалось разобрать на старых бумагах. Вышли наружу и несколько раз обогнули здание в поисках другого входа или тропинки, которая могла бы привести к какому-нибудь скрытому в джунглях строению. Вернулись и снова все осмотрели внутри, загорелись надеждой, неожиданно наткнувшись на потайную дверь, но за ней оказалась подсобка с лопатой, киркой и ящиком с инструментами.

За пять минут до конца срока, назначенного Лазарем, Кристофер в изорванной о колючие кусты футболке, вымотанный до предела и сходящий с ума от страха, бросился разбирать пульт управления. Получалось у него плохо, потому что руки безудержно тряслись.

Сара даже не стала его останавливать — она сама была в отчаянии и знала, что недолго сможет сохранять внешнее спокойствие.

— Кристофер... ты должен попросить у Лазаря еще времени.

Но Кристофер ее уже не слышал — в ушах гудела кровь, которую с бешеной скоростью гнало по венам сердце в приступе панике.

И вдруг зазвонил мобильник.

Глава 35

Звонок раздавался в полумраке как обратный отсчет, отмеряющий последние мгновения перед катастрофой. Кристофер, стоявший на одном колене возле пульта управления, достал телефон и оцепенело таращился на экран, не в силах принять вызов. Саре пришлось самой нажать на значок ответа и включить громкую связь. Возвращая мобильник, она повторила журналисту на ухо, что нужно выторговать у Лазаря еще хотя бы несколько часов.

— Ваше время... истекло, — раздался из динамика скрипучий голос. — Вы... нашли?

Прошло секунд пять, прежде чем Кристофер сумел заговорить:

— Мы вычислили место, где над вами проводились эксперименты, и даже приехали сюда. Сейчас мы на острове Вознесения в Атлантическом океане, на заброшенной базе космических исследований НАСА. И у нас есть доказательства... что мой отец... держал вас именно здесь.

— Вы установили предмет и цель исследований? — невозмутимо осведомился Лазарь.

Сара смотрела на Кристофера, как акробат, страхующий партнера, который должен выполнить смертельный номер.

— Это вопрос нескольких минут. Дайте мне поговорить с Симоном.

Лазарь помолчал, размышляя, и жестко произнес:

— Значит, вы ничего не нашли. Пытаетесь меня обдурить?

— Нет!

— Сергей, займись мальчишкой.

Сара хотела выхватить у Кристофера из рук телефон, чтобы потребовать у старика дополнительное время, но не успела — журналист вскочил:

— Нет, не делайте этого! Вы столько лет искали ответы и никогда еще не были так близко к ним, как сейчас! Никогда! Никто, кроме меня, не сможет вам помочь, и, если вы хоть пальцем тронете Симона, клянусь, я немедленно прекращу поиски, и вы сдохнете, так ничего и не узнав!

Сара ушам своим не верила, что Кристофер решился на такой ультиматум. Даже она не сумела бы сказать лучше. Но Лазаря это, похоже, не проняло.

— Ваш мальчишка сдохнет раньше, чем я.

Кристофер зажмурился, а когда снова открыл глаза, в них горела злоба, которую Сара не ожидала увидеть.

— Знаете что, это не мой мальчишка. Он сын моего брата, я не собирался его воспитывать. Так уж вышло, что на меня свалилась эта ответственность и сломала всю мою жизнь. Не заблуждайтесь на мой счет — если вы убьете Симона, я немного погрущу, но поверьте, сумею справиться с горем. И для меня снова все пойдет по-прежнему, я буду спокойно жить дальше. В отличие от вас. Потому что у вас осталась только одна надежда — на меня, и потому что ваши дни сочтены. Подумайте хорошенько. Если Симон умрет, я уничтожу все материалы по проекту отца, которые найду!

Кристофер перевел дыхание. В неярком свете фонариков его глаза полыхали яростью, и говорил он так убедительно, что даже Сара на секунду задумалась, не было ли в этих словах доли истины.

— Если я правильно понял, вам нужно больше времени, — наконец произнес Лазарь.

— Да, именно!

— Хорошо. Даю вам еще двенадцать часов.

Кристофер, запрокинув голову, уставился в потолок, словно благодарил высшие силы, но в этот миг из динамика телефона прозвучал мальчишеский визг, а потом рыдания.

— Симон! — заорал Кристофер. — Симон! Вы что сделали, сволочи?! Симон!

— Очередные двенадцать часов для вас будут стоить ему одной руки. И когда он лишится первой, визг будет погромче. Услышите вы его или нет, зависит исключительно от вас.

И не забывайте, что я хочу знать все: что изучала научная группа вашего отца, в чем состояла суть экспериментов, что они нашли и кто, кроме Натаниэла Эванса, был руководителем всего проекта. Отсчет пошел — и для вас, и для меня.

Соединение оборвалось, и через секунду Кристофер получил видео: бородатый русский бандит по имени Сергей схватил руку перепуганного мальчика, прижал ее к столу и занес над кистью здоровенный мясницкий нож. Симпатичное мечтательное личико Симона сморщилось от ужаса и отчаяния, он завизжал и разревелся. «Если твой дядя сделает то, что у него просят, рука останется при тебе», — сказал ему Сергей. На этом запись закончилась.

Сара вдруг почувствовала слабость, к горлу подкатил ком, и пришлось привалиться спиной к стене, чтобы не осесть на пол. А Кристофер оцепенело застыл с телефоном в руке, тогда как в его душе бушевала целая буря чувств — он безжалостно винил себя в страданиях Симона, задыхался от собственного бессилия ему помочь, испытывал одновременно леденящий страх и обжигающий гнев. Сара прекрасно знала, что с ним сейчас творится, — она видела разрушительную смесь этих чувств на лицах коллег, расследовавших особо тяжкие преступления, прежде всего против детей, и более того — сама переживала нечто подобное. Если жертва — ребенок, эмоциональная реакция усиливается в десятки раз, и порой настолько мешает соображать, что исчезают шансы его спасти.

— Послушай меня, Кристофер. Послушай внимательно. — Она обняла журналиста за плечи. — Лазарь не причинил Симону вреда. Симон жив. И жив он только благодаря тебе, потому что ты правильно провел разговор. Ты уже спас Симона, и только это сейчас имеет значение. Теперь у нас есть двенадцать часов, чтобы докончить начатое. Нельзя терять время!

Не подействовало — и немудрено, мало кто на его месте быстро оправился бы от шока при виде, как издеваются над его ребенком. Кристофер все глубже погружался в кошмар, растрачивая силы на то, чтобы преодолеть парализующий страх.

Сара встряхнула его за плечи, несколько раз окликнула, и тогда он вдруг резким движением оттолкнул ее, а потом набросился, вслепую молотя кулаками. Сара осторожно парировала удар за ударом, стараясь не покалечить его. Кристофер, сам не понимая, что делает, некоторое время сражался с ней, рыча от бешенства, затем развернулся и врезал кулаком в стену, расшвырял ногами детали пульта, валявшиеся вперемежку с листами железа, выдохся наконец и, хрипло дыша, осел на пол, обхватив голову руками.

Сара все это время не мешала ему давать волю гневу и теперь терпеливо ждала, пока он успокоится и восстановит дыхание. Кристоферу на это понадобилось минут пять.

— Ты в порядке? — решилась она наконец спросить, поймав его взгляд.

Он провел ладонью по лицу.

— Прости, Сара. Не знаю, что на меня нашло... Мне как будто... нужно было найти виноватого.

— Я все понимаю, — кивнула она и едва заметно улыбнулась: — К сожалению, не могу потешить твое самолюбие, сказав, что ты меня напугал.

Кристофер иронически усмехнулся над собой, и его вдруг, несмотря на весь абсурд и кошмар ситуации, охватило отчаянное желание обнять эту женщину. Их взгляды пересеклись, и стало жарко, воздух будто наэлектризовался. Как в первый раз, Кристофер увидел изящно очерченные губы, с которых срывались слова, всегда нужные и верные, рассмотрел льдисто-голубые глаза, которые дарили ему поддержку и утешение, бедра, к которым хотелось прикоснуться, стройную, тонкую, выточенную спортивными тренировками шею и прежде всего ее душу — закрытую от него и вместе с тем щедрую.

— Двенадцать часов, — напомнила Сара, помолчав. — Это и много и мало.

Кристофер отвел глаза, устыдившись собственного внезапного желания и испугавшись, что она обо всем прочла по его лицу. Хотя он мог поклясться, что Сара только что испытала те же чувства.

Так и было, однако Сара постаралась убедить себя в том, что виной всему странная химическая реакция, вызванная стрессом и ненадолго затуманившая разум.

Несколько часов они потратили на повторный осмотр всех помещений, разобрали пульт управления, обследовали систему вентиляции на предмет тайников, нашли толстую папку с документами НАСА и досконально изучили каждую бумажку в тщетной надежде, что среди них могут оказаться материалы по исследованиям Эванса.

— Мы всё здесь обшарили, — в отчаянии сказал Кристофер. — Что еще можно сделать?

— Не знаю. Пока что нам обоим нужно подышать свежим воздухом. — Сара осветила фонариком дорогу к выходу.

Туман над джунглями почти рассеялся — молочная дымка клубилась лишь в густых зарослях под деревьями. Ветер покачивал сочные тропические листья, мерный шорох вокруг и спокойное мерцание уже проступивших в медленно темнеющем небе звезд внесли немного порядка в лихорадочную круговерть мыслей. Сара опустилась на верхнюю ступеньку крыльца рядом с Кристофером. Локтем она касалась его руки, ладонь положила себе на живот и подняла голову к переливающемуся предзакатными красками небосводу.

Если удастся довести расследование до конца и уцелеть, что ее ждет по возвращении в Осло? До сих пор смыслом и целью жизни для нее было рождение ребенка, и желание стать матерью никуда не делось, но оно не осуществится. Не только потому, что Эрик ее бросил, — она не сомневалась, что сумеет найти кого-нибудь другого. Главная проблема заключалась в том, что события последних дней показали ей со всей очевидностью, что она так и не оправилась от психологических травм, полученных на войне. Призраки не исчезли, они всего лишь затаились, выжидая удобного момента опрокинуть ее в самую черную и глубокую пропасть собственного сознания, превратить в жалкое, сломленное существо до скончания дней. Как она сможет стать матерью, если любое столкновение с трудностями грозит ей безумием? Какое право она имеет родить ребенка и обречь его на существование в постоянном стрессе? Но ей так неодолимо хотелось услышать однажды тонкий голосок, произносящий слово «мама»...

Сара закусила губу, почувствовав, что рот начинает кривиться.

Кристофер не догадывался, о чем она думает, но ощутил ее дрожь — и сразу обнял одной рукой, прижав к себе. Лихорадка, кипятившая кровь и обжигавшая нервы, уступила место холодному, серьезному спокойствию.

Впервые с тех пор, как они покинули Париж, Кристофер подумал о матери. Маргарита Кларенс так верила в рай и столько добра сделала в жизни — так где же она сейчас? Существует ли где-то ее душа? Будучи агностиком, Кристофер никогда не отрицал возможность жизни после смерти, особенно в такие моменты, как сейчас, в мистическом молчании джунглей, задремавших под вечереющим небом, в таинственном шепоте ветра. В такие моменты природа как будто придает смысл всему, что кажется абсурдом. Но циничный, рациональный ум подсказывал Кристоферу, что ничего нельзя принимать на веру, без доказательств. И даже душевные страдания не могли заставить его отказаться от этого принципа и своих убеждений. Поэтому душевные страдания нечем было утолить.

Сара положила голову ему на плечо, не отрывая глаз от звездного неба, которое выглядело таким безмятежным, что от одного взгляда на него в душе воцарялся мир.

— Дай мне свой фонарь, — шепнул вдруг Кристофер.

— Куда ты собрался?

Он махнул в сторону пригорка, нависавшего над бараком.

— Я с тобой, — сказала Сара.

Помогая друг другу прокладывать дорогу в зарослях, еще затопленных туманом, и не скатиться вниз по склону, они забрались на пригорок. С вершины в закатном свете были видны джунгли, редевшие по мере приближения к подножию вулкана и уступавшие место скалистым пустошам, которые занимали всю остальную поверхность острова Вознесения. Вдалеке отблески заходящего солнца плясали на волнах океана, но на самом острове, в каменной пустыне, со всех сторон окруженной водой до самого горизонта, лишь огни военной базы разбавляли сумерки осторожным сиянием.

Кристофер все внимание сосредоточил на бараке у основания пригорка, стараясь угадать под плоской крышей расположение помещений. Сара тем временем присела на корточки, расчистила от травы участок земли и разровняла его ладонью, а затем кончиком ветки начертила план исследовательской базы НАСА — получился почти идеальный прямоугольник с квадратиками трех комнат внутри и длинной полосой коридора, пересекавшего почти все здание. Одна спальня слева; напротив нее, справа, ванная с туалетом и дальше по коридору, тоже справа, вторая спальня, а в конце его — зал с пультом управления.

Теперь, когда перед ними оказалась схема, в глаза бросилось очевидное несоответствие.

— Я тоже вижу, — сказала Сара, прежде чем Кристофер успел раскрыть рот, и направила луч фонарика на план. — Справа две комнаты, одна за другой, они заполняют все пространство здания с той стороны. Тут все логично. А вот слева только одна комната, и за ней пустое пространство.

— Если учесть, сколько усилий они потратили, чтобы затащить на склон строительные материалы и оборудование, а затем соорудить барак, странно, что столько полезной площади в нем не задействовано... — подхватил Кристофер.

Поспешно спустившись с пригорка, они вошли в барак и сразу направились в комнату слева от входа.

— Вот еще что странно, — сказал Кристофер. — На этой двери нет логотипа НАСА, и вещей в этой спальне осталось меньше, чем во второй.

Сара, кивнув, обвела лучом фонарика помещение:

— Так, слева от входа и напротив нас — внешние стены здания. Эта, у нас за спиной, отделяет комнату от коридора, значит, потайная дверь может быть только вон там.

Луч фонарика скользнул вправо. Сходив за киркой, которую они недавно видели в подсобке, где остались строительные инструменты, Сара протянула ее Кристоферу и отступила, направив свет на дальнюю стену.

Он, размахнувшись, ударил в стену по косой — отлетел небольшой кусок гипсокартона. С пятого удара стена пошла трещинами и стала видна внутренняя конструкция перегородки, а Кристофер остановился и перевел дыхание.

— Будет непросто, — констатировала Сара. — Но ты уже сделал главное. — Она указала на широкую щель. — Целься сюда.

Он занес кирку над головой и изо всех сил ударил в пролом, потом еще раз и еще — острый конец инструмента застревал в стене с каждым ударом все глубже, и вдруг кирка провалилась в пустоту до середины рукоятки. Кристофер навалился на древко как на рычаг, раздался треск, на пол посыпались обломки гипсокартона. Наконец отвалился довольно крупный кусок стены.

Сара посветила в дыру фонариком.

— Свет проходит насквозь, ничего не видно, но похоже, там какое-то помещение. Надо расширить пролом.

— Посторонись! — крикнул Кристофер и широкими взмахами кирки разломал края дыры. После этого выбил ногой растрескавшиеся участки перегородки и, задыхаясь, бросил кирку на пол.

Когда белая пыль, взметнувшаяся в луче фонарика, осела, в проломе стала видна ниша размером не больше одного квадратного метра. Пятно света, скользнув по голым стенам, переместилось вниз, и Кристофер вздрогнул: под землю, теряясь в темноте, вели каменные ступеньки.

Глава 36

Переглянувшись с Сарой, Кристофер жестом дал понять, что на этот раз пойдет первым, и, взяв у нее второй фонарь, шагнул в пролом.

По мере спуска воздух становился холоднее, пахло плесенью и влажной землей, как в пещере. Сара, чувствуя, что кожа на руках покрывается мурашками, осторожно следовала за журналистом. Он сошел с нижней ступеньки, обвел лучом пространство впереди — пятно света легло на выключатель, переместилось на потолок и пробежало по электрической проводке.

— Глупо, конечно, но надо попробовать, мы ведь ничего не теряем, — пробормотал он и нажал на пластину выключателя.

В ту же секунду раздались один за другим несколько хлопков, что-то затрещало и зазвенело так, что оба вздрогнули, — здесь оказалось много лампочек, некоторые взорвались, с другими ничего не произошло, а третьи загорелись тусклым красноватым светом, явив взорам оштукатуренный коридор, ведущий направо и налево от лестницы.

— Как это возможно? — удивилась Сара. — Лампочкам почти пятьдесят лет, а они работают...

— Классический пример разоблаченного паранормального феномена, я часто о таком на лекциях говорю. — Кристофер уже двинулся направо, в ту часть коридора, которая была лучше освещена.

— Есть какое-то объяснение?

— Конечно. В Калифорнии, в старых пожарных казармах города Ливермора одна лампочка непрерывно горит с тысяча девятьсот первого года. Ничего удивительного, что здесь они тоже могли сохраниться в рабочем состоянии. А объяснение вполне научное, чистая физика. Если говорить просто, то при определенных обстоятельствах нить накаливания из углеродного волокна со временем становится прочнее, вместо того чтобы сгореть. Что касается электричества, я думаю, оно здесь есть, потому что эта часть здания связана с авиабазой у подножия вулкана... Черт, это что такое? — Кристофер обошел медицинскую каталку с потертыми ремнями и разводами от высохшей жидкости на матрасе.

Сара тоже обогнула ее, стараясь не коснуться, и остановилась рядом с Кристофером, застывшим посреди коридора.

— Смотри!

Впереди были три двери с откидными окошками, как у тюремных камер. Сара открыла первую — громко застонали металлические петли, и тусклый свет из коридора проник в тесное помещение. Это и правда оказалась тюремная камера без окна, с кроватью, умывальником и унитазом. Место заточения, вполне банальное, за одним исключением: стены здесь были черные от покрывавших всю их поверхность рисунков. Кристофер и Сара мгновенно узнали три повторяющихся символа: дерево, рыба, огонь.

— Все началось здесь, — прошептал журналист, поежившись от пробежавшего по спине холодка.

Сара сфотографировала стены на случай, если Лазарь потребует доказательства — а он несомненно потребует.

В двух других камерах обстановка была такая же, и стены изрисованы с тем же истерическим безумием.

— Только бы понять, что это значит... — пробормотал Кристофер, тоже сделав несколько фотографий.

Коридор закончился тупиком. Они вернулись к лестнице и приступили к исследованию второй половины подземного этажа. В этой части коридора уцелела всего одна лампочка, и в полутьме Кристофер, шагавший слишком быстро от нетерпения, налетел на какой-то предмет, раздался стук и металлический скрежет. Луч фонарика осветил странное кресло на колесах с привинченным к спинке железным корсетом — видимо, для фиксации торса и шеи.

— Смотри, там свет, — сказала Сара, стараясь не задумываться о назначении этой причудливой конструкции.

В конце коридора была двустворчатая дверь, за несколько метров до нее из проема в стене действительно падал слабый свет. Они настороженно приблизились и переступили порог помещения площадью примерно пятнадцать квадратных метров.

Справа на возвышении находился письменный стол из светлого металла, на нем горела лампа под зеленым абажуром. Света едва хватало, чтобы рассмотреть у противоположной от входа стены небольшой книжный шкаф, пустой на три четверти. По сторонам от шкафа стояли два круглых столика на одной ножке. Один служил подставкой пересохшему аквариуму, другой — человеческому черепу.

Кристофер бросился осматривать металлический стол, Сара взяла в руки череп.

— Похоже на анатомическое пособие, здесь есть надписи, — сообщила она.

Журналист проверил все ящики стола, разочарованно задвинул последний — кроме простого карандаша, ничего не нашлось, — и присоединился к ней.

На поверхности черепа были обведены полтора десятка зон мозга, и каждая подписана от руки.

— Это почерк моего отца... — пробормотал Кристофер.

Он прочитал: «вербальный анализатор (центр Брока)», «угловая извилина», «префронтальная кора»; дальше следовали совсем незнакомые названия участков коры и прочих отделов мозга. Три области были обведены очень жирно — на теменной, височной и затылочной костях.

— Я кое-что помню из курса криминалистической психологии, — сказала Сара. — Похоже, твоего отца особенно интересовали три зоны мозга, отвечающие за память.

Кристофер поставил череп обратно на столик и взялся за оставленные на полках книги, Сара тем временем заглянула в аквариум. При ближайшем рассмотрении это оказался виварий — на песке и засохших ветках лежал скелет рептилии; судя по отсутствию конечностей, змеи.

Журналист наскоро прочитал названия книг. Там были две биографии — Марии-Антуанетты и Томаса Мора («Интересно, — подумалось ему, — они тут для развлечения или имеют какое-то отношение к экспериментам отца?»), рядом стояла «Голая обезьяна» Десмонда Морриса — знакомое Кристоферу исследование, в котором автор рассуждал о биологическом виде homo sapiens, используя те же приемы и ту же терминологию, что и для описания поведения животных. На нижней полке валялись монография о викингах и сборник документальных свидетельств о Первой мировой войне. В последней книге, между обложкой и титульным листом, лежал лист бумаги, закатанный в прозрачный пластик, — схема человеческого мозга в поперечном разрезе, озаглавленная «Триединый мозг по Полу Маклину».

— К полуночи мы должны понять, что изучал твой отец, — напомнила Сара. — Почитай книги, а я осмотрю остальные помещения.

— Согласен, — кивнул Кристофер.

Сара вышла из библиотеки и направилась к двустворчатой двери в конце коридора.

Единственная лампочка, помаргивая над дверным проемом, позволяла рассмотреть то, что когда-то, вероятно, служило операционной. В центре потолка была укреплена круглая осветительная установка с плафонами; под ней стоял металлический стол с ремнями, вокруг него — три медицинские каталки; на одной у бортика валялись пустой шприц и разбитая ампула. Сара подняла стекляшку и положила обратно. Последние сомнения насчет того, что они с Кристофером нашли верное место, рассеялись: на ампуле была наклейка с надписью «ЛС-34».

Продолжив осмотр помещения, Сара обнаружила два пустых застекленных шкафа, раковину и точно такой же аппарат, как тот, что она успела заметить на подземном этаже «Гёустада», перед тем как профессор Грунд привел в действие взрывной механизм. Устройство было похоже на радиопередатчик; передняя панель несла два диска с делениями под круглыми стеклами, два разъема для штекеров и кнопку включения, подписанную «ON».

Сара рукавом стерла со стекол пыль. Первая шкала предназначалась для измерения какого-то HR и содержала деления от «0» до «220». Сара вдруг вспомнила, что уже видела эту аббревиатуру на медицинском оборудовании в больничных палатах, когда посещала там жертв преступлений во время расследований. HR означало по-английски heart rate — «сердечный ритм». А вот для чего использовалась вторая шкала, так быстро догадаться не получилось. Она была шире первой, над крайним делением слева стояла буква «Х», над последним справа — «Р», и стрелка измеряла нечто, обозначенное буквой «Т».

Сара осветила фонариком верхнюю крышку аппарата — там была узкая щель сантиметров двадцати длиной, из нее торчал край бумаги, по бокам которой шли полосы перфорации, как на старых матричных принтерах. Сара нажала на кнопку «ON» — под круглыми стеклами зажглись лампочки, стрелка у первой шкалы дернулась на «0», у второй завибрировала и переместилась в центр.

Поскольку больше ничего не произошло, Сара осмотрела боковые стенки аппарата, затем заднюю панель. Кабель питания был подключен к розетке в стене, еще два провода свисали со стола, на котором стоял прибор. С одного конца у каждого провода был штекер, с другого — круглая тонкая пластинка, предназначенная, судя по всему, для закрепления на коже подопытного. Вытаскивая провода, зажатые днищем устройства, Сара краем глаза заметила на полу какой-то предмет.

ГЛАВА 37

Кристофер тем временем пролистывал книги, брошенные учеными в библиотеке. Он надеялся, что таким образом удастся прояснить суть экспериментов, которые отец со своей исследовательской командой проводил над Лазарем и его собратьями по несчастью. Начал с того, что казалось самым простым, — со схемы человеческого головного мозга в поперечном разрезе.

На схеме были обозначены три зоны. Внешняя часть, примыкающая к костям, несла название «неокортекс», внутри ее находился «лимбический мозг», а в глубине черепной коробки самый маленький участок у начала спинного мозга был подписан так: «рептильный мозг».

Кристофер перевернул закатанный в пластик лист — на обратной стороне была вкратце изложена теория Пола Маклина, опубликованная в 1969 году.

Американский нейробиолог утверждал, что в процессе эволюции головной мозг человека сформировался не единовременно, а поэтапно и стал результатом наложения одного на другой трех слоев, произошедшего за миллионы лет.

Глубинный слой, то есть ствол головного мозга, — самый древний. Он появился у рептилий и отвечает за рефлексы и примитивные эмоции, в том числе за дыхание, сердцебиение, размножение, боль, страх и так далее — за все, что обеспечивает функционирование и выживание организма. Этот фрагмент текста был обведен такой же очень жирной линией, что и слова «рептильный мозг» на лицевой стороне листа.

Далее Маклин описывал лимбический мозг, ответственный в первую очередь за память, и, наконец, неокортекс, обеспечивший человеку речь, логическое мышление — в общем, то, что входит в понятие «интеллект».

Кристофер уже взялся за книгу по нейробиологии, когда в библиотеку ворвалась Сара:

— Дальше по коридору — операционная, и я нашла там две вещи, которые могут нас заинтересовать: какой-то измерительный аппарат, но мне не удалось с ним разобраться, и вот это... — Она показала старый диктофон. — Валялся на полу.

— Скажи мне, что внутри есть кассета и он еще работает! — взмолился Кристофер.

— Кассета есть, но я не пробовала включать — подумала, мы должны сделать это вместе. Готов?

Она нажала на кнопку «play» — и, как можно было ожидать, ничего не произошло. Тогда Сара достала из диктофона батарейки, отвинтила крышку с фонарика и сравнила новые батарейки со старыми по размеру — они оказались одинаковыми. Кристофер подошел ближе, чтобы ничего не упустить. Сара вставила новые батарейки в диктофон и опять нажала на «play». Как только раздались шелест и треск, она быстро выключила воспроизведение.

— Что ты делаешь?! — возмутился Кристофер.

— Слышал треск? Это значит, что пленка замялась и может порваться.

— Дай мне!

Сара опустила руку с диктофоном.

— Нет. Нужно разгладить пленку и перемотать ее вручную. Судя по всему, кассета рассчитана на много часов записи — значит, магнитная лента длинная и придется повозиться. Действовать надо осторожно, а ты сейчас, я думаю, не в состоянии проявить терпение...

— Ты права.

Сара поднялась наверх, на первый этаж барака, отыскала в ящике с инструментами отвертку и вернулась в библиотеку. Там, усевшись за стол, она вскрыла корпус кассеты и сняла верхнюю крышку.

Кристофер, расположившись на полу и разложив вокруг себя книги, с интересом листал учебник по нейробиологии. Текст оказался сложным, узкоспециальным, изобилующим научной терминологией, и вскоре журналист со вздохом отложил книгу, решив вернуться к ней позже, а пока взяться за «Викингов». К счастью, в этой монографии оказались подчеркнутыми отдельные абзацы, и все они имели отношение к особенностям подготовки скандинавских воинов. По словам автора, викинги с самого раннего детства внушали мальчикам, что страх — это слабость, причем опасная, а вовсе не естественная для человека реакция, помогающая сохранить жизнь. Подобные наставления, а также изматывающие тренировки и побои превращали юных викингов в настоящие боевые машины. Закрывая эту книгу, Кристофер уже начинал понимать, в какой области лежали исследовательские интересы отца.

Сара тем временем, сидя за столом, медленно и кропотливо, с хирургической точностью совершала операцию по восстановлению пленки, которая оказалась запутанной и измятой сильнее, чем ожидалось, — видимо, поэтому диктофон и бросили здесь, решив, что он сломан. Она нашла в ящике стола карандаш и расправляла магнитную ленту с его помощью, чтобы не заляпать поверхность пальцами. Когда с этим будет покончено, настанет пора второго этапа операции — нужно будет надеть бобину на карандаш и смотать пленку.

Вздохнув, Кристофер помассировал затылок и взглянул на циферблат: Лазарь должен был позвонить через четыре часа тридцать минут.

— Сара, как там у тебя дела?

Она подняла голову, тоже позволив себе минутный отдых. Дела были хуже некуда — Сара боялась, что все-таки не удастся намотать магнитную ленту обратно на бобину без разрывов.

— Мне нужно еще немного времени, — ограничилась она ответом. — А ты что-нибудь нашел?

— Ну, кое-что уже вырисовывается, но надо еще почитать.

Кристофер открыл «Голую обезьяну» зоолога Десмонда Морриса и удивился, обнаружив, что в этой книге подчеркнут всего один фрагмент текста. В нем говорилось, что некоторые человеческие фобии — например, боязнь пауков или змей — берут начало на ранних этапах эволюции, потому что универсальны для всего человечества. Иными словами, эти фобии —

наследие наших древнейших предков, которые еще не были людьми.

Подозрения Кристофера о целях и задачах отца пока что лишь подтверждались. Он отложил «Голую обезьяну» и взялся за очередную книгу — сборник документальных свидетельств о самых страшных моментах, пережитых солдатами, участвовавшими в войне 1914—1918 годов. Здесь не было никаких подчеркиваний, и пришлось прочитать томик по диагонали от начала до конца. На это у Кристофера ушел почти час, но, когда он закрыл книгу, его сердце билось быстрее обычного.

Прежде чем поделиться своими выводами с Сарой, он решил убедиться, что ничего не упустил, и все-таки пролистал на всякий случай две биографии — Марии-Антуанетты и Томаса Мора. Итогом был победный возглас. В каждой из двух книг отец или кто-то из его коллег отметил страницы, на которых рассказывалось, какой ужас испытывали эти исторические личности перед казнью — сохранились свидетельства, что и низложенная королева Франции, и английский философ сделались седыми за одну ночь в тюрьме.

Кристофер захлопнул последнюю книжку и повернулся к Саре:

— Кажется, я понял...

Она медленно подняла голову от магнитной ленты и вопросительно взглянула на него.

— Исследовательская группа отца изучала Страх, с большой буквы «С», — сказал Кристофер. — Во всех книгах подчеркнуто только то, что связано с этой базовой эмоцией.

— И пациент Четыре-Восемь-Восемь в «Гёустаде» тоже умер от страха, — подхватила Сара.

Кристофер вскочил в ораторском порыве, словно забыв о всей серьезности момента:

— Итак, отец и его помощники исследовали механизмы возникновения страха у человека. Но поскольку их основное внимание было сосредоточено на самом древнем в эволюционном плане отделе головного мозга — так называемом рептильном мозге, или мозге рептилии, — они изучали не просто какие-то фобии, а страх в универсальном, абсолютном смысле, тот, который поднимается из самых глубин подсознания и хранится в памяти нашего биологического вида. Первородный страх, который, желаем мы того или нет, присутствует в коллективной памяти всего человечества. Страх, с которым никому из нас не под силу справиться.

— Неудивительно, что ЦРУ причастно к этому научному проекту, — кивнула Сара, — и что твой брат подозревал военное применение результатов. Исследования твоего отца определенно имели целью разработку оружия — психологического оружия, способного вызывать неконтролируемый страх у любого врага.

— Именно так! — Кристофер обрадовался, что она пришла к тому же выводу. — Остаются три вопроса. Что экспериментаторы делали для того, чтобы вызвать неконтролируемый страх? Удалось ли им это? И какова его природа?

— Если страх, испытанный пациентом Четыре-Восемь-Восемь, убил его, на второй вопрос можно без колебаний ответить «да». Подопытные твоего отца, которых здесь подвергали экспериментам, кричали от того самого универсального, абсолютного страха. — Сара почувствовала волнение, но не время было поддаваться эмоциям. — Что касается двух других вопросов, — продолжила она, — чтобы ответить на них, нам не хватает кусочков головоломки. Единственное, что может дать подсказку, — тот странный аппарат для измерения неизвестно чего в операционной и вот эта диктофонная пленка.

Кристофер посмотрел на часы. До звонка Лазаря оставалось три часа двадцать две минуты.

— Заканчивай с кассетой, а я попробую разобраться с аппаратом. — Он быстро вышел из библиотеки и направился в операционную.

Устройство, о котором говорила Сара, быстро нашлось с помощью карманного фонарика, но, как и напарница, Кристофер не понял назначения второй измерительной шкалы с загадочными буквами «X», «Р» и «Т». Перебрал множество гипотез, пытаясь эти буквы расшифровать, однако картинка не складывалась. Тогда он еще раз осмотрел аппарат в поисках какой-нибудь не замеченной раньше надписи или кнопки — того, что помогло бы разгадать секрет железного ящика. В конце концов поднял его — и обнаружил, что к нижней крышке привинчена тонкая металлическая пластина.

Кристофер нашел скальпель и кончиком лезвия вывинтил четыре шурупа. Под пластинкой были две кнопки, подписанные «reset» и «memory»[1].

Он бросился к застекленному шкафу у стены операционной, выдвинул нижние ящики — там были упаковки бинтов, хирургические пластиковые пакеты, какие-то медицинские инструменты... Только в самой глубине, в картонной коробке, задвинутой в дальний угол, среди канцелярских принадлежностей обнаружился нераспакованный рулон бумаги для принтера. Сорвав с него прозрачную пленку, Кристофер вернулся к измерительному устройству, вытащил из-под верхней крышки пустую катушку и вставил новый рулон на ее место. Удостоверившись, что все готово, он нажал на днище кнопку «memory» в надежде, что распечатаются последние данные, сохранившиеся в памяти аппарата, и принялся ждать, затаив дыхание и не сводя глаз с длинной щели.

Вдруг внутри аппарата натужно загудело и застрекотало, будто он разминался, приводя себя в рабочую форму после долгого бездействия.

Кристофер впился зубами в костяшки пальцев.

— Давай! Печатай, черт тебя побери! — выпалил он.

Голос раскатился эхом в пустой операционной. Кристофер склонился над аппаратом, чтобы проверить, все ли в порядке с печатным механизмом, и в этот самый момент иглы пришли в движение и с громким потрескиванием принялись выстукивать на бумаге сохраненные данные.

Кристофер с трудом дождался, когда первый лист выползет из матричного принтера до линии отрыва, дернул его, но, лишь когда подоспел второй, он понял, чтó именно видит перед собой на бумаге, а как только из щели появился третий лист, ошарашенно охнул и бегом бросился к Саре.

Сара уже заканчивала свою кропотливую, ювелирную работу: ей удалось расправить магнитную ленту, просунуть ее под считывающие головки и намотать на бобины. Последний поворот карандаша — и она со вздохом облегчения подняла голову. Готово.

---

[1] «Перезагрузка» и «память» (*англ.*).

Как раз в эту секунду в библиотеку ворвался Кристофер, размахивая тремя листами бумаги. Сара подняла руку:

— Я закончила перематывать пленку. Слушай, — и нажала на кнопку play.

Он замер на месте. Из динамика диктофона раздалось чье-то дыхание, какой-то механический шум, шорох перелистываемых страниц, а потом Кристофер вздрогнул, узнав голос отца:

«Двенадцатое сентября тысяча девятьсот шестьдесят восьмого. Два года и сорок шесть дней экспериментов. Натаниэл Эванс. ЛС-34 оказался весьма эффективным катализатором регрессивного гипноза — восприимчивость к нему показали все три пациента. Сегодня утром, на две недели раньше, чем предполагалось, нам удалось достичь третьего временно́го слоя. Графортекс функционирует отлично и даже превзошел наши надежды: образы, сгенерированные сознанием испытуемых под гипнозом, фиксируются на бумаге с поразительной четкостью... Визуальные данные в распечатке... соответствуют главным этапам эволюции человека как биологического вида... Тем не менее перед нами стоит задача еще глубже погрузиться в прошлое, чтобы получить искомые результаты и предоставить министерству обороны материал, пригодный к использованию...»

Опять послышался механический шум — и все стихло. Кристофер с Сарой еще какое-то время хранили молчание, ожидая продолжения, но в библиотеке было слышно лишь их собственное дыхание. На всякий случай Сара не стала выключать диктофон — перематывать пленку она боялась, а запись могла возобновиться после перерыва.

Не говоря ни слова, Кристофер протянул напарнице три листа бумаги, внимательно наблюдая за ее реакцией.

А реакция оказалась такой же, как у него: Сара не поверила своим глазам. На каждом из трех листов был отпечатан грубый, но вполне различимый контур рисунка. Рыба, дерево, огонь.

— Где ты это нашел?

— Распечатал из памяти того аппарата в операционной. Вероятно, именно его отец и назвал графортексом. И если я правильно понял, эти рисунки — не что иное, как видения, возникшие под гипнозом в сознании подопытных и каким-то образом считанные машиной.

Саре понадобилось некоторое время, чтобы переварить столь неожиданное открытие.

— То есть символы, которые пациент Четыре-Восемь-Восемь без передышки рисовал на стенах палаты, — это образы, увиденные им под гипнозом в процессе экспериментов твоего отца?..

Кристофер и сам никак не мог это осмыслить. Сара еще раз перебрала распечатки.

— Подведем итог. Твой отец стремился определить и научиться вызывать чувство абсолютного страха, общего для всего рода человеческого. С этой целью он разработал аппарат, способный фиксировать и переводить в визуальную форму образы, возникавшие в сознании подопытных, когда их подвергали регрессивному гипнозу, то есть, насколько я понимаю, заставляли погружаться в прошлое. И все трое подопытных видели одно и то же — рыбу, дерево, огонь.

— В записи отец сказал, что они достигли третьего временно́го слоя... — Кристофер поднял с пола схему триединого мозга по Полу Маклину и показал Саре.

— Думаешь, они с помощью гипноза и ЛС-34 пытались добраться до бессознательных воспоминаний, которые хранятся в рептильном мозге? — спросила она, изучив рисунок и прочитав пояснения на обороте. — Заставляли подопытных вспомнить не свою собственную жизнь, а эволюционный опыт всего человечества... Активировали область мозга, где на генетическом уровне «записаны» бесконтрольные рефлексы и страх в чистом виде... Ладно, допустим. Но что означают три символа? Рыба, дерево, огонь — это и есть воплощение абсолютного страха?

Кристофер задумался, потом вдруг схватил учебник по нейробиологии, который пытался читать несколько часов назад, но бросил, потому что ничего не понимал. Теперь же он быстро нашел главу о модели триединого мозга, пробежал глазами несколько страниц и поднял голову:

— Нет, это не символы страха.

— А что тогда?

— Кажется...

— Ну же? Что там написано?

Кристофер, закусив губу, ошеломленно посмотрел на Сару, затем еще раз скользнул взглядом по страницам и начал читать вслух — четко и отрывисто.

Глава 38

— «Рептильному мозгу около четырехсот миллионов лет, он сформировался в ту эпоху, когда первые сложные живые организмы, а именно *рыбы*, обитавшие в океане, вышли на сушу и приспособились к наземной среде. — Кристофер сделал паузу, облизнул губы и продолжил чтение: — Лимбический мозг оформился шестьдесят пять миллионов лет назад у первых двуногих, которые миллионы лет жили на *деревьях*, служивших им укрытием от хищников и главным источником пропитания».

Услышанное не укладывалось у Сары в голове и вместе с тем казалось предельно логичным. Кристофер дочитал третий абзац:

— «И наконец, третьему слою мозга, неокортексу, всего три миллиона шестьсот тысяч лет, он начал формироваться с появлением австралопитеков и открытием *огня*, в результате кардинально изменил ход эволюции и сделал возможным рождение биологического вида homo sapiens».

Закрыв книгу, Кристофер повернулся к Саре, которая завороженно смотрела на распечатку трех символов — рыбы, дерева и огня, хранящихся в подсознании каждого человека.

— Вторая шкала на аппарате в операционной измеряет время. «Т» означает «time», «Р» — «present»[1], а «Х» соответствует самой отдаленной от нас точке в истории возникновения жизни на Земле, до которой рассчитывали добраться отец и его коллеги в процессе экспериментов.

---

[1] «Время», «настоящее» (*англ.*).

Голос Кристофера стих, и в полной тишине вдруг зазвучал другой — из динамика диктофона, так и не выключенного Сарой. Снова заговорил Натаниэл Эванс, теперь уже устало и довольно напряженно:

«Третье февраля тысяча девятьсот шестьдесят девятого. Три года и тридцать четыре дня исследований. Ночью умер один из наших испытуемых. Накануне днем он снова подвергался регрессивному гипнозу и по всем показателям хорошо переносил процедуру — ему удалось погрузиться на два с половиной миллиарда лет... После выхода из гипнотического состояния испытуемый не понимал, где находится, не узнавал окружающих и быстро заснул глубоким сном. Утром мы нашли его мертвым, рот был разинут в безмолвном крике... Сегодня нам предстоит повторить тот же эксперимент с испытуемым номер два, чтобы понять, что произошло с первым. К сожалению, как выяснилось, людей, способных переносить подобные погружения, чрезвычайно мало, и все они отличаются исключительным даром противостоять страху. Лучшим материалом в данном случае могли бы послужить психически больные, однако в нашем распоряжении осталась всего лишь дюжина относительно здоровых испытуемых, и среди них два советских шпиона, продемонстрировавших весьма любопытные результаты. На этих двоих мы возлагаем большие надежды, поэтому было решено изолировать их от остальных и поставить метки на лбу во избежание потери времени — недавно у нас тут случилось что-то вроде мятежа, испытуемые каким-то образом вышли из камер и всей толпой пытались прорваться к выходу. Однако на ошибках учатся — мы учли все промахи и теперь, возможно, как никогда близки к тому, что искали с самого начала...»

Голос Натаниэла Эванса умолк.

— Можешь перемотать? — заволновался Кристофер. — Он же будет еще говорить...

— Магнитная лента очень хрупкая, — покачала головой Сара. — Если порвется, мы ее не восстановим.

Он снова посмотрел на часы:

— Сколько времени пленка будет прокручиваться в режиме воспроизведения?

— Думаю, там осталось часа на два.

— Слишком долго! Лазарь должен позвонить через... один час сорок шесть минут!

— А если пленка порвется, нам все равно нечего будет ему сказать.

Кристофер принялся мерить шагами библиотеку, настороженно прислушиваясь к каждому шороху на записи.

Шестьдесят невыносимых минут прошли в полном молчании. Журналист несколько раз терял терпение и бросался к диктофону, чтобы перемотать пленку, но Сара ему не позволила. В глубине души он был благодарен ей за это, однако ничего не мог с собой поделать и пробовал снова и снова. Запавшие от усталости глаза лихорадочно блестели, руки дрожали, на него страшно было смотреть.

— Остался еще примерно час, — сказала Сара.

Кристофер опять заметался по библиотеке из угла в угол. Сара тоже чувствовала, как нарастает тревога, и уже стала опасаться, что не сумеет с ней справиться. Оба были на пределе.

И вдруг из динамика диктофона донесся знакомый механический шум. Сара подскочила на стуле, Кристофер, только что в изнеможении опустившийся на пол, рывком поднялся. На записи послышались приглушенные расстоянием голоса: несколько человек озабоченно переговаривались, один — Кристофер снова узнал отцовский голос — раздавал указания.

«— Мы же его убьем, доктор!

— Держите же его ! И вколите дозу!

— Почти... пять миллиардов, сэр! Слишком опасно!

— Дайте мне шприц!»

На фоне голосов все громче звучали хрипы и сдавленное мычание.

«— Сердечный ритм уже три минуты превышает отметку двести двадцать, сэр! Он не выдержит!

— Зафиксируйте его, я сделаю инъекцию через пять... четыре... три... две...»

Некоторое время слышался лишь звук работающих медицинских аппаратов.

«— Сердце в порядке, сэр, — раздался наконец чей-то голос. — Он дышит.

— Хорошо... Что показывает графортекс?» — спросил Натаниэл Эванс.

Помощник молчал.

«— Саландер, я к вам обращаюсь! Что на графортексе?!

— Сэр...

— Ну?!

— Что-то не так...

— Да говорите же, мать вашу!

— Абсурд какой-то... Стрелка должна была остановиться здесь, но она... она вышла за нижнюю границу эпохи рептильного мозга и... и продолжает стремительно опускаться! — Помощник опять замолчал, словно никак не мог сформулировать мысль или боялся произнести ее вслух. — Сэр, я думаю, мы только что открыли... четвертый слой мозга... еще более древний...»

Кристофер и Сара разинув рот смотрели на диктофон.

«— Он не шевелится, сэр! — сообщил другой голос. — Вот-вот случится сердечный приступ!

— На какой мы временной отметке, Саландер? — рявкнул Эванс.

— Мы только что преодоле... — Помощник осекся — ему не дал договорить странный, постепенно набиравший силу звук.

— Что происходит? Почему испытуемый так кричит?!

— Не знаю, сэр... я... Боже, что это такое?!»

Крик сделался оглушительным и невыносимым — кто-то выл на звуке, отдаленно похожем на «у», все громче и громче, как самолет, разгоняющийся на взлетной полосе. Саре и Кристоферу стало плохо — горло перехватило от тоски, в груди похолодело.

«Заткните ему рот!!!» — заорал Эванс.

Послышались заполошные возгласы остальных сотрудников, звон падающих металлических предметов. Сара и Кристофер повалились на пол, свернулись в позе зародыша, прижав ладони к ушам, во власти необъяснимого и неодолимого страха. Время будто остановилось, пространство исчезло, они превратились в животных, раздираемых невыразимым, бесконечным ужасом.

И вдруг крик оборвался.

Немного придя в себя, они оба заплакали — сами не знали почему, понимали только, что пережили сейчас нечто нестерпимое для человека.

После короткой паузы Натаниэл Эванс, уже в одиночестве, опять заговорил:

«Двадцать пятое февраля тысяча девятьсот шестьдесят девятого. Три года и пятьдесят шесть дней экспериментов. Изучение того, что мы назвали «Крик» с большой буквы, похоже, займет больше времени, чем можно было рассчитывать. Некоторым членам команды, в том числе мне, понадобилось несколько дней, чтобы прийти в себя после... того инцидента... Запись была передана в министерство обороны. Оттуда нам сообщили, что результаты испытаний в полевых условиях превзошли ожидания военного руководства и что наша работа над этим проектом успешно завершена. Но мы, разумеется, продолжили изучение феномена и уже получили поразительные данные. Прежде всего, мы отправили запись на экспертизу нескольким музыковедам, группе врачей разных специальностей и антропологам. Все они пришли к единодушному заключению: человек не способен воспроизвести подобный звук. Новое исследование привело нас к открытию... — Отец Кристофера замолчал и перевел дыхание. — Крик, который издал испытуемый, идентичен звуку новорожденной Вселенной, зафиксированному космическими спутниками. Точнее, частота этого Крика соответствует частоте отголосков Большого взрыва, так называемому космическому звуковому послесвечению. — Натаниэл Эванс гулко сглотнул. — Наш испытуемый кричал под регрессивным гипнозом, погрузившись в прошлое почти на пятнадцать миллиардов лет — ко времени сотворения Вселенной...»

Кристофер неподвижно сидел в ступоре, обхватив голову руками. Сара, в отличие от него, изо всех сил пыталась сохранить здравый рассудок.

— Теперь у нас есть то, что нужно Лазарю, — сказала она, тряхнув головой, будто отгоняя безумные мысли, которые не укладывались в мозгу. — Мы знаем суть проекта «Четыре-Восемь-Восемь». Давай поднимемся на первый этаж и будем спокойно ждать звонка.

Кристофер молча кивнул. На часах было 23:58.

Они торопливо зашагали к выходу из библиотеки — обоим не терпелось отдать Лазарю выкуп за жизнь Симона. Но вдруг в диктофонном динамике опять зашуршало, затрещало, и раздался довольный голос Натаниэла Эванса:

«Эй, дружок, а вот и твой ужин».

В ответ зашипело какое-то животное, вроде бы запищали мыши, а Эванс снова заговорил:

«Опираясь на результаты, полученные экспериментальным путем в рамках проекта «Павор», мы можем перейти... к проекту «Четыре-Восемь-Восемь»...»

Послышались щелчок, затем глухой скрип и шорох — на этом пленка закончилась.

Кристофер уставился на Сару, будто хотел прочесть на ее лице подтверждение только что услышанного. Но на осмысление и обсуждение времени уже не осталось — Лазарь позвонит в назначенный час, и заставлять его ждать нельзя, даже если последние слова Эванса свели на нет всю ценность того, что им с таким трудом удалось выяснить.

— Солги ему! — велела Сара и кинулась к лестнице.

Мобильный телефон Лазаря зазвонил, едва они выскочили на первый этаж.

Кристофер, выдохнув, принял вызов.

— Двенадцать часов истекли. Я вас слушаю, — просипел знакомый голос.

Глава 39

Джоанна стонала с тех самых пор, как задремала через час после взлета, и Хоткинс, сидевший рядом, то и дело на нее посматривал — любопытно было узнать, что за сны снятся наемной убийце.

Почувствовав особенно пристальный взгляд, женщина проснулась и недобро уставилась на него.

— Дрянь какая-нибудь приснилась, да? — сочувственно спросил Хоткинс, рассчитывая на откровенность.

Но у Джоанны не было никакого желания делиться с ним своими страхами, особенно этим повторяющимся кошмаром, в котором она видела себя подростком. Во сне Джоанна снова оказывалась в родном доме, в дверь звонил школьный приятель и поначалу вел себя очень мило, а потом начинал допытываться, где ее родители. Она отвечала, что родители умерли, их убили грабители, но парень ей почему-то не верил и бросался обыскивать дом, переворачивал все вверх тормашками, открывал шкафы, вытряхивал ящики, скидывал с кроватей матрасы. Она кричала, просила перестать, тогда он начинал ей угрожать, требуя сказать правду. Джоанна в слезах повторяла снова и снова, что родители мертвы, тогда он заявлял, что хочет знать, в каком месте дома их убили. Это продолжалось часами, время во сне растягивалось, и в конце концов Джоанна бросалась с верхней ступеньки лестницы, чтобы положить конец своим мучениям. В этот момент она просыпалась.

— Вчера им повезло, — сказала Джоанна, проигнорировав вопрос Хоткинса. — Но на острове они никуда не денутся.

Бывший морпех насмешливо склонил голову набок:

— Ты бесишься, потому что та инспекторша тебя уделала, а потом еще пришлось просить у Дэвисберри новые визы и он был недоволен из-за того, что опять понадобилось задействовать свои старые связи в ЦРУ... Да?

Джоанну вчерашнее поражение и правда разозлило, поэтому она сердито промолчала.

— Почему ты этим занимаешься? — не унимался Хоткинс.

Убийца нахмурилась.

— Я интересуюсь, — продолжал он как ни в чем не бывало, — потому что ты ведь давно так зарабатываешь и у тебя наверняка немало отложено на черный день. Можно уже зажить спокойной жизнью и перестать бояться, что не сегодня завтра тебя угрохают.

Джоанна просверлила его взглядом:

— Мне нравится моя работа. Такой ответ сгодится?

Говоря это, она и глазом не моргнула, хотя на самом деле была наемницей только потому, что больше ничего не умела — никто не дал ей возможности научиться чему-то другому, и никто не верил, что она мечтает о спокойной жизни. Никому в голову не приходило, что она способна на что-то, кроме убийств.

— И тебе никогда не бывает страшно? — Хоткинс отпил содовой из пластикового стаканчика.

Она вздохнула:

— Меня об этом спрашивает бывший морпех?

— Бывший морпех может тебе и сам ответить: да, мне бывает страшно, и бывало не раз. Но у меня есть вера — я знаю, что со мной произойдет, когда здесь все закончится.

Джоанна покивала с таким видом, будто поняла, но сделала это лишь для того, чтобы он отстал.

— А ты ни во что не веришь, да? — и не думал отставать Хоткинс.

— Верю только в то, что вижу своими глазами.

— Не представляю, как вы, атеисты, живете. Как вам удается побороть страх перед смертью? Если вы и правда ни во что не верите, вас ведь каждый божий день должна одолевать паника. Что вы делаете, чтобы ей не поддаться?

Слова Хоткинса разволновали Джоанну, и она уже начала терять терпение:

— Паника сейчас должна одолевать моих «клиентов», а не меня. И хватит уже тут разыгрывать исповедника, меня это нервирует. Я не собираюсь умирать в ближайшее время.

Бывший морпех, пожав плечами, допил содовую.

— Не знаешь, что за секрет так тщательно оберегает Дэвисберри, если послал нас убить двоих людей?

— Это не моего ума дело. И вообще-то не твоего. — Джоанна встала и направилась в хвост самолета тоже налить себе содовой. В действительности ей нужно было скрыть от напарника свое смущение. Привычка Марка Дэвисберри выдавать задания без объяснения причин все больше не нравилась Джоанне. Марк заявлял, что ей лучше ничего не знать ради ее же безопасности, но наемнице начинало казаться, что все дело в отсутствии у него доверия и уважения.

Когда она вернулась на место минут через десять, Уильям Хоткинс уже забыл о своем вопросе и внимательно изучал карту острова Вознесения — научно-исследовательская лаборатория была отмечена жирной точкой на склоне вулкана.

Джоанна достала вторую схему, тоже полученную от Дэвисберри, и разложила ее на откидном столике. Это был подробный план здания — прямоугольного барака с обведенной кружком лестницей, ведущей на подземный этаж, где, согласно приказу, им предстояло все сжечь.

— Работать придется голыми руками — оружие на острове взять негде, — сказала Джоанна. — Я займусь сыном Эванса, а ты — инспекторшей. Поскольку мы с ней уже пообщались, она знает мою манеру боя, а у тебя есть шанс устроить ей сюрприз. Будь осторожен, она... в хорошей форме.

— О'кей.

И оба погрузились в изучение схемы барака — нужно было продумать, как перекрыть двум «клиентам» все пути к отступлению.

ГЛАВА 40

У Кристофера голова шла кру́гом.

— Итак, вы нашли то, что мне нужно? — нетерпеливо спросил Лазарь.

Журналист нерешительно посмотрел на диктофон, и Сара, испугавшись, что он потерял способность соображать, приложила палец к губам — мол, не надо ничего говорить о последней записи Эванса.

— Да, мы нашли ответы на все ваши вопросы! — выпалил Кристофер.

— Надеюсь, вы понимаете, что произойдет, если попытаетесь меня обмануть?

— Я хочу поговорить с Симоном. Дайте ему телефон.

Через несколько секунд из динамика мобильного послышалось слабое дыхание.

— Симон, малыш, это я...

Молчание.

— Симон, ты меня слышишь?

— Да, — прозвучал тонкий голосок.

— Все плохое скоро закончится, обещаю, я приеду за тобой. Не бойся. Договорились?

— Угу...

— Скажи, ты хорошо себя чувствуешь?

— Мне холодно...

Кристофер впился зубами в нижнюю губу. От дрожащего детского голоска на глаза наворачивались слезы, горло перехватило, он не мог больше говорить — с ужасом представлял себе, как на другом конце линии Симон, заплаканный, напуганный, трясущийся, стоит, опустив голову и смотрит в пол, а бандит держит телефон возле его уха.

В этот момент Кристофер почувствовал взгляд Сары, посмотрел на нее и прочел в спокойных внимательных глазах одобрение и поддержку.

— Знаешь, малыш, ты самый смелый и сильный мальчик в мире! Самый-самый! Когда твоя подружка Алиса об этом узнает, представляешь, как она будет тобой восхищаться? Я...

— Хватит, — вмешался Лазарь. — Пора переходить к делу.

— Когда и где я увижу Симона? — жестко спросил Кристофер.

Старик раздраженно фыркнул:

— Сергей...

Журналист побледнел:

— О'кей, о'кей, сейчас все расскажу. Не трогайте Симона, ясно?

— Если я услышу правду, ему бояться нечего.

— Ладно, слушайте. Натаниэл Эванс и его помощники занимались изучением абсолютного страха, универсального для всего человечества, чтобы создать оружие для американских военных. Вас подвергали экспериментам с целью исследования глубинных зон мозга, а для этого применяли регрессивный гипноз и психотропный препарат ЛС-34 из группы ЛСД.

Лазарь молчал, и Кристофер продолжил рассказ о модели триединого мозга, о значении трех символов — рыбы, дерева, огня — и, наконец, о крике, похожем на эхо Большого взрыва, в котором родилась Вселенная.

— Теперь вы все знаете, — заключил он. Сердце колотилось в ожидании реакции старика, но тот не спешил нарушить молчание.

— Почему проект назывался «Четыре-Восемь-Восемь»?

Голос Лазаря разрезал тишину как нож гильотины. У Кристофера на секунду потемнело в глазах, Сара невольно сжала кулаки.

— Не знаю, но... какая разница? Теперь вам известно, что и ради чего с вами делали. Отпустите Симона!

— Вы только что рассказали мне о проекте «Павор», не так ли? — спокойно сказал старик.

— Нет, о проекте «Четыре-Восемь-Восемь»! — снова солгал Кристофер, смертельно побледнев.

— Вначале они все время говорили между собой о проекте «Павор»... Это латинское слово означает «страх»... Да, «Павор». Но потом все изменилось. Каждый раз, когда нас тащили в лабораторию, а потом отвозили на каталках обратно в камеры, они обсуждали проект «Четыре-Восемь-Восемь», о «Паворе» было забыто. Это разные проекты, Кристофер.

— Нет, один и тот же, просто название поменяли! — выкрикнул журналист. — Мы тут все перерыли, больше нет никаких материалов. Клянусь, теперь вы знаете все, что можно было узнать!

— Я так не думаю. Похоже, вы сделали только половину работы.

— Но здесь больше нечего делать! Слышите меня? Вы требуете невозможного! Чертова лаборатория давно заброшена, отсюда все вывезли! Это чудо, что нам удалось найти хоть какую-то информацию об экспериментах! Чудо, понимаете?! Если вы причините вред Симону, ответы не возникнут от этого просто так, из воздуха! Я выполнил свою часть сделки, очередь за вами! Отпустите Симона и скажите мне, где он!

Несколько секунд из динамика доносилось только сиплое, болезненное дыхание Лазаря, который собирался с мыслями, чтобы вынести приговор.

— Все-таки вы неплохо потрудились, поэтому я не стану отрезать мальчику руку прямо сейчас. Раз уж вам удалось все выяснить о проекте «Павор», значит, и о проекте «Четыре-Восемь-Восемь» вы узнаете.

— Говорю же, здесь больше ничего нет! — с отчаянием выкрикнул Кристофер.

— Только теперь, — невозмутимо продолжал Лазарь, — в вашем распоряжении будет всего один час, а потом я дам Сергею приказ закончить то, что он начал, когда занес нож над рукой малыша Симона.

— Нет!

— У вас шестьдесят минут.

Связь оборвалась, и Кристофер, упершись спиной в стену, медленно сполз на пол.

— Здесь наверняка остались какие-то документы, которые мы не нашли, но обязательно найдем, — осторожно сказала Сара.

— Даже если так, у нас ушло двенадцать часов на то, чтобы разобраться с проектом «Павор». А за час, за какой-то жалкий час...

Сара, не дослушав, поспешно спустилась по ступенькам в библиотеку, служившую Натаниэлу Эвансу рабочим кабинетом, и еще раз тщательно осмотрела помещение, в котором они провели много часов. Обследовала книжный шкаф, виварий, стол и вдруг обернулась к безвольно стоявшему на пороге Кристоферу:

— Во время последней записи твой отец кормил какое-то животное — помнишь слова про ужин, а еще шипение и писк?

Он посмотрел на виварий, в котором лежал скелет змеи.

— Да, — кивнула Сара. — Натаниэл Эванс был в этом кабинете, последняя запись сделана здесь. Может, ты не обратил внимания, но сразу после того, как он сказал, что приступает к проекту «Четыре-Восемь-Восемь», раздались щелчок и такой звук, как будто что-то передвинули по полу.

— Тайная дверь?

— Очень может быть.

Кристофер быстро огляделся и устремился к книжному шкафу. Вдвоем они отодвинули шкаф, но за ним оказалась глухая стена.

— Должен быть какой-то механизм, — пробормотал журналист. — И логично предположить, что он включается где-то под рабочим столом.

— Поторопись! — предупредила Сара. — Уже скоро сюда нагрянут гости.

Кристофер бросился к столу, ощупал снизу столешницу, почти сразу нашел кнопку и нажал на нее. Раздался щелчок — стена, от которой они отодвинули книжный шкаф, начала поворачиваться вокруг своей оси с шорохом и железным скрипом.

— Ура! — вырвалось у Кристофера. — Сара, ты гений!

Он вскочил из-за стола, чтобы ее обнять, но тут торжество обернулось разочарованием — стена застряла, не пройдя и четверти полукруга.

— Нет-нет-нет! — взмолился Кристофер и постарался расширить щель руками.

Сара бросилась ему помогать, однако механизм заклинило намертво — стена не сдвинулась ни на миллиметр. Журналист в бессильной ярости шарахнул по ней кулаком:

— Пойду за киркой! — и кинулся к выходу, но на пороге резко попятился, заметив луч света в дальнем конце коридора. — Сара, — испуганно шепнул он, — те двое здесь!

— Да наверняка, — кивнула она. — Их самолет уже должен был приземлиться на острове. А теперь ты будешь делать в точности так, как я скажу.

Кристофер попытался успокоиться, однако паника неуклонно вступала в свои права.

— Прежде всего, не смей думать о том, что они сильнее нас, — еще тише заговорила Сара. — Мы победим. О'кей?

Он притворился, что согласен, хотя на самом деле чувствовал, что спутница и сама боится.

— Я отвлеку их. Уведу за собой.

— Но одна ты с ними не справишься!

— Выбора нет. Эти двое — профессионалы, у тебя против них никаких шансов. Так, а теперь возьми диктофон — на всякий случай, для Лазаря, если вдруг... Короче, бери диктофон и дай мне книгу.

— Что?! Какую?

— Любую!

Кристофер не представлял, как они сумеют вырваться живыми из этой ловушки, и понятия не имел, зачем Саре книга, но поступил так, как она велела.

Сара тем временем взяла настольную лампу, сняла с нее зеленый абажур, надорвала ткань и отломала длинный кусок проволоки от каркаса. Не оборачиваясь, схватила протянутую Кристофером первую попавшуюся книгу, зажала проволоку между страницами и, держась за переплет, сунула оголенный конец проволоки в розетку. Произошло короткое замыкание — проводка зашипела, вспыхнула, и в коридоре одна за другой со звоном полопались лампочки. В библиотеке тоже стало темно.

— Теперь у нас преимущество. Я их отвлеку и выиграю для тебя время.

— Сара... — Он положил ладонь ей на плечо. — Если я... не выберусь... умоляю, спаси Симона!

Она ненавидела давать обещания, выполнение которых зависело не только от нее самой, но и от обстоятельств. Самой себе в глубине души Сара уже поклялась, что сделает все возможное, однако на словах решила быть более осторожной и заодно подбодрить напарника:

— Они, конечно, профи, но всего лишь люди, понимаешь? И к тому же без оружия — здесь военная база, их не пустили бы в самолет с пушками и ножами. Не забывай об этом. Когда я выйду из комнаты, ты очень медленно и осторожно поползешь к лестнице и поднимешься к выходу из барака. Не жди меня — сразу беги к аэродрому. Встретимся там.

Кристофер машинально кивнул.

Сара посмотрела на него долгим взглядом, как будто хотела еще что-то сказать, но сдержалась и тихо приблизилась к двери.

Хоткинс бесшумно продвигался по коридору подземного этажа, освещая себе путь карманным фонариком. Джоанна следовала за ним, пятясь и прикрывая тылы.

Спустившись сюда по лестнице, они сразу пошли налево, в длинный рукав коридора, и только что свернули за угол.

Внезапно Хоткинс слегка коснулся ладонью бедра напарницы, давая сигнал остановиться, а когда Джоанна обернулась, указал на приоткрытую дверь библиотеки. В следующий миг створка распахнулась, и в сторону операционной метнулся женский силуэт.

— Уходи оттуда! Они здесь! — закричала Сара, будто обращалась к кому-то в операционной.

Лучи фонариков наемных убийц скрестились на ней. Морпех сразу сорвался с места — бросился догонять цель. Джоанна кинулась следом, но у двустворчатой двери, за которой он исчез, остановилась. Она изучила план здания и сейчас вдруг удивилась, что инспектор велела своему спутнику уходить из операционной — там был только один выход, в коридор, откуда они с Хоткинсом и наступали. Зачем же инспектору понадобилось гнать добычу прямо в волчью пасть?..

Резко развернувшись, Джоанна направила свет на дверь комнаты, из которой только что выбежала Сара. И неслышно двинулась в ту сторону.

Кристофер затаил дыхание. Совету ползти к лестнице он последовал буквально и теперь лежал животом на полу в коридоре у самой стены, выжидая возможности добраться до ступенек. До сих пор он продвигался очень медленно, боясь любого шороха и стараясь не захрустеть осколками битых лампочек, а когда над его головой скользнул луч света, подумал, что все кончено, и замер.

В операционной что-то загремело. Приближавшаяся к Кристоферу убийца машинально обернулась, но, решив, что напарник и сам справится, тотчас снова сосредоточилась на своей цели. Она подошла почти вплотную к ногам Кристофера, но не видела его в темноте на полу, поскольку все внимание сконцентрировала на дверном проеме и туда же светила фонариком. Перед дверью она благоразумно остановилась, и журналист совсем перестал дышать.

Джоанна толкнула приоткрытую створку кончиками пальцев, дождалась, когда стихнет скрип петель, и, пригнувшись, скользнула в проем.

Кристофер в тот же момент поднялся и, тоже пригнувшись, двинулся к лестнице, еще медленнее и осторожнее, леденея от страха и уповая на то, что стук сердца гремит только в его собственных ушах, убийца его не слышит. Добравшись наконец до лестницы, он стал подниматься по ступенькам на первый этаж.

Джоанна тем временем быстро убедилась, что комната, из которой выскочила норвежка, пуста. Похоже, их с Хоткинсом надули. Пулей вылетев в коридор, она метнулась к лестнице, успела заметить мелькнувшую наверху спину Кристофера и помчалась вдогонку.

Глава 41

Сара, передвигаясь вслепую по операционной, наткнулась на металлическую каталку, опрокинула ее с оглушительным грохотом и едва успела спрятаться за другой, как в помещение вломился Хоткинс.

Посветив по кругу фонариком, он настороженно двинулся вперед. Сара, затаившись, продумывала стратегию. Единственный шанс победить противника, который явно сильнее ее, — это напасть на него первой.

Бывший морпех между тем осматривал комнату, готовый атаковать в любую секунду. Но о защите он не позаботился — оказавшись рядом с укрытием Сары, не успел увернуться, и бортик каталки с размаху врезался ему в живот. Стальная мускулатура пресса выдержала удар — Хоткинс пришел в себя быстрее, чем ожидала Сара, схватил ее за локоть и резко дернул на себя, а в следующее мгновение она уже лежала на полу с выкрученной за спину рукой. Все произошло так быстро, что у нее просто не было возможности отреагировать. Столько усилий потрачено, чтобы попасть на этот остров, и вот теперь она во власти человека, который определенно намерен ее убить!

Вместо того чтобы ослабить давление на руку, повернувшись в ту сторону, куда ее тянул Хоткинс, Сара внезапно рванулась в противоположную. Послышался хруст, она закричала от боли, когда плечо вышло из сустава, зато Хоткинс, которого это движение застало врасплох, пропустил ее удар ногой под колени. Убийца потерял равновесие и врезался в стену. Треснув по крепкой боксерской шее здоровой рукой, Сара без паузы добавила ему коленом между ног и замахнулась, метя в голову, но морпех ловко поставил блок, молниеносно схватил противницу за горло и, легко, словно куклу, перекинув к стене, прижал ее всем телом и начал душить.

Сара пыталась вырваться, но лишь трепыхалась в железной хватке, как рыба на берегу. Его пальцы давили все сильнее, еще немного — и треснет подъязычная кость. Воздуха уже не хватало, обожженная сторона лица горела и пульсировала от боли. Последняя мысль Сары была о Кристофере, о том, что она его подвела.

Кристофера подхлестывал страх, толкал вперед, как загнанное животное; легкие пылали огнем. Оттолкнувшись от верхней ступеньки лестницы, он вылетел в спальню, оттуда метнулся в коридор и рванул изо всех сил к выходу из барака. Позади звучал топот преследовательницы. Уже схватившись за дверные ручки, журналист понял, что они замотаны железной цепью с замком — убийцы обо всем позаботились.

Он обернулся. Джоанна была в каких-то десяти метрах от него. Оставалось тихонько скрючиться на полу и ждать смерти, но инстинкт выживания не дремал. Кристофер бросился во вторую спальню и, дрожа всем телом, съежился за комодом. Он был в ловушке, без оружия и навыков рукопашного боя, один на один с женщиной, чье ремесло — выслеживание и убийство. Поискал вокруг какой-нибудь предмет, которым можно ударить, но ничего не нашел. В отчаянии принялся шарить по карманам, и в этот момент дверь с треском распахнулась.

Джоанна открыла дверь ногой, отпрянула и заглянула в комнату из-за косяка — цель явно не обладала боевыми качествами, но осторожность никогда не помешает. На полу валялся старый матрас, а запыленная тумбочка и рассохшийся комод стояли на своих местах — все было в точности так, как при их с Хоткинсом первом осмотре. Журналист словно сквозь землю провалился.

Она осторожно вошла в спальню, услышала вдруг приглушенное бормотание из-за комода, озадаченно направила в угол между мебелью и стеной луч фонарика и увидела съежившегося на полу Кристофера. Он забился в щель, как загнанный зверь, сидел там в ожидании смерти, почему-то прижимая ладони к ушам — наверное, не хотел знать, когда на него обрушится смертельный удар. Забыв о странном бормотании, исходившем непонятно откуда, Джоанна шагнула к журналисту и, схватив его за волосы, хотела заставить встать. Он даже не стал отбиваться, подавив защитный рефлекс, — по-прежнему зажимал руками уши. Тогда наемница ударила его головой о стенку комода — и вдруг раздался чудовищный крик, от которого леденящий ужас сковал тело так, что она потеряла над собой контроль.

Выпустив волосы жертвы, Джоанна зашаталась, натыкаясь на мебель и размахивая руками. Опрокинула с тумбочки ночную лампу, упала на колени, парализованная страхом, какого не испытывала ни разу в жизни.

Когда крик наконец смолк, она разрыдалась, невыразимый ужас сменился растерянностью и опустошением.

В этот момент Джоанна заметила над собой тень. Боевые рефлексы, выработанные годами тренировок, не подвели — она нашла в себе силы подняться.

Не ожидавший этого Кристофер испугался, хотя убийца двигалась, как в замедленной съемке. Он замер в смятении, и, когда Джоанна бросилась на него, оба повалились на пол, взметнув облако пыли. В темноте она нащупала его горло, но Кристофер отбивался так яростно, что наемница разжала пальцы. Он вскочил, Джоанна тоже попыталась выпрямиться на подгибавшихся ногах, все еще дезориентированная в пространстве, и Кристофер, отступив на шаг, резко подался вперед, толкнув ее плечом.

Убийца опрокинулась на спину и, падая, ударилась затылком об угол комода. Сразу обмякла, сползла по дверце. Подбородок ткнулся в грудь, как будто у тряпичной куклы не удержалась на весу слишком тяжелая голова.

Кристофер, растрепанный, взмокший, охваченный неведомой злой горячкой, приблизился к неподвижной наемнице, присел рядом на корточки, проверил пульс и выдохнул:

— Черт...

Она еще дышала.

Оглядевшись и подобрав с пола разбитую лампу, он ухватился за тяжелое деревянное основание и занес его над головой Джоанны.

Рука дрожала, зубы скрипели от ненависти — чувства, которого Кристофер никогда раньше не испытывал.

Он подумал, что нужно будет нанести множество ударов, прежде чем треснет череп, представил себя палачом, раз за разом опускающим меч на шею приговоренного, которому не сумел отрубить голову с первого взмаха. И спустя несколько секунд внутренней борьбы сдался — понял, что не способен на хладнокровное убийство. Злясь на себя, сдернул простыню с ветхого матраса, разорвал ее на длинные полосы, скрутил из них веревку и накрепко связал руки и ноги убийцы. Тряпкой заткнул ей рот и, оттащив безвольное тело к батарее отопления, примотал концы веревки к трубе. Затем удостоверился, что, даже очнувшись, Джоанна не сможет вырваться, обыскал ее карманы и достал смартфон, обратный билет на самолет с острова Вознесения до Бриз-Нортона, паспорт и подробный план барака, в котором они сейчас находились, а расправив план на полу и осветив его фонариком, чуть не задохнулся от очередного всплеска адреналина: рядом с библиотекой на подземном этаже было начерчено еще одно помещение и написано от руки, что проход в него открывается с помощью кнопки под письменным столом. Еще на полях была нарисована красная стрелка, указывающая на тайную комнату, с комментарием: «Уничтожить в первую очередь».

Кристофер снова подергал самодельные веревки, поискал диктофон и нашел его на полу, расколотый и раздавленный ногой во время схватки с убийцей. Кассета валялась рядом, тоже сломанная, с торчащей наружу смятой и порванной магнитной лентой. Тогда он поспешил на подземный этаж, к Саре, подобрав по дороге кирку. На крик, записанный на пленке, рассчитывать уже не приходилось для спасения своей жизни, поэтому он спускался по ступенькам настороженно, прислушиваясь к каждому шороху и держа фонарик за спиной, чтобы второй убийца не вычислил его по пятну света. Сара до сих пор не давала о себе знать, и это беспокоило.

Добравшись до участка подземного коридора, ведущего к операционной, Кристофер заметил под двустворчатой дверью слабую полоску света. И похолодел, услышав душераздирающий крик Сары — она звала его на помощь.

Первым порывом было броситься к ней, но журналист замер на месте. Что, если это ловушка? Может, убийца заставил ее закричать, а сам притаился за дверью и поджидает вторую жертву? Нет, Сара не стала бы этого делать, даже под пыткой...

Она снова выкрикнула его имя — громкий возглас перешел в рыдания. Кристофер вздрогнул — Сара, такая сдержанная, никогда не показывавшая ни радости, ни страха, вопила от ужаса. Что же она должна сейчас испытывать, если потеряла хладнокровие и выдержку? Сейчас он нужен был ей так же отчаянно, как сам нуждался в ней до этих пор. Нужно было спешить на помощь.

Но Кристофер никак не мог разрешить дилемму: с минуты на минуту выйдет срок, отмеренный Лазарем, и, пока убийца занят Сарой, есть время открыть тайный ход и найти последние ответы, чтобы спасти Симона. Если же он попытается сначала помочь Саре, может и сам погибнуть, а это означает, что мальчик тоже умрет.

Любовь к приемному сыну пересилила все остальные чувства. Сгорая от стыда, раздавленный чувством вины Кристофер оторвал взгляд от двустворчатой двери операционной и ринулся в библиотеку. Просунув кирку в щель застрявшей на повороте стены, потянул за рукоятку, как за рычаг, изо всех сил. Стена сдвинулась всего на полсантиметра. Он дернул еще раз, чуть не вывихнув запястье, и еще — стена не поддавалась. Обессиленный Кристофер заплакал от ярости. Было ясно, что в одиночку он не справится. Оставался единственный выход.

Глава 42

Сначала Сара думала, что спит, вернее, никак не может вырваться из ночного кошмара, но мужской голос сделался громче, обрел реальность, и она открыла глаза.

— Вот и славно, детка... Давай-ка просыпайся, пока можешь, а то скоро заснешь вечным сном.

Сара почувствовала острую боль в правом плече, хотела схватиться за него левой рукой, но обнаружила, что запястья привязаны к стулу. Голос звучал у нее за спиной.

— Сколько времени? — хрипло выдохнула она.

— Сколько... времени? — озадаченно повторил Хоткинс. — Ты первая, кто задал мне такой вопрос перед смертью. Ладно, отвечу. Один час восемь минут ночи.

Срок, установленный Лазарем, истекал в 1:30.

— Где Кристофер?

— Пал смертью храбрых от рук моей очаровательной напарницы.

Сара чуть не задохнулась от горя и отчаяния.

— Вообще-то ты тоже уже должна быть мертва, — продолжал Хоткинс. — Но по удачному стечению обстоятельств тебе пришлось иметь дело со мной, а я предпочитаю, чтобы мои жертвы уходили с миром. К сожалению, сегодня у нас мало времени, так что давай-ка побыстрее. — Убийца обошел Сару, встал перед ней и с торжественным видом произнес: — Веруете ли вы в Бога, мадам Герринген?

Сара не ответила — горе от известия о смерти Кристофера лишило ее последних сил.

— Вы веруете в Бога?! — рявкнул Хоткинс ей в лицо.

Она закрыла глаза, чувствуя, как наплывает тень, которую гнала от себя прочь последние несколько суток, — отнимающее волю болезненное желание все бросить, навсегда заснуть в сугробе и больше не мучиться.

— Через минуту я заберу у вас жизнь, мадам Герринген. Ровно столько времени у вас осталось на исповедь. — Хоткинс включил на своих часах секундомер. — Облегчите душу, прежде чем предстанете перед Господом. Снимите камень с сердца, и Бог вас простит.

— Кристофер! — заорала Сара.

— У вас пятьдесят пять секунд на то, чтобы примириться с собой.

В последней надежде Сара снова выкрикнула имя Кристофера, будто прощаясь с ним, и разрыдалась.

Хоткинс встал перед ней на колени.

— Слишком поздно. Сейчас вы умрете, а у вас на душе тяжесть, я вижу. Уйдите с миром. Вы этого заслуживаете.

Голова Сары поникла. В тишине громко тикали часы убийцы.

— Покайся, дочь моя, и Господь дарует тебе прощение.

Жесткие ладони легли ей на шею.

— Осталось пятнадцать секунд...

Пальцы усилили давление, Сара стала задыхаться и вдруг испытала острую потребность избавиться перед смертью от груза прошлого.

— Простите меня, дети! — выдавила она. — Я прошу прощения у восьмилетнего мальчика, которого застрелила на том пшеничном поле, когда он бежал ко мне спросить, почему я убила его отца... — Сара задрожала всем телом и продолжила слабым, срывающимся голосом: — И у ребенка, которого я так мечтала родить, но не родила. Прости, малыш, что не удержала рядом с собой того, кто должен был стать твоим отцом. Прости, что не подарила тебе жизнь... не получилось... но я так хотела...

Больше говорить она не могла — по щекам покатились слезы, горло перехватило.

Хоткинс посмотрел на нее с презрением.

— Господь прощает далеко не всё, — сказал он, и стальные пальцы сжались на шее грешницы.

Кристофер, затаившийся под дверью, слышал признание Сары, и, хотя не время было об этом думать, его ошеломил груз вины на совести этой женщины. Справившись с эмоциями, он крепче взялся за рукоятку кирки и на словах Хоткинса «Господь прощает далеко не всё» ворвался в операционную.

Убийца, стоя к нему спиной, душил Сару, которая уже не сопротивлялась. Журналист перевел дыхание и, бросившись к нему, размахнулся своим оружием. Хоткинс начал поворачиваться — в этот момент кирка вонзилась ему под ключицу. Он отшатнулся, заорав от боли. Из разорванной подключичной артерии фонтаном брызнула кровь.

Кристофер, отпустив рукоятку кирки, застрявшей в теле убийцы, метнулся к Саре, не зная, жива ли она еще. Сара была смертельно бледна и не шевелилась; голова свесилась на грудь. Прижав пальцы к ее яремной вене, он с облегчением почувствовал слабый пульс. Обернулся на Хоткинса — тот, рыча от боли и ярости на полу, пытался вырвать кирку из плеча. Тогда Кристофер принялся торопливо развязывать веревку на руках Сары. Узлы оказались так сильно затянуты, что пришлось повозиться. Ему как раз удалось освободить конец веревки, когда убийца наконец вырвал кирку из раны. Лихорадочно распутав узел на запястьях, Кристофер поднял ее голову, заглянул в лицо:

— Сара! Очнись!

Наемник пытался подняться, упираясь в пол одним коленом, которое его не держало. Кристофер в панике ударил Сару по щеке, чтобы привести в чувство. Она издала слабый стон, но Хоткинс уже стоял на двух ногах, согнувшись и прижимая ладонь к ране. Даже в таком состоянии он наводил ужас.

— Сара, черт побери! Приди в себя! Скорее!

Кристофер встряхнул ее за плечи и влепил еще одну пощечину. Открыв глаза, Сара уставилась на него мутным взглядом, словно не понимала, жива она или нет. Журналист заметался в поисках еще какого-нибудь оружия — надо было добить Хоткинса, пока тот слаб. Нашел скальпель и, зажав его в кулаке, двинулся на убийцу, который не сводил с него взгляда, полыхавшего злостью.

Кристофер переместился вправо, толкнул в сторону Хоткинса медицинскую каталку, чтобы лишить его равновесия, и бросился в атаку, выставив скальпель перед собой.

Хоткинс здоровой рукой с молниеносной скоростью перехватил его запястье и выкрутил кисть так, что у Кристофера подогнулись колени. Затем дернул его на себя, развернул и прижал к своему торсу спиной, взяв шею в захват локтевым сгибом. Кристофер задохнулся, в глазах потемнело — а через несколько секунд давление вдруг ослабло, рука убийцы безвольно соскользнула с него, и журналист осел на пол, судорожно хватая ртом воздух.

Сара вытащила из уха наемника длинную иглу шприца, которую только что вонзила в него. Хоткинс пошатнулся, сделал несколько неверных шагов, опрокинул каталку с диким металлическим грохотом и рухнул сверху.

— Нужно убедиться, что он мертв! — прохрипела Сара.

— Нет времени! До звонка Лазаря восемнадцать минут! Даже если этот парень жив, он скоро истечет кровью.

Сара, массируя посиневшую шею, с наслаждением вдохнула полной грудью. Кристофер, подобрав окровавленную кирку, закинул руку спутницы себе на плечи и потянул ее к выходу из операционной — он спешил в библиотеку.

В коридоре Сара с недоумением покосилась на Кристофера — как ему удалось выжить в схватке один на один с той женщиной, наемной убийцей?

— Тот парень сказал мне, что ты мертв...

— Он хотел отобрать у тебя надежду.

— А где наемница?

— На первом этаже. Связанная.

Сара онемела от изумления.

— Нет, я не тайный агент ЦРУ, — хмыкнул Кристофер. — Просто мне повезло — вовремя возникла спасительная идея. Потом расскажу.

Они переступили порог библиотеки, и Сара заверила спутника, что теперь может держаться на ногах без его помощи. Кроме синяков на шее, у нее была еще одна проблема — вывихнутое плечо. Она подняла больную руку здоровой так, чтобы локоть образовал угол 90 градусов по отношению к плечу. Кристофер видел, как скривилось ее лицо. В следующую секунду Сара резко вздернула обе руки над головой и завела за спину. Она вскрикнула, зато сустав с сухим щелчком встал на место. Дав себе полминуты на то, чтобы отдышаться, Сара сделала Кристоферу знак, что с ней все в порядке.

Они подошли к застрявшей на развороте стене, закрывающей потайной ход. Сара сразу заметила, что щель чуть-чуть расширилась — значит, Кристофер пытался открыть проем в одиночку, и сделал он это после того, как разобрался с Джоанной. Как раз в то время, когда она, Сара, звала его из операционной. Возник вопрос, почему он все-таки пришел ей на помощь — по доброй воле или только из-за того, что понял: один он не сможет повернуть стену? Но Сара вдруг подумала, что ответ для нее не важен — даже если Кристофер действовал из практических побуждений, у нее хватило совести признаться себе, что на его месте она поступила бы точно так же ради спасения ребенка. К тому же, как бы там ни было, он ее спас.

— Вдвоем мы сумеем увеличить проем настолько, чтобы в него протиснуться, — сказал Кристофер. — Я использую кирку как рычаг, а ты попробуй одновременно нажать на стену.

Сара кивнула и здоровым плечом уперлась в противоположный край стены. Кристофер просунул кирку в щель и с силой потянул рукоятку на себя. Стена поддалась — щель расширилась еще на сантиметр.

— У нас получится! — обрадовался он. — Поднажмем еще пару раз!

Сара была бледной как смерть, Кристофер боялся, что она вот-вот потеряет сознание, но выбора у них не оставалось.

Поднажать пришлось еще четыре раза, и Сара без сил опустилась на пол, махнув Кристоферу рукой — мол, иди первым, потом я.

Он боком протиснулся в проем.

Глава 43

В свете карманного фонарика стало видно помещение площадью не больше десяти квадратных метров. На полу лежал толстый ковер гранатового цвета, справа находился письменный стол из резного дерева, у стены в глубине стоял книжный шкаф — на полках виднелись аккуратные ряды корешков и скоросшиватель.

Кристофер сразу шагнул к столу.

— Осмотри книги, — попросил он Сару, которая тоже проскользнула в щель, и принялся торопливо выдергивать ящики.

В органайзере не было никаких записей, два ящика справа оказались пусты, зато в верхнем слева нашлась картонная папка с наклейкой «Результаты экспериментов». Сгорая от нетерпения, Кристофер вытряхнул содержимое папки на стол. Там были несколько чистых листов и стопка распечаток с уже знакомыми очертаниями рыбы, дерева и огня, только здесь у некоторых рисунков контур был частично заполнен краской. Кристофер в сердцах задвинул ящик обратно, выдернул нижний — и в глубине нащупал еще одну папку.

Сара тем временем провела лучом фонарика по книгам и с удивлением обнаружила, что все они принадлежат одному автору — Карлу Густаву Юнгу. Из курса психологии она помнила, что наряду с Зигмундом Фрейдом это один из основоположников психоанализа. Затем ее внимание привлек скоросшиватель, на верхней крышке которого значилось: «Примечания и ссылки». Сара уже собиралась заглянуть внутрь, когда ее позвал Кристофер:

— Иди сюда! Кажется, я кое-что нашел!

Она подошла и прочитала название на картонной папке, выложенной журналистом на стол: «Выступление на слушании по бюджету ЦРУ 13/04/1969. Теоретические обоснования проекта «488».

— Похоже, это черновик речи, написанный отцом, — пробормотал он, пробежав взглядом первые страницы. — Слушай... — И принялся читать: — «Уважаемые члены руководства, господин директор Дэвисберри. Как вам известно, психологическое оружие, разработанное в рамках проекта «Павор», показало весьма убедительные результаты во время полевых испытаний и в настоящих боевых условиях. На этом основании некоторые из вас вполне справедливо обратились с просьбой разъяснить им природу феномена, позволившего создать данное оружие и условно обозначенного нами «крик первородного страха». Вот с чего начались наши исследования. Благодаря выдающемуся открытию Зигмунда Фрейда давно известно, что каждый человек несет в себе кладезь мнимого забвения под названием «бессознательное», где накапливается весь его опыт, даже тот, что, как ему кажется, он выбросил из головы или хотел бы навсегда забыть. Однако сравнительно недавно доктор Карл Густав Юнг, блистательно продолживший работу своего предшественника и старшего коллеги, доказал, что, помимо индивидуального, существует коллективное бессознательное, общее для всего человечества и присутствующее у всякого индивида независимо от его жизненного опыта, культуры и географической принадлежности. См. примечание тридцать восемь». — Кристофер прервал чтение. — Черт, что за примечание?!

— Подожди, — отозвалась Сара. — Посвети мне. — Здоровой рукой она перенесла с книжной полки на стол скоросшиватель, открыла его, перелистала несколько страниц и тоже прочитала вслух: — «Примечание тридцать восемь. Юнг далеко продвинулся в исследованиях глубинной психологии и уже разработал понятие «психея» к началу своего сотрудничества с ЦРУ в тысяча девятьсот сорок третьем году. Он, как и многие его коллеги в ту пору, составлял психологические портреты офицеров нацистской армии, чтобы помочь союзникам предугадать их действия и правильно выстроить военную стратегию. С целью сохранения анонимности Юнг в документах ЦРУ проходил под кодовым обозначением Четыре-Восемь-Восемь».

— Юнг был секретным агентом ЦРУ, — присвистнул Кристофер, — под именем Четыре-Восемь-Восемь... Значит, отец назвал проект в его честь... — И с нарастающим изумлением продолжил читать дальше речь Натаниэла Эванса: — «В студенческие годы я имел честь беседовать с доктором Юнгом на темы, выходившие далеко за пределы его официальных обязанностей. Великого психиатра забавляли наши планы по исследованию космоса и океанских глубин, он смеялся над проектом полета на Луну, потому что для него все величайшие тайны и все их разгадки находились не за пределами Земли, не во внешнем мире, а в человеческом мозге. Ведь, как он считал, каждый из нас с момента рождения несет в себе воспоминания об опыте всего рода человеческого. См. примечание пятьдесят четыре».

Кристофер взглянул на Сару, и та, снова перелистав страницы в папке, нашла нужный фрагмент:

— «Мы принадлежим не сегодняшнему дню и не вчерашнему — возраст наш неисчислим».

Журналист некоторое время молчал, переваривая услышанное, и продолжил, взволнованный и даже обеспокоенный тем, что, как он предчувствовал, откроется дальше:

— «Коллективное бессознательное — это свод памяти нашего биологического вида, или, если хотите, семейный альбом всего человечества с начала времен. В нем оставили след не только наши прямые предки, древние люди, но и самые дальние родственники — живые существа, которые еще не были людьми, то есть все виды, предшествовавшие нам на этапах эволюции. Понимаю, подобные утверждения должны вызывать у вас, рационалистов, здоровый скептицизм. Но каким образом доктору Юнгу удалось сделать свое выдающееся открытие? Что привело его к мысли о коллективном бессознательном? Он много путешествовал и скрупулезно, не сказать с болезненной дотошностью, изучал религии, верования, мифы и оккультные практики самых разных народов. В процессе анализа материала его поразили совпадения в символике, сказках и преданиях различных человеческих сообществ, невероятно далеких друг от друга как во времени, так и в пространстве. Миф о потопе выстраивается по одной и той же схеме у евреев, греков, индусов, китайцев, майя и прочих народов, которые в древности никак не пересекались и даже не подозревали о существовании друг друга. Миф о творении повторяется с предельной точностью у цивилизаций, развивавшихся на разных континентах и не имевших между собой никаких контактов. К примеру, рассказ об этом в Книге бытия из Ветхого Завета почти построчно совпадает с тем, что говорится в эпосе майя «Пополь-Вух». См. примечание шестьдесят восемь».

Прошелестели страницы, и зазвучал голос Сары:

— «В этих двух текстах последовательность сотворения мира абсолютно одинакова: сначала были безбрежные воды, затем возникла земля, и витавший над водами ветер, или дух, дал жизнь растениям и животным, а потом уже появились люди. Именно в таком порядке, никак иначе! Почему? Как еще объяснить это совпадение, если не с помощью коллективного бессознательного, единого для всего человечества? Оба текста стали продуктом интуитивного, безотчетного знания, хранящегося в памяти двух народов».

Кристофер видел, что Сара потрясена не меньше, чем он сам, и продолжение речи отца читал с предельным вниманием:

— «Описание сотворения мира, которое можно найти в любой мифологии, всецело согласуется с современными научными представлениями об эволюции. Как будто все произошедшее, вся история жизни на Земле в строгом хронологическом соответствии записана прямо в нас! Обращение к ней я бы назвал ментальной археологией. А в качестве примера, подтверждающего эту теорию, могу привести случай пациента Эмиля Швицера. См. примечание двенадцать».

— «Эмиль Швицер, страдавший шизофренией, был пациентом психиатрической клиники в Цюрихе, где работал доктор Юнг, — подхватила Сара. — В галлюцинациях он видел солнце с огромным фаллосом, покачивание которого создавало ветер. Поначалу Юнг никак не мог понять сущность этого невроза, столь конкретного и своеобразного, — ничего подобного он не встречал ни в своей врачебной практике, ни в обширной на тот момент литературе по психиатрии и психоанализу. Но затем ему в руки попался безвестный перевод древних текстов, посвященных Митре — индоиранскому божеству, чей культ возник за две тысячи лет до нашей эры и угас к третьему веку. В текстах говорилось, что земной ветер исходит из трубы на солнце. Не было сомнений, что Эмиль Швицер ничего не знал о Митре и связанных с ним мифах, однако один из этих мифов нашел образное воплощение в его шизофреническом бреде. Возможно, это было всего лишь совпадение, и все же столь точное сходство видений душевнобольного с архаичными верованиями весьма удивительно».

Ни Сара, ни Кристофер, никогда не слышали об этом случае, и, несмотря на то что время поджимало, оба задумались.

— Еще немного, — опомнился журналист. — Перехожу к последней части — здесь и должен быть ответ, который мы ищем. «Сегодня существование коллективного бессознательного можно считать доказанным, и хочу подчеркнуть: оно присутствует не только у людей, страдающих шихофренией и другими расстройствами личности, но у всех без исключения. Представьте себе — в каждом из нас, сидящих за этим столом, хранятся отголоски общечеловеческого прошлого. Каждый прохожий, которого вы видите на улице, ваш сосед, незнакомец, стоящий рядом в очереди или в вагоне метро, всякий индивид на планете, поглощенный мелкими повседневными заботами, ни на секунду не задумываясь о том, несет в себе память о жизни, длившейся миллионы лет. Остается несколько вопросов. В какой области мозга заключено коллективное бессознательное? Как именно архаическая память передается из поколения в поколение? Возможно, она биологически закодирована в ДНК человека точно так же, как базовые рефлексы? Юнг отвергал этот сугубо материальный подход. Он считал мозг всего лишь биологическим механизмом для хранения и воспроизведения опыта, накопленного индивидом и всем человечеством. Стало быть, коллективное бессознательное могло переходить от предков к потомкам единственным способом — через нематериальную сущность, которая остается от каждого из нас после смерти, а при жизни составляет глубинную основу личности. Я говорю о душе. Но здесь собрались здравомыслящие люди, ученые и военные, которым недостаточно гипотез, нужны доказательства. И эти доказательства у нас есть... Существует ли душа? Где она находится при жизни человека? И, что еще важнее, где она пребывает до рождения и после смерти? Для проекта

«Павор» мы разработали революционный аппарат — графортекс. По сути, это декодер, преобразующий сигналы центральной нервной системы, «мозговые волны», в зрительные образы; в его основе лежит тот же принцип, который позволяет радиоприемникам переводить радиоволны в слова и звуки. Мы подвергали участников экспериментов регрессивному гипнозу, усиленному действием психотропного препарата ЛС-34, и достигли глубинных воспоминаний, восходящих ко временам Большого взрыва. «Первородный крик» — не что иное, как песня новорожденной Вселенной. Тем самым мы доказали гипотезу Карла Густава Юнга о том, что в коллективном бессознательном содержится память о древнейших эпохах и событиях. Наша следующая цель, дамы и господа, будет достигнута в процессе новых, революционных, экспериментов, результаты которых могут навсегда изменить жизнь всего человечества. И цель эта состоит в том, чтобы раскрыть главную тайну бытия. Мы намерены научными средствами доказать существование и бессмертие души. А потому нам нужно ваше разрешение на использование графортекса, чтобы выяснить, что происходит с душой человека... после смерти».

Глава 44

Слабый свет карманного фонарика с трудом выхватывал из темноты лица Кристофера и Сары. Обоим было не по себе, и оба не знали, как выразить свои чувства.

— Безумие какое-то... — пробормотал наконец журналист.

— Лазарь позвонит с минуты на минуту, не время обсуждать прочитанное, — отрезала Сара.

У Кристофера перед глазами вдруг возникла картинка: отец, уютно устроившись в любимом кресле в гостиной, безмятежно листает газету, а в его голове вихрятся мысли об умопомрачительных исследованиях и открытиях... Как ему удавалось скрывать все это от семьи?..

Кристофер посмотрел на часы. Лазарь действительно вот-вот позвонит, но он к этому готов.

Ожидание длилось в тишине, они с Сарой были взволнованы и пытались сосредоточиться, чтобы все обдумать.

Кристофер принял вызов, едва раздался звонок.

— Вы нашли правильные ответы? — осведомился Лазарь.

— Где я смогу забрать Симона, когда вы их получите?

— Я дам вам адрес в тихом местечке. Мальчик будет вас ждать.

Журналист откашлялся.

— Мы проникли в потайную комнату, кабинет отца, примыкающий к библиотеке. Вы были правы: проект «Четыре-Восемь-Восемь» стал продолжением проекта «Павор», теперь у нас есть подтверждающие это документы. Я прочитаю вам то, что мы нашли, и вы сразу поймете, что информация подлинная.

— Слушаю вас, — произнес Лазарь усталым, больным голосом.

Кристофер глубоко вдохнул и прочитал вслух весь черновик речи Натаниэла Эванса вместе с примечаниями.

Когда он замолчал, надолго воцарилась тишина. Кристофер смотрел на Сару, слушая, как гулко бьется собственное сердце, и ожидая вердикта о жизни или смерти Симона от его похитителя.

— Душа... — проговорил старик. — Вот что, значит, искал ваш отец... Он был редкостным мерзавцем, но при этом гениальным ученым. Потому его и снабжали всеми необходимыми средствами для проведения экспериментов.

— Теперь, когда вы получили что хотели, ваша очередь сдержать обещание.

— Вы проделали большую работу. Вы и ваша помощница... — Лазарь надсадно закашлялся, отдышался и продолжил: — Вы дали мне ответы, которых я очень долго ждал. Более того, вы вернули смысл моему существованию...

— Тогда верните мне Симона! — перебил Кристофер. — Скажите, где он!

— Неужели вас совсем не впечатлило то, что вы прочитали? Подумайте только — девяносто девять процентов людей живут в полнейшем неведении об этом!

— Я хочу услышать Симона! — рявкнул журналист. — Немедленно!

И к своему удивлению, он услышал голос мальчика. Сара не решилась ему сказать, что такая уступка Лазаря — недобрый знак.

— Симон! Делай все, что те люди тебе скажут, а я скоро за тобой приеду, договорились? Все будет хорошо. Я нашел то, что нужно злому дяде, он больше не причинит тебе вреда.

— Мне плохо, — захныкал мальчик.

— Что с ним?! Голова болит? Дайте ему таблетку! — закричал Кристофер.

— Вы ведь его любите как родного? — задумчиво спросил Лазарь.

— Хватит, я вам уже ответил на этот вопрос!

— Вы его любите. Да, несомненно. Но на что вы готовы ради его спасения?

— Я уже сделал все, что вы требовали! Все!

— Вы дали мне теорию, Кристофер. Нужно подтверждение на практике. Я хочу знать ответ на вопрос, которым задавался ваш отец, начиная проект «Четыре-Восемь-Восемь». Хочу знать, есть ли жизнь после смерти, а если есть — какая она. Вы сейчас рядом с графортексом.

— Но чтобы это узнать, нужно умере... — Кристофер осекся.

— Ну да. Один из вас должен умереть, чтобы спасти мальчика, — спокойно сказал Лазарь. — Снимите эксперимент на видео — мне необходимо удостовериться, что вы ничего не придумали. Я позвоню через час.

Связь оборвалась.

Кристофер яростно скинул со стола бумаги, и листы разлетелись по кабинету, мелькнув и исчезнув в темноте.

— Чертов псих! Это никогда не закончится! — Гнев вспыхнул и погас. Журналист посмотрел на Сару.

— Ты думаешь о том же, о чем и я? — спросила она.

— Я не смогу ее убить, — замотал головой Кристофер. — Раньше не смог, и теперь не получится. Поэтому я ее и связал.

— Давай сначала взглянем на ее напарника. Может, он еще дышит... — Сара вышла из потайного кабинета и быстро зашагала к операционной.

Хоткинс лежал на полу в луже крови. Кристофер, вбежавший вслед за Сарой, направился к осветительной установке, подвешенной к потолку, и наудачу щелкнул тумблером — ослепительный свет залил помещение. «Судя по всему, операционная снабжена автономным генератором, поэтому короткое замыкание, которое недавно устроила Сара, не повредило здесь проводку», — подумал он.

Сара опустилась на колени рядом с бывшим морпехом и проверила пульс. Через несколько секунд она подняла голову:

— Еще жив... Помоги мне затащить его на стол.

— Поверить не могу, что мы и правда собираемся это сделать, — пробормотал Кристофер и тем не менее, наклонившись, подхватил умирающего под мышки.

Вдвоем они кое-как уложили тяжелое тело на металлический стол под лампами, затем закрепили его руки и ноги ремнями. Хоткинс вдруг застонал, и Кристофер невольно отпрянул.

Сара протянула ему электроды:

— Медлить нельзя.

Журналист приклеил круглые пластинки на виски наемника.

— Не знаю, так это нужно делать или нет... И по-моему, он сейчас очнется...

— Включай графортекс! Быстрее!

Убийца снова застонал и повернул голову. Убедившись, что бумага не застряла в принтере, Кристофер включил измерительный аппарат. Диски со шкалами под прозрачным стеклом осветились. Стрелка на временно́й шкале переместилась на букву «Р» — «present», «настоящее», — а индикатор сердечного ритма задрожал, показывая слабый пульс: 19—20 ударов.

— Что теперь? — спросил Кристофер. — Будем ждать, пока он умрет?

— Включи видеозапись.

Он достал из кармана мобильник, активировал камеру и взял в кадр тело Хоткинса на операционном столе, затем графортекс, к которому раненый был подключен электродами. Хоткинс опять застонал и пошевелился.

Отыскав скальпель в лотке с медицинскими инструментами, Сара приблизилась к умирающему. Она знала, что нельзя позволять себе задуматься ни на миг, поэтому вдохнула, выдохнула и быстрым движением занесла лезвие над его горлом. Но мозг не смог отдать приказ телу совершить жертвоприношение. Рука задрожала. Сара решительно сказала себе, что это вынужденное убийство ради спасения Симона, и снова попыталась нанести удар — скальпель выскользнул из пальцев и с металлическим звоном упал на пол.

Хоткинс замычал в знак протеста, потом захрипел и забулькал — изо рта хлынула кровь, но стекленеющие глаза все еще полыхали ненавистью.

Сара и Кристофер в молчании наблюдали за агонией человека, испытывая отвращение к себе самим оттого, что вынуждены были воспользоваться его смертью в своих целях.

Хоткинс еще несколько минут цеплялся за жизнь — и ожидание стало пыткой для его безмолвных палачей. В конце концов он испустил последний вздох, вместе с которым с губ слетело едва различимое слово — «ад». Сара мгновенно перевела взгляд на стрелку сердечного ритма — та дернулась влево и медленно приблизилась к нулю.

— Все кончено. Он мертв.

Лицо Хоткинса побелело, голова скатилась набок, изо рта свесилась ниточка слюны, смешанной с кровью, а Сару между тем все сильнее одолевали сомнения насчет исхода этого макабрического эксперимента. Однако секунд через тридцать раздался писк и начал повторяться через равные интервалы — графортекс издавал сигнал ожидания.

Кристофер продолжал записывать происходящее на камеру мобильного телефона, переводя объектив с графортекса на лицо трупа и обратно в надежде поймать хоть какое-то проявление посмертной активности центральной нервной системы, но датчики, похоже, бездействовали.

И вдруг зажужжало печатное устройство графортекса, как будто он получил данные и готовился к их обработке. Внутри проскрежетало — иглы принтера заняли стартовую позицию.

Кристофер навел объектив на длинную щель в верхней крышке аппарата.

Сара замерла.

Стрелка на временно́й шкале «Т» заметалась и запрыгала, ударяясь о предельное деление, обозначенное буквой «Х», отскакивая от него и снова возвращаясь. Графортекс издал пронзительный писк — и печать началась.

Кристофер и Сара не сводили глаз с края листа, неторопливо выползавшего из щели под скрежет и поскрипывание механизма. Когда шум затих, журналист трясущейся рукой вытащил лист и медленно развернул его к объективу, чтобы заснять лицевую сторону. Сара, заметив неуверенность в его движениях, спросила:

— Что там?

Он протянул ей лист — девственно-чистый на первый взгляд.

Внимательно рассмотрев белую бумагу, Сара подняла ее к осветительной установке — и нахмурилась от неожиданности:

— Здесь что-то есть...

— Что?!

— Смотри, вот... и вот... и еще в трех местах.

Кристофер выхватил лист у нее из рук, не сомневаясь, что ей почудилось, но через секунду вынужден был признать очевидное: Сара оказалась права.

— И что это может означать? — недоуменно пробормотал он.

— В данный момент это означает одно: у нас есть доказательство, что... ничего не заканчивается. — Она опять подняла лист к ярким лампам, отобрав его у журналиста.

Пять едва заметных светло-серых точек были разбросаны по белой поверхности с неравномерными интервалами.

— Черт!

Кристофер изо всех сил врезал кулаком по стене. Они с Сарой уже полчаса ломали голову, пытаясь понять, чему эти пять точек могут соответствовать. Начали с того, что соединили их прямыми линиями, подумав, что получится какой-то объект. Перепробовали множество вариантов, но каждый раз выходили кривые геометрические фигуры, ни на что не похожие и не несущие смысла.

Тогда Кристофер предположил, что это может быть созвездие, и немедленно отправил фотографию распечатанного листа одному из своих консультантов — астроному, который давно помогал ему при написании научно-популярных статей на тему космоса. Астроном ответил на звонок, несмотря на поздний час, и сразу согласился отложить все занятия, потому что по голосу Кристофера понял — дело срочное и серьезное. Он ввел пять точек на своем ноутбуке в специальную программу и запустил поиск по каталогу созвездий. Результат принес разочарование: ни одного совпадения.

— Мы не только не имеем ни малейшего понятия, что означают эти пять точек, но еще и не можем быть уверены, что они будут одинаковы для всех покойников. Если бы на месте того парня оказались ты или я, вполне возможно, в распечатке было бы что-то другое! — в отчаянии воскликнул Кристофер.

Сара хотела поделиться своими соображениями, но он жестом остановил ее, как будто ему в голову пришла новая идея:

— Погоди секунду... — И кинулся вон из операционной, а через минуту вернулся, размахивая картонной папкой. На верхней крышке было написано «Результаты экспериментов». — Я нашел ее в ящике письменного стола, того, что в потайном кабинете, и думал, внутри просто чистая бумага... — Кристофер достал из папки верхний лист, поднес его к свету и просиял. — Смотри!

Сара отчетливо разглядела пять светло-серых точек, расположенных в том же порядке, что и на их листе из графортекса.

Они проверили остальные листы в папке — все те же пять точек с точностью повторялись из раза в раз.

— Все подопытные, умершие в этой лаборатории, видели одно и то же, — заключил Кристофер. — Значит, образы post mortem[1]... универсальны. Но к сожалению, это не помогло нам понять их смысл.

Сара наконец решилась высказать свой план действий:

— Мы уже перебрали все варианты. Когда Лазарь позвонит, перехвати инициативу и...

— И что я ему скажу? — перебил журналист. — «Лазарь, ура, мы знаем ответ: после смерти вы увидите пять бессмысленных точек!» Он же убьет Симона!

— Кристофер, выслушай меня, пожалуйста, — мягко попросила Сара, и на него этот бесстрастный, уверенный голос, как всегда, подействовал успокаивающе.

— Кажется, я схожу с ума, — вздохнул он и покачал головой.

— Сейчас у нас есть преимущество, — продолжила Сара. — Когда Лазарь позвонит, скажи ему, что теперь диктовать условия будешь ты. Скажи, мы нашли ответ, который он искал долгие годы, и что этот ответ у тебя перед глазами, но, если он хочет сам все увидеть и услышать, пусть сначала вернет тебе Симона живым и невредимым.

— А что, если этот гад со своим помощником начнет его мучить и не остановится, пока я не отправлю видео?!

— Скажи, что, если он хоть пальцем тронет мальчика, ты уничтожишь все, что мы нашли. Подумай сам — главной целью жизни Лазаря было докопаться до правды, и он ждал этого много лет. Сейчас он тяжело болен, протянет еще от силы несколько дней, у него нет возможности начать поиски заново. Симон — его последняя надежда и единственный рычаг давления. Он не убьет мальчика.

---

[1] Посмертные (*лат.*).

— А ты не забыла, что он еще требовал найти ему человека, который руководил проектом вместе с моим отцом?

— Скажи, мы этим займемся.

Кристофер чувствовал — Сара права, но сомневался, что у него хватит смелости пойти на ответный шантаж и поставить на кон жизнь Симона, когда над головой малыша уже занесен топор палача.

Как только отведенный Лазарем час подошел к концу, у Кристофера в очередной раз болезненно сжалось сердце. И сразу же раздался звонок.

— Я вас внимательно слушаю, и мальчик тоже, — просипел Лазарь из динамика. — На всякий случай должен предупредить, что Сергей крепко держит нож и готов в любую секунду отхватить Симону руку. Или перерезать горло, ему без разницы. Так что хорошенько подумайте, прежде чем начнете говорить.

— У меня есть то, что вам нужно, — твердо заявил Кристофер, но во рту сразу пересохло, захотелось крикнуть, что он сделает все, что угодно, лишь бы Симону не причинили вреда. Однако в следующее мгновение он пересекся взглядом с Сарой и прикусил язык.

— Хорошо. Говорите, — потребовал Лазарь.

Кристофер, глубоко вздохнув, повернулся к спутнице спиной. Она с ужасом приготовилась услышать отчаянную мольбу приемного отца, который боится подписать сыну смертный приговор и пойдет на все, чтобы его спасти. Вместо этого журналист ровным голосом произнес:

— Если бы вы знали... Если бы вы только знали, что сейчас у меня перед глазами...

— Ну, и что же? — нетерпеливо просипел Лазарь.

— Сначала вы прикажете своему человеку убрать нож, которым он угрожает моему ребенку. Потому что, если вы причините ему вред, я то же самое сделаю с сокровищем, которое вы столько лет искали. Вы не получите ответов.

Сара чуть не заулыбалась от гордости за спутника, проявившего такую храбрость.

— Не надо играть со мной в эти игры, Кристофер, — тихо сказал Лазарь. — Вы потеряете больше, чем я.

— Я так не думаю. По-моему, все наоборот. Поэтому вы скажете мне, куда приехать за Симоном, и я, после того как его заберу, живого и здорового, сразу пришлю вам видео с записью нашего эксперимента. Чтобы вы могли спокойно умереть.

— Боюсь, все будет по-другому, Кристофер. Сергей, подведи мальчишку поближе, чтобы лучше было слышно его крики.

У журналиста подогнулись колени.

— Сергей будет отрезать вашему сыну палец за пальцем, — продолжал Лазарь, — пока вы не уступите и не скажете, что вам удалось узнать с помощью графортекса. Также мне нужна видеозапись всего процесса. Даю вам три секунды на размышление. Раз...

Сара затаила дыхание — именно сейчас нельзя было сдаваться. Она перехватила взгляд Кристофера — у него покраснели глаза, челюсти плотно сжались от напряжения.

— Два...

— Симон! — выкрикнул журналист. — Прости, малыш, но теперь, когда я знаю, что будет потом, могу тебя отпустить. Прощай! — Он повернулся к спутнице: — Сара, уничтожь все доказательства до последнего.

Счет «три» не прозвучал. Лазарь дал отбой.

Кристофер на ватных ногах застыл с открытым ртом; в голове пронеслось: «Что я наделал?!»

Сара, тоже ошеломленная, боялась пошевелиться.

Он схватил телефон, начал лихорадочно искать в журнале номер, с которого поступил вызов Лазаря, — нужно было срочно перезвонить ему, все рассказать, и тогда Симон будет спасен!

— Не делай этого! — взмолилась Сара, которая догадалась, что он задумал. — Если сейчас позвонишь — отнимешь у мальчика последний шанс!

Кристофер не слушал. Пальцы дрожали, он никак не мог открыть список вызовов, задыхался как в лихорадке и в конце концов выронил телефон.

Сара ловко подхватила мобильник — Кристофер угрожающе качнулся к ней:

— Отдай!

— Поверь мне, нужно подождать! — сказала она, хотя и сама умирала от сомнений и страха за мальчика.

И вдруг, в тот момент, когда Кристофер уже готов был на нее наброситься, раздался звонок. Сара быстро протянула ему мобильник.

— Вот как мы поступим, — хрипло и устало зазвучал из динамика голос Лазаря. — Даю слово, что не причиню вашему ребенку ни малейшего вреда. Больше никаких угроз и ножей. Понимаю, что слова недостаточно, но других гарантий у меня нет, поэтому вам придется мне довериться. Симон останется со мной до тех пор, пока я не получу видеозапись проведенного вами эксперимента... а также голову того, по чьей милости ваш отец много лет держал меня в плену и подвергал мучениям. Собственно, таков и был наш с вами уговор, я только отменил пункт о физической расправе над мальчиком. Еще мне нужна исчерпывающая информация о том, какое продолжение получил проект «Четыре-Восемь-Восемь» после закрытия лаборатории на острове и чем сейчас занимается главный организатор экспериментов.

— Но как мы найдем того, кто...

— Помолчите! — отрезал Лазарь. — Хватит ныть, беритесь за дело. Я сдержу свое слово, а вы постарайтесь оправдать надежды Симона. И желательно, чтобы вы поторопились — мне осталось жить несколько дней, а может быть, часов. Если я умру до того, как получу ответы, никто и никогда не узнает, где заперт ваш сын, и он погибнет от голода и жажды рядом с моим трупом. Как только найдете того, кто мне нужен, позвоните по номеру, который я сейчас вам пришлю.

Соединение снова прервалось, а через несколько секунд мобильник звякнул — пришло текстовое сообщение с обещанным телефонным номером Лазаря.

Кристофер безвольно опустил руки, вяло подумав, что уже неоткуда взять силы на продолжение поисков. Нахлынуло отчаяние, но в это время Сара обняла его сзади, прижавшись к спине и положив подбородок на плечо:

— По-моему, у нас есть шанс найти того, с кем работал твой отец, быстрее, чем может показаться...

Глава 45

Изможденный ангел, стоя у смертного одра, протягивал одну длань к статуе младенца, другую, с грозящим перстом, — к дьяволу, который корчил гримасы, ожидая, что умирающий в свои последние мгновения земной жизни проявит слабость духа. Гравюра называлась Ars moriendi («Искусство умирать»), и Марк Дэвисберри в тысячный раз разглядывал ее, размышляя над словами Христа, написанными под изображением: «Если не умалитесь, как невинное дитя, не войдете в Царство Небесное»[1].

«Как же мне умалиться, если замысел столь огромен?» — думал Дэвисберри, сидя в своем кабинете под землей, в научно-исследовательском центре, устроенном в старых Соуденских рудниках. Амбициозный проект, который он когда-то затеял, приближался к завершению, и бизнесмен все чаще задавался вопросом: неужели ему будет отказано в райском блаженстве из-за того, что он стремился служить Господу, не щадя ни себя, ни других?

Спохватившись, старик прогнал эти мысли — сейчас сомнения могли ему только помешать. Через несколько часов он будет ближе, чем когда-либо, к ответу, поискам которого посвятил всю свою жизнь. Спустя шестнадцать лет исследований и экспериментов, обошедшихся ему в общей сложности в три миллиарда долларов, новый модуль МИНОС будет установлен и запущен.

На столе затрещала рация.

---

[1] Точная цитата: «Истинно говорю вам, если не обратитесь и не будете как дети, не войдете в Царство Небесное. Итак, кто умалится, как это дитя, тот и больше в Царстве Небесном» (Мф., 18: 1—4).

— Сэр?

Его вызывал Эрнест Грант, главный инженер команды специалистов, которой была поручена сборка МИНОСа.

Марк Дэвисберри нажал на кнопку ответа:

— Я вас слушаю.

— Мы немного не укладываемся в срок, сэр...

— Причина?

— За несколько минут до планового начала демонтажа мы заметили любопытную активность старой системы и решили сначала проанализировать полученные данные.

— Правильно сделали. Как только будут результаты, перешлите их мне. Сколько времени вам понадобится на подготовку нового модуля?

— Установка будет закончена через тридцать шесть часов. Подключение и отладка займут по меньшей мере сутки. И еще сутки на тестирование.

— Хорошо. Я все это время буду здесь. Дождусь вашего сигнала к запуску.

Дэвисберри выключил рацию и мысленно приготовился к тому, что в ближайшие дни придется управлять делами «Мэдик хэлс груп» отсюда, из-под земли.

Первым делом он проверил, не поступало ли на мобильный сообщений от Джоанны. Она давно не подавала о себе вестей, и он начинал испытывать нетерпение. Отправил ей вопрос по зашифрованной линии: «Что происходит?» Наемница ответила с необычным для себя запозданием и без привычной конкретики: «Все по плану».

Стараясь отвлечься и успокоить нервы, Дэвисберри занялся рутинными делами фирмы. Разослал сотрудникам имейлы с извещением о том, что в течение нескольких суток с ним будет трудно связаться, распределил между ними срочные задачи по списку и раздал подробные указания на семьдесят два часа. А расправившись со своими директорскими обязанностями, позволил себе короткую передышку.

Крутанувшись на мягком офисном кресле, Марк Дэвисберри нажал на кнопку пульта — включилась аудиосистема хай-фай, и Ноктюрн № 1 си-бемоль минор Шопена, как всегда, погрузил его в состояние «поэтического транса». Взгляд старика прошелся по корешкам трех книг — других в этом рабочем кабинете не было, — покоящихся в реликварии с золотой инкрустацией. Три священных текста: тибетский, египетский и христианский. Когда-то Дэвисберри изучал их ночами напролет, строчка за строчкой, в надежде найти намек на то, что он выбрал верный путь, и с тех пор хранил их здесь, как сувениры, и думал о них, как о давних друзьях, с которыми редко видишься, но на которых рассчитываешь всю жизнь.

Его губы тронула ностальгическая улыбка, и он перевел взгляд с реликвария на другой бесценный предмет в этом кабинете. На круглом столике покоилось синевато-прозрачное облако из пластмассы. Внутри его, в лазурной глубине, застыли пять отчетливо различимых черных точек.

Кристофер и Сара в спешке покинули операционную, оставив там синюшный труп Хоткинса на металлическом столе, и поднялись в комнату на первом этаже, где журналист привязал к батарее Джоанну.

Сара вошла первой и обнаружила наемницу, скорчившуюся на полу у стены. Руки были прикручены к трубе отопления, голова свесилась на грудь. Из раны на макушке, заливая лоб, текла кровь. Сара встала над ней.

— Твой приятель мертв.

Джоанна вздрогнула и с трудом подняла голову. Лица было почти не разглядеть под спутанными волосами. Она чувствовала такую страшную усталость, что едва сумела разлепить веки.

— Кроме нас троих здесь никого нет, — продолжала Сара, — никто не придет тебе на помощь. Поэтому ты скажешь нам, кто тебя послал нас убить и где его или их найти.

Джоанна морщилась от каждого слова, будто они обрушивались на нее, как удары кузнечного молота. К физической боли примешивалась, все нарастая, другая, вызванная чувством одиночества — все ее покинули, как тогда, двадцать с лишним лет назад, когда у нее на глазах убили родителей. А теперь тот, кто почти что заменил ей и отца, и мать, тоже ее бросил. Джоанна знала, что Дэвисберри волнует только одно — успех миссии. Сейчас он нервничает, не получая от нее вестей, лишь потому, что не знает, удалось ли ей выполнить задание. Он изображал из себя защитника и покровителя, но ему и в голову не пришло бы отправить к ней подмогу. Таков был между ними уговор, который она добровольно соблюдала все эти годы: в безвыходной ситуации придется выкручиваться самой, чтобы не поднимать шуму. Но в безвыходную ситуацию ей довелось попасть впервые, и впервые условия уговора вступили в действие. Раньше ей всегда удавалось выходить сухой из воды.

Сара, двумя ладонями обхватив голову убийцы, заглянула ей в лицо. Волосы, скрывавшие его, качнулись назад, и стали видны тонкие, изящные черты, покорившие не одного мужчину. Но сейчас это красивое лицо казалось посмертной маской, а в глазах, обычно горевших властным пламенем, теплился слабый дрожащий огонек.

— Когда тебе говорят, что хотят поступить «как лучше», это не означает, что так будет «лучше» именно для тебя... — чуть слышно произнесла Джоанна. Голову она держать уже не могла и оперлась щекой на ладонь Сары. — Если бы он и правда меня любил, то показал бы другой путь в жизни...

— О ком ты говоришь?

Джоанна услышала вопрос, но то, что ей хотелось сказать, копилось долгие годы, и слова сами срывались с губ.

— Мне нужно было верить, что он заботится обо мне и во всем поддерживает. Но он думал только о себе и об успехе секретных миссий, которые мне поручал. Он разрушил мою жизнь, чтобы построить свою, а я, как бедная сиротка, повелась на пустые обещания и вот где в итоге оказалась... — Она высвободилась из рук Сары, неожиданно дернув головой, и приподнялась, опершись спиной о стену. Ее глаза закрылись. Совсем не хотелось думать о том, что именно здесь все и закончится.

Кристофер нетерпеливо шепнул на ухо Саре:

— Она сейчас умрет, не успев ничего рассказать!

— Скажите мне, что за тайну защищал Дэвисберри, и я скажу вам, где он, — выдохнула Джоанна.

Кристофер опустился рядом с ней на колени:

— Дэвисберри? Американец?

— Ради чего он послал меня на верную смерть? Что хотел от вас скрыть? — Джоанна уже никого не слушала.

— Он хотел скрыть доказательства жизни после смерти, — громко сказала Сара, наклонившись к ней. — Исследователи в этой научной лаборатории подтвердили бессмертие души.

Наемница оцепенела на несколько мгновений, потом пристально посмотрела ей в лицо, будто старалась понять, не лжет ли она, и вдруг скривила губы в усталой саркастической улыбке:

— Вы сказали правду, инспектор Геринген, потому что я вижу: это открытие вас обнадеживает. Вы рады, но не за себя, а за тех невинных, кого своими руками отправили на тот свет. Вас ведь до сих пор мучают воспоминания о них, да?

Сара невольно попятилась. От слов умирающей убийцы у нее кровь застыла в жилах. Как эта женщина могла прочитать ее мысли?..

— Где человек... пославший вас... нас убить? — процедила Сара сквозь зубы, и Кристофер подумал, что еще ни разу не видел ее в таком ужасе и растерянности.

— Вы так громко исповедовались Хоткинсу, что до меня долетело эхо. — Джоанна подбородком указала на трубу отопления, к которой она была привязана. — И по вашему признанию можно догадаться, что вы уже много лет каждый день сражаетесь с чувством вины, притворяясь уверенной в себе и довольной жизнью, но на самом деле ваше существование — невыносимый кошмар, пронизанный страхом. Вы боитесь, что угрызения совести в любой момент могут столкнуть вас в бездну... безумия.

Ошеломленный Кристофер смотрел, как Сара затравленно отступает от наемницы все дальше и дальше, словно перепуганный ребенок, которому померещилось привидение, и качает головой из стороны в сторону, будто пытается возразить, но не может.

— Замолчите! — приказал Кристофер убийце — скорее для того, чтобы защитить Сару, а не ради продолжения допроса.

Джоанна не обратила на него внимания:

— Я столько людей убила... Только в отличие от вас, инспектор Геринген, не отняла жизнь ни у одного ребенка. С виду вы красотка, но душа у вас чернее моей.

Сара забилась в угол комнаты, опустилась на пол и обхватила голову руками, что-то бормоча под нос.

— Хватит! — качнулся к наемнице Кристофер. — Говорите, где этот ваш Дэвисберри!

— Меня совесть не мучает, я ухожу с миром, — вздохнула Джоанна. Ее голос звучал все тише и слабее. — Дэвисберри... в заброшенных рудниках... Соуден, Миннесота... Там он... продолжает исследования...

— Какие исследования?!

Но Джоанна уже не реагировала — мышцы спины и шеи расслабились, подбородок тяжело ткнулся в грудь.

Кристофер встряхнул ее за плечи:

— Какие исследования? Отвечай, сволочь!

Мертвая убийца выскользнула у него из рук, повалившись на пол; голова с глухим стуком ударилась о пол.

Журналист повернулся к Саре. Обхватив руками колени и прижавшись к ним лбом, она без передышки повторяла «простите меня, простите» срывающимся от скорби голосом.

Наверное, в этот момент Кристофер должен был испытать страх оттого, что теперь он останется один, поскольку Сара уже не в состоянии помогать ему в спасении Симона. Но вместо страха были только безмерное сочувствие и желание ее утешить, прийти на помощь женщине, которая уже столько сделала для него.

Времени оставалось мало, но он сел рядом с ней и хотел обнять — Сара, грубо оттолкнув его, тотчас вскочила. Ее глаза блестели от слез.

— Не трогай меня! Ты не знаешь, кто я такая! Думал, я самоотверженный инспектор полиции, готовый рисковать собственной жизнью по долгу службы и из любви к ближнему? А вот и нет! Я делаю это, потому что иначе сойду с ума!

Кристофер тоже поднялся, ласково глядя на нее.

— Сара, я слышал то, что наемник заставил тебя сказать. Я все знаю.

— Нет! Ничего ты не знаешь! Не знаешь, что его звали Азмаль и накануне ему исполнилось восемь лет. Он получил в подарок первого козленка и сказал, что хочет стать пастухом большого стада, как его отец. Не знаешь, что у него были огромные мечтательные глаза, видевшие только хорошее, хотя он жил в опасности и нищете. Не знаешь, что каждый день, когда мы с военным патрулем проходили мимо его поля, он дарил мне фигурки, которые вырезал из дерева, или куколок, сплетенных из соломы, и называл меня «мама с волосами цвета пряностей». Не знаешь, что я пообещала всегда его защищать... — Сара смотрела в пустоту, снова, как наяву, переживая в памяти давние страшные события. Ее голос постепенно терял эмоции, становился ровным и холодным. — И ты не знаешь, что он спросил меня: «Зачем?» — когда пуля из моего оружия вошла в его горло.

— Что же тогда случилось? — тихо сказал Кристофер, понимая, что сейчас ей необходимо выговориться.

Сара, помолчав, опустила глаза и рассказала о том дне, который перевернул ее жизнь.

— Было самое обычное утро, такое же, как другие. Мы с напарником патрулировали окрестности, шли привычным маршрутом. Азмаль был в поле с отцом и с другими мужчинами из ближней деревни. Они стояли тесной группой и что-то обсуждали, а мальчик, завидев нас издали, принялся как-то странно махать мне рукой. Я подумала, он меня приветствует, и слишком поздно поняла, что это было предупреждение об угрозе. Крестьяне приблизились, словно хотели поговорить, но вдруг один из них выхватил из-за спины обрез и выстрелил в нас. Остальные как по команде бросились в атаку с ножами. Мы стали защищаться, а потом... потом была бойня. Я отделалась царапинами, а мой напарник чуть не лишился руки. Он лежал на земле, я встала на колени, чтобы перевязать рану. Меня трясло от адреналина и напряжения, было тяжело дышать. Внезапно раздался топот за спиной — кто-то бежал к нам. Я развернулась и выстрелила — на звук, не думая и не глядя, из страха, по глупости, потому что сработал рефлекс. Пуля попала ему в шею. В одной руке он держал венок из колосьев пшеницы, который утром сплел для меня. Перед смертью он успел спросить только, зачем я это сделала...

Несмотря на то что рассказ причинял ей боль, Сара подсознательно ждала реакции Кристофера и жадно следила за выражением его лица. Но осуждения и отвращения, которые она так боялась увидеть, не было.

— Да, это ужасно, Сара. Трагическая ошибка. Но она не может изменить ни тебя, ни моего отношения к тебе. Я понимаю тебя и готов повторять каждый день, если понадобится, что все это случилось только потому, что тебя поставили в немыслимые обстоятельства. Твоя душа так же прекрасна и светла, как твое лицо. И твой страх сойти с ума меня не пугает. Поэтому, пожалуйста, хоть раз позволь мне тебе помочь. — Кристофер приблизился и острожно протянул к ней руку, как к дикому зверю, чье поведение непредсказуемо.

Потрясенная его заботой, неожиданной и трогательной, Сара дала себя обнять.

— Наемница мертва, — прошептала она, постепенно обретая контакт с реальностью. — Она что-нибудь сказала?

— Достаточно, чтобы мы с тобой смогли найти человека, который за всем этим стоит. Он в США, в штате Миннесота.

— Тогда прости, что заставляю тебя терять время. Идем, расскажешь по дороге в гостиницу.

Они оставили труп Джоанны на том самом месте, где она рассталась с жизнью, размотали цепь, которой убийцы заблокировали входную двустворчатую дверь, и с облегчением вышли на воздух.

— Следующий рейс до Бриз-Нортона вылетает завтра, то есть уже сегодня днем, — напомнила Сара. — А из Лондона сразу отправимся в Миннесоту.

Кристофер опустил голову — он и так знал, что еще какое-то время и Симону, и им двоим придется прожить в кошмаре.

— Мы успеем, — попыталась его ободрить Сара.

Но еще Кристофер знал, не хуже ее самой, что удачный исход этого путешествия никто не может гарантировать. Стараясь заглушить страх и тревогу, он ускорил шаг и первым ступил на тропу, ведущую к гостинице «Гарден-коттедж».

В этот раз у них ушло почти три часа, чтобы добраться до гостиницы в темноте, ориентируясь на зарубки, которые оставил Эдмунду Саргаль. К шести утра, едва держась на ногах от изнеможения, они вышли из окутанных рассветным туманом джунглей на лужайку.

Эдмунду Саргаль, спозаранку подрезавший ветки гранатового дерева, уронил на газон секатор при виде вчерашних гостей, которые с треском вывалились из густых зарослей и оба походили на жертв катастрофы.

— Что это с вами стряслось? — всполошился он. — И где вы так долго пропадали? Я уж хотел бежать за помощью, но подумал, военным лучше не знать, что вы ходили на старую натовскую базу...

— Здание оказалось в ужасном состоянии, — соврал Кристофер. — На лестнице проломилась ступенька, и мы оба рухнули в подвал. Еще хорошо отделались...

Эдмунду недоверчиво поднял бровь, разглядывая огромный кровоподтек на лбу Сары и ее разбитую губу. Кристофер порадовался, что она позаботилась поднять воротник свитера, а то старик увидел бы еще и синяки от пальцев Хоткинса на ее шее.

— Вам нужно на авиабазу, у них там хороший медпункт.

— Ничего, и так заживет, — махнула рукой Сара. — На всякий случай схожу к врачу, когда вернемся в Англию. Не хотелось бы вас обижать, но местной медицине я не очень доверяю.

— Можно у вас снять две комнаты на несколько часов? — спросил Кристофер.

— Э-э... — смутился Эдмунду. — Вообще-то у нас на острове редко бывают туристы и только по предварительной договоренности, так что в коттеджах не прибрано. А в доме только одна комната для гостей, зато там чисто.

— Годится, — сразу кивнула Сара, чтобы не ставить Кристофера в неловкое положение.

— Тогда идемте, я вас провожу. Вот увидите, там очень уютно. Окна выходят на банановые заросли, и океан оттуда видно.

Хозяин привел гостей в комнату особняка. Там стояла двуспальная кровать со спинками из кованого железа и толстым одеялом цвета охры; на стенах висели в рамах крупноформатные фотографии с видами острова — вулкан, снятый со стороны океана, пляж с десятком огромных черепах и заросли каких-то экзотических цветов с гигантскими пурпурными лепестками.

— Ну, располагайтесь, не буду вам мешать, — улыбнулся Эдмунду. — А я пока завтрак приготовлю. Проголодались, наверное?

Кристофер покосился на Сару. Сам он есть не хотел и думал лишь об одном — поскорее бы сесть в самолет, который доставит его в Англию и тем самым приблизит к спасению Симона. Но для последнего рывка необходимы были силы.

— Что, нет? — удивился хозяин. — А если что-нибудь легкое? Кофе, фрукты?

— Да, спасибо, Эдмунду.

— В ванной можете постирать одежду, не стесняйтесь.

Старик ушел, пообещав поскорее вернуться с завтраком, чтобы они поели и легли спать.

— Пойду приму душ, — сказала Сара и исчезла за дверью ванной.

— А я пока закажу билеты на рейс из Лондона в Миннесоту, — рассеянно пробормотал Кристофер, уже просматривая расписание вылетов на экране смартфона.

Через несколько минут он закончил оформлять заказ двух билетов на рейс из лондонского Хитроу до аэропорта в городе Миннеаполисе, отправляющийся в 23:40, и с облегчением выдохнул. Из ванной доносился убаюкивающий шум воды. Делать пока было больше нечего, и Кристофер наконец позволил себе прилечь. Он зверски устал, но нервное напряжение не давало расслабиться, поэтому сразу заснуть не получилось. Повернул голову к окну — ветер качал широкие банановые листья, их шорох успокаивал, как и плеск воды.

Кристофер понимал, что пока лучше не думать о сенсационных научных открытиях отца. Всю информацию, полученную сегодня в заброшенной лаборатории, нужно оставить на потом ради собственного душевного здоровья. Он кое-как сумел принять и переварить события последних дней, внезапно и жестоко обратившие его жизнь в кошмар, он собрал в себе силы, о наличии которых раньше не догадывался, чтобы сражаться за Симона и спасти его любыми средствами, даже ценой насилия и убийства. Но справиться с метафизическим потрясением и до конца осмыслить феномен, свидетелями которого они с Сарой стали несколько часов назад, сейчас он просто не мог. Чувствовал себя слишком слабым и не готовым к умопомрачительному перевороту в онтологии и в собственном мировоззрении, чтобы вот так сразу принять факт бессмертия души.

Пока он боролся с собой, Сара вышла из ванной — с мокрыми волосами, босая и в белой мужской рубашке, которая была ей слишком велика. Поймав взгляд Кристофера, она пожала плечами:

— Не хотелось надевать запачканную кровью одежду, пришлось постирать. Вот, нашла эту рубашку в шкафчике в ванной.

— Тебе идет, — улыбнулся ей Кристофер.

Сара склонила голову набок — мол, ваши шуточки неуместны. Их взгляды пересеклись, и он не выдержал первым — отвел глаза, задохнувшись от странного чувства, в котором желание смешалось с угрызениями совести.

— Я тоже должен тебе кое в чем признаться.

Сара догадывалась, что именно не дает ему покоя, но предпочла молча выслушать.

— Когда ты была в операционной наедине с убийцей, я оказался перед выбором... ужасным выбором. И принял решение.

Кристоферу хватило смелости поднять голову и посмотреть Саре в лицо, а она невольно сравнила его поведение с тем, как трусливо отводил глаза Эрик, рассказывая ей о своем предательстве.

— Я воспользовался тем, что второй убийца занят тобой, чтобы попытаться открыть потайной ход в кабинет отца. Когда ты звала меня на помощь... я сделал выбор и оставил тебя на произвол судьбы, потому что должен был успеть спасти Симона... Мне так стыдно, Сара...

Но она и не думала обижаться. У нее не было никакого права осуждать Кристофера — наоборот, она восхищалась поступком мужчины, который был готов на все ради спасения ребенка, даже ценой чужой жизни. Кристофер сделал единственный выбор, возможный в той немыслимой ситуации. Сейчас его решение не имело для Сары никакого значения, важна была лишь его стойкость — он не сдался, не опустил руки, несмотря на гибель брата, убийство матери и похищение племянника, ставшего его приемным сыном. И ради сына он бесстрашно рисковал не только ее жизнью, но и своей. А к этой физической храбрости добавилась еще и моральная, когда он решил честно во всем ей признаться, глядя в глаза и не пытаясь отложить этот разговор, хотя сам считал себя слабаком и предателем.

Все эти мысли отразились на лице Сары — и Кристофер был поражен, увидев в ее взгляде понимание и уважение. Но на словах она была, как всегда, лаконична:

— На твоем месте я поступила бы так же.

В порыве благодарности Кристофер шагнул к ней и коснулся ее щек горячими ладонями. Сара не отстранилась. Он убрал рыжие пряди, скрывавшие обожженную сторону ее лица, поцеловал красноватое веко, скулу, добрался до губ. Сара, прильнув к нему всем телом, ответила на поцелуй. Он вздрогнул, потому что давно ждал этого и страстно желал. Она расстегнула пуговицы на рубашке — та соскользнула с ее плеч, а Кристофер уже неистово ласкал изгиб ее спины, и Сара вдруг почувствовала нечто большее, чем лихорадочное физическое влечение. Нечто настоящее, то, что останется надолго.

Позже, когда они уже лежали под одеялом, рука Кристофера покоилась на груди Сары, и не было стыда, их тела отдыхали от схватки с убийцами и друг с другом, а сердца, все еще охваченные тревогой, бились ровнее, ненадолго забыв о нервном напряжении и страхе.

В десять утра Кристофер еще спал, и Сара, проснувшаяся час назад, разбудила его поцелуем. Он открыл глаза, почувствовав тепло ее губ.

— Пора... — шепнула она.

— Ты давно встала?

— Достаточно давно, чтобы хватило времени разузнать про Дэвисберри и рудники в Соудене. Расскажу тебе в самолете. Еще я отправила эсэмэску со смартфона наемницы от ее имени, чтобы он не всполошился раньше времени.

Кристофер взглянул на нее с признательностью — он был счастлив оттого, что Сара рядом с ним, но не сказал об этом, а просто поцеловал ее так, как будто они прожили вместе долгое время, и сбежал в ванную принять душ.

Сара закусила губу. Если бы не обстоятельства, которые не позволяли расслабиться, она бы улыбнулась.

Через полчаса они торопливо позавтракали тем, что любезно приготовил для них Эдмунду, оставивший поднос в коридоре у двери комнаты, тепло попрощались с ним и заспешили к арендованной машине, припаркованной на лужайке.

Кристофер гнал внедорожник на предельной скорости по петлявшей на склонах вулкана дороге. Через двадцать минут они уже были на равнине, в центре призрачного Джордж-тауна, который казался киношной декорацией под лазурью неба, уже позолоченной восходящим солнцем. Вернув машину хозяину единственного в городке магазина, они отправились на военный аэродром. Кроме них, не нашлось ни одного желающего лететь сегодня в Бриз-Нортон, так что с билетами проблем не возникло. Самолет должен был отправиться в путь меньше чем через час.

Они подходили к трапу на преангарной площадке, когда Сара получила два сообщения от Стефана Карлстрёма. В первом он озабоченно интересовался, как у нее дела, во втором требовал позвонить ему в течение двух часов и грозился выслать поисковую команду, если она этого не сделает. Сара немедленно отправила эсэмэс:

«Я на острове Вознесения, лечу в Англию, оттуда в Миннеаполис. Поверь, узнав результаты расследования, ты не будешь разочарован. Дай мне еще 48 часов, и дело будет закрыто».

Тотчас пришел ответ:

«48 часов, ни минутой больше».

— Проблемы с начальством? — догадался Кристофер.

— Не беспокойся, уже все улажено.

На борту их встретила стюардесса и предложила занять места, какие они пожелают, — в салоне было пусто. Усевшись в кресло, Кристофер потер ладонями лицо. Очень хотелось думать, что они с Сарой вышли на финишную прямую, что кошмар скоро закончится и он наконец сможет обнять Симона. Но уверенности в счастливом исходе по-прежнему не было. Кристофер пытался успокоиться, выровнять дыхание, а воздух судорожно врывался в легкие. Тогда он откинулся на спинку кресла и, закрыв глаза, спросил:

— Сколько лететь от Лондона до Миннеаполиса?

— Девять часов. А оттуда три с половиной часа на машине до Соудена. — Сара положила ладонь на руку Кристофера, чтобы его успокоить.

— А что будем делать на месте? Не факт, что мы найдем Дэвисберри в рудниках. Но даже если найдем, ты думаешь, он нам вот так просто выложит все тайны, за красивые глаза? Сара... ты ведь не хуже меня понимаешь, что это бесполезно!

Зашумел двигатель, самолет вырулил на взлетную полосу, разогнался и оторвался от земли.

— Лучше послушай, что мне удалось выяснить сегодня утром, — сказала она. — Марк Дэвисберри — миллионер и крупный промышленник, занимается медицинским оборудованием. Кроме того, он ревностный христианин и щедрый спонсор баптистского университета «Либерти».

— Ясно. А про рудники что-нибудь узнала?

— Соуденские рудники действительно заброшены, как и сказала наемница. Но уже лет двадцать в одной из шахт размещается экспериментальный научный центр, Соуденская подземная лаборатория, которая занимается исследованиями... по физике частиц и астрономии. Понимаешь, что это означает?

Кристофер покачал головой:

— Потом обдумаем. Лучше скажи мне, как мы попадем в этот научный центр. Строительство лаборатории под землей, наверное, стоило бешеных денег. И вряд ли туда пускают всех подряд.

— Шахта — часть большого рудничного комплекса, который считается историческим наследием США. Там устроен государственный музей, так что доступ под землю открыт всем желающим.

— Ну наконец-то хорошая новость!

— Если в пути не случится непредвиденных задержек и если учесть время ожидания рейса из Лондона, мы будем в Соудене через... двадцать три часа. Потом придется быстро найти способ проникнуть в лабораторию, найти там Дэвисберри и заставить его ответить на вопросы. Сделаем для Лазаря видеозапись. А если мы хотим в тот же день улететь во Францию, у нас на все про все остается два часа.

Сара заглянула Кристоферу в лицо. Оба мысленно подсчитывали скудные шансы на успех и сомневались в своих силах. Но крепко держали друг друга за руки.

Глава 46

«Все религии обещают нам жизнь после смерти, пусть и в разной форме. Приверженцев индуизма ждет реинкарнация, буддистов — нирвана, христиан и мусульман — райское блаженство, а древние египтяне верили, что бессмертная душа вернется в мумифицированное тело. Я долго и терпеливо изучал священные тексты — тибетскую и египетскую Книги мертвых, а также Новый Завет и христианские духовные сочинения. Все они учат нас не бояться смерти и правильно готовиться к ней, потому что умрет лишь тело, но не дух. Все написаны между 2000 годом до Рождества Христова и XV веком нашей эры. Все с полной уверенностью и поразительными подробностями рассказывают о том, что произойдет, когда человек испустит последний вздох».

Марк Дэвисберри оторвался от экрана ноутбука, сделал глоток кофе и помассировал лицо. Почти всю ночь он провел в размышлениях, совсем не отдохнул, и теперь ему казалось, что речь, которую он начал писать вчера вечером, чтобы завтра произнести ее перед своей исследовательской командой по случаю запуска нового модуля, не соответствует пафосу момента.

Взгляд старика задержался на черно-белой фотографии в рамке рядом с ноутбуком. На ней он сам, моложе на тридцать шесть лет, стоял подле Натаниэла Эванса, оба с гордостью, почти с вызовом, смотрели в объектив, а у них за спиной маячили открытые двери барака на острове Вознесения, где находилась секретная экспериментальная лаборатория под прикрытием НАСА. В тот день им передали приказ о немедленном сворачивании проекта и срочной эвакуации всех еще действовавших к тому времени научных центров программы «МК-Ультра». Тогда они заключили тайный договор продолжить исследования вопреки всему и втайне от властей. Дэвисберри взял на себя финансовые расходы и обязался переправить двух многообещающих подопытных в европейские клиники так, чтобы никто об этом не проведал. Эванс должен был дистанционно руководить экспериментами над ними и над новыми испытуемыми, а также, как и прежде, анализировать полученные данные. Поскольку Дэвисберри в ту пору занимал пост директора научно-исследовательского отдела ЦРУ и тесно сотрудничал с Фондом Форда, ему без труда удалось найти нужных людей в Норвегии, доставить туда в строжайшей секретности первого пациента 488 и поместить его в психиатрическую больницу «Гёустад» — все было проделано быстро и безупречно с помощью тогдашних министров обороны и здравоохранения. Второго пациента 488 Дэвисберри устроил в другую психиатрическую клинику, во Франции, задействовав давние связи с французскими спецслужбами, которым он в свое время помог вычислить «крота» среди сотрудников. Тот договор Дэвисберри с Эвансом положил начало тридцатишестилетнему сотрудничеству, и оно оказалось столь плодотворным, что позволило в конце концов перейти ко второму и заключительному этапу проекта.

Бизнесмен продолжил сочинять речь с того места, где остановился, стараясь подчеркнуть научные и практические устремления, руководившие исследователями с самого начала. Пальцы забегали по клавиатуре.

«Давайте ненадолго забудем о священном трепете и безмерном уважении, которые внушают нам духовные книги, и отодвинем на дальний план убеждение в том, что древние были мудрее и лучше, чем мы. Зададимся вопросами: на что опирались авторы при создании этих текстов? Какими фактами они располагали для столь убедительных и детализированных описаний? Каким опытом? Найдется ли хоть одно доказательство тому, что все эти представления о бессмертной душе не плод человеческого воображения? Откуда они могли знать, что случится по ту сторону смерти? Неужели кому-то довелось там побывать и вернуться? Вам не хуже, чем мне, известен ответ: нет. Священные тексты нельзя назвать документальными свидетельствами, это не отчеты о реальных событиях, а всего лишь умозрительные теории, которые многие считают неоспоримой истиной.

Вы, как и я, не подвергаете сомнению бессмертие души, и нам с вами не нужны доказательства, потому что у нас есть вера. Но настало время преумножить наши ряды, раз и навсегда сломив сопротивление атеистов. Пора открыть глаза всему человечеству, предоставив ему доказательства непостижимого. Дорогие мои коллеги, важнейшая работа, проделанная здесь, в этой лаборатории, за многие годы, позволит нам с вами войти в историю не только этого века или тысячелетия — наши имена будут вписаны в историю Вселенной. Потому что благодаря нам с вами религиозный подъем охватит все человечество, и каждому жителю планеты вера подарит счастье и надежду...»

Марк Дэвисберри с довольным видом откинулся на спинку кресла, отпил еще немного кофе и в творческом порыве снова взялся за дело:

«Религии снова займут в социуме подобающее им место, священнослужители, как им и пристало, опять поведут людей к свету, и мир удержится на краю бездны, к которой он так упорно стремится. Мир не погибнет, потому что даже закоренелые скептики отринут свои заблуждения и присоединятся к нам. Друзья, мы станем пионерами в деле сближения человечества с Богом. Мы научными методами докажем, что душа... бессмертна».

Дэвисберри опустил экран ноутбука и мысленно повторил только что дописанную речь, каждое слово которой отпечаталось в его памяти.

На столе звякнул мобильный телефон — пришло долгожданное сообщение от Джоанны:

«Миссия выполнена. Риски устранены. Доказательства будут предоставлены по возвращении».

Старик тотчас набрал послание своему помощнику Джонасу — поставил его в известность, что проекту больше не угрожает преждевременная огласка, и пригласил на завтрашнюю торжественную церемонию запуска нового модуля. Только после этого, с чувством выполненного долга, он позволил себе немного передохнуть.

ГЛАВА 47

Сара и Кристофер благополучно приземлились в Бриз-Нортоне, добрались оттуда до Лондона и ночью вылетели из Хитроу в Миннеаполис.

У обоих гудела голова и было ощущение, что легкие забиты пылью после долгого пребывания в герметичных салонах самолетов. Ошалевшие, на ватных ногах, утром они прошли в американском аэропорту паспортный контроль и бросились в ближайшую контору по прокату автомобилей, где их уже ждал заранее арендованный и готовый стартовать внедорожник. Запрограммировав GPS на кратчайший маршрут до городка Соудена, Кристофер и Сара, не теряя ни секунды, отправились в путь по бескрайним, густо поросшим лесами равнинам штата на предельной скорости.

Через три часа они свернули с 53-го шоссе на восток и, протащившись по дороге с ограничением 15 миль в час, увидели наконец долгожданный указатель: «Соуденский государственный железорудный музей-заповедник». Дорога, до тех пор петлявшая среди деревьев по ровной местности, пошла в гору, лес закончился, и взору предстали шахтные отвалы вокруг зева старой горной выработки. Вся земля, насколько хватало глаз, тут была засыпана рыхлой породой с примесью металла — цвет ржавчины до самой вершины, где находился главный вход в рудники, мешался с зеленью.

На парковке музея почти все места оказались свободными. Кристофер остановил машину рядом с бодро развевавшимся на ветру американским флагом неподалеку от входа и, заглушив мотор, опять уставился на часы, хотя с последнего раза, когда он это делал, не прошло и пяти минут. Было почти половина первого. За два часа им предстояло спуститься в шахту, попасть в научно-исследовательский центр, найти Дэвисберри, получить от него все, что нужно, выбраться на поверхность целыми и невридимыми, а затем вернуться в аэропорт и успеть на самолет.

Перед тем как выйти из внедорожника, Сара посмотрела на Кристофера — он заметно осунулся, глаза запали от усталости и блестели, как у больного в лихорадке. Она и сама уже выбивалась из сил.

Почти бегом они поспешили к ларьку с вывеской «Билеты». Из окошка им приветливо улыбнулась блондинка лет двадцати с гофрированными волосами и сразу предупредила, что следующий спуск в шахту состоится через десять минут, указав на пятерых туристов, терпеливо ждавших у входа в рудники.

Кристофер, купив два билета, спросил у нее, есть ли под землей научная лаборатория, и в ту же секунду заметил, что выражение лица девушки вдруг изменилось — она занервничала. Однако причиной тому, похоже, был не вопрос о лаборатории, а что-то возникшее у Кристофера за спиной.

Они с Сарой одновременно обернулись, чтобы проследить взгляд кассирши, — оказалось, у входа только что припарковался черный седан с тонированными стеклами.

— Э-э... кажется, лифт отправится под землю прямо сейчас, — сообщила девушка. — Пожалуйста, поспешите. Насчет научной лаборатории — да, там есть серьезный исследовательский центр, но туристам в него вход закрыт. Счастливого пути!

Из черного седана, не отрывая взгляда от экрана смартфона, вылез стройный молодой человек в деловом костюме и круглых очках с тонкой золотой оправой. Он направился ко входу, за которым находился подземный лифт, взмахом руки поприветствовал экскурсовода и первым вошел в кабину.

Экскурсовод прозвонил в колокол, раздал всем участникам спуска защитные каски, и, дождавшись бежавших к ним Кристофера и Сару, пропустил в металлическую клетку всех семерых подопечных, затем вошел сам и раздвинул складную дверцу из железных пластин. С гордостью известив посетителей музея, что их ждет путешествие к центру Земли на семьсот с лишним метров в глубину по вертикали, он удовлетворенно выслушал взволнованные возгласы, и кабина с металлическим скрежетом и стуком плавно поехала вниз.

По мере погружения в недра горы становилось холоднее, лампочка под потолком лифта начала мигать. Кристофер и Сара тем временем норовили получше разглядеть молодого человека из седана, но было слишком тесно из-за того, что в кабину набилось столько народу, а он стоял у них за спиной и, обернувшись в открытую, они могли бы вызвать подозрения. Ясно было одно: очкарик не турист, значит, он здесь работает — либо в музее, либо в научном центре. А судя по тому, что экскурсовод ускорил начало спуска, загнав прочих посетителей в лифт, как только этот парень приехал, пост он должен занимать не маленький.

Через несколько минут кабина замедлила движение и остановилась в тряске и грохоте. Железная дверца-кулиса опять сложилась — за ней начиналась подземная галерея, спускавшаяся под уклон к рельсам, на которых стоял состав из десятка двухместных вагонеток и желтенького электровоза. Прожекторы, установленные на земле, освещали путь к ним от лифта.

Кристофер и Сара хотели занять последнюю вагонетку, чтобы видеть остальных пассажиров, но молодой человек в очках их опередил. Пришлось сесть в предпоследнюю, прямо перед ним.

— Внимание! Поезд отправляется! — крикнул экскурсовод, стоя на подножке локомотива.

Маленький состав вздрогнул и медленно покатил вперед мимо трех скульптурных групп, реконструирующих работу шахтеров в начале прошлого века. В пояснениях на табличках говорилось, каким опасным и почетным было это ремесло. Экскурсовод после краткого вступительного рассказа о рудниках попросил туристов не вставать в вагонетках, потому что дальше поезд будет следовать по туннелям с низкими сводами.

Электровоз прибавил скорости и углубился в извилистый лабиринт подземных галерей. Вскоре прожекторы исчезли, и теперь мрак рассеивали лишь фары локомотива, так что последние вагонетки тонули в темноте.

Неожиданно состав затормозил, скрежеща и покачиваясь.

— Никому не выходить! — предупредил экскурсовод. — Остановка техническая, мы ждем перевода стрелок, поезд отправится дальше через несколько секунд. Спасибо за понимание! Кстати, берегитесь привидений!

Кто-то из туристов захихикал, состав неспешно тронулся. В тот же момент Кристофер затылком почувствовал какое-то движение и обернулся — молодого человека в деловом костюме за ними не было.

— Сара... — шепнул он.

— Я в курсе, — тихо отозвалась она. — Подожди, он нас увидит...

Молодой человек удалялся от них в боковой туннель, освещая себе дорогу карманным фонариком.

— Мы его упустим, — занервничал Кристофер.

— Ладно, пошли.

Поезд уже немного набрал скорость — выпрыгнуть на ходу из вагонетки было можно, но казалось делом рискованным: в темноте было не разглядеть землю между рельсами и стенами туннеля, а стены были неровные, с острыми выступами породы.

Сара больше ждать не стала. Она приподнялась с сиденья, поставила на землю одну ногу, вторую — и несколько секунд бежала, держась здоровой рукой за борт вагонетки, затем отпустила его и даже не потеряла равновесия. Кристофер попытался проделать то же самое, но споткнулся и врезался бы головой в стену туннеля, если бы Сара не поймала его.

— Спасибо! — выдохнул он, крепко сжав ее руку.

Они торопливо зашагали в обратном направлении, в полной темноте, скользя по стене ладонью. Свернули в ответвление. Впереди мелькнул слабый свет фонарика, вдруг качнулся вправо и исчез. Добравшись до того места первой, Сара обнаружила короткую галерею, уходившую вправо от бокового туннеля. Молодой человек стоял в конце этого каменного коридора, у закрытой двери со штурвальным запорным механизмом, и, склонившись к переговорному устройству, сердито выговаривал кому-то:

— Да что за безобразие у вас там творится?! Я жду уже две минуты! Где вы шляетесь?!

Из динамика зазвучал голос — кто-то запыхавшийся принялся оправдываться:

— Простите, мистер Кенстон, но запуск нового модуля... уф... извините, я бежал... сейчас отдышусь... Инженерам для запуска нового модуля потребовался весь персонал, нужно было поскорее закончить установку. Мистер Дэвисберри приказал мне тоже помочь. Вы же знаете, ему не терпится... Так что пришлось отлучиться ненадолго. Ваша личность будет немедленно подтверждена!

Джонас Кенстон приложил ладонь к биометрическому экрану, раздался звуковой сигнал, механизм сработал, и бронированная дверь открылась.

Сара стремительно рванулась вперед.

Услышав топот, помощник Дэвисберри обернулся, торопливо начал закрывать створку, но Сара успела толкнуть ее ногой так, что молодой человек отлетел внутрь шлюза. Сара сбила его на землю и заломила руку за спину.

Кристофер успел проскользнуть в шлюз в последний момент, когда механическая дверь уже почти захлопнулась. Они очутились в маленьком помещении, обитом листовым железом и тускло освещенном красной лампочкой. В дальней стене была еще одна дверь, открытая, и сразу за ней вниз уходила металлическая лестница. На верхней ступеньке стоял охранник с перепуганным видом и тянул руку к кнопке тревоги на стене. Не раздумывая ни секунды, Кристофер кинулся на него, но охранник, хоть и выглядел хилым, оказался натренированным, легко отбросил его назад и снова хотел нажать на кнопку тревоги, однако тут в действие вступила Сара. Она ловко блокировала удар охранника, а в следующую секунду ее кулак врезался ему в солнечное сплетение. Мужчина сложился пополам, и Сара вырубила его ударом по шее, краем глаза заметив, как мимо нее к лестнице метнулся Джонас.

Кристофер, уже пришедший в себя, вскочил и рванул за ним, прыгая через три ступеньки. Сара побежала следом, но должна была признать, что на этот раз журналист демонстрирует беспримерную прыть.

К сожалению, у Джонаса была фора.

Кристофер, перегнувшись через перила, заглянул в пролет — помощник Дэвисберри был уже на нижних ступеньках. Еще немного, и он ускользнет, всполошит охрану, тогда все будет кончено. Не думая об опасности, журналист перемахнул через перила и прыгнул в пустоту. Падая, он ногой задел плечо Джонаса, с размаху опрокинув его лицом в пол. Сам приземлился тоже неудачно — рухнул на бок и покатился, задыхаясь от хлесткой боли в ребрах.

Тут их наконец догнала Сара и быстро оценила обстановку: молодой человек, которого они преследовали, валялся без сознания, Кристофер сидел рядом с перекошенным посиневшим лицом — пытался вдохнуть, но не получалось. Она поспешно уложила его на спину, приподняв голову, уперлась рукой в живот и, накрыв его рот своим, выдохнула воздух в легкие. От этого диафрагма, сведенная мышечным спазмом, расслабилась, и он жадно, с хрипами, принялся глотать кислород, одновременно махнув Саре рукой в сторону неподвижного помощника Дэвисберри — мол, скорее займись им.

Перевернув молодого человека, она обнаружила, что у него сломан нос, быстро обшарила карманы и достала смартфон. После этого встряхнула парня, чтобы привести в чувство, а как только он открыл глаза, схватила его за горло ледяными пальцами.

— Что за исследования здесь проводятся? — прошептала она ему на ухо.

— Отпустите! — простонал Джонас.

— Заткнись или сдохнешь. Так что же изучают в вашей лаборатории?

— Этого вы не узнаете. И не думайте, что я боюсь смерти.

К ним придвинулся Кристофер:

— Сара, держи его крепче и позаботься, чтобы он не заорал.

Она не поняла, что журналист собирается сделать, но послушалась.

— У нас нет времени на сантименты, — пробормотал он, словно убеждал самого себя, и, взявшись вдруг двумя пальцами за сломанный нос Джонаса, медленно его сдавил.

Молодой человек вытаращил глаза, задергался, но Сара легко пресекла все его попытки вырваться и закричать.

— Смерти ты, может, и не боишься, а вот боль тебе не нравится, как и всем, — холодно сказал Кристофер. — Но тебе будет очень больно здесь и сейчас, до тех пор пока ты не ответишь на наши вопросы.

Грудная клетка Джонаса судорожно вздымалась и опускалась в такт тяжелому неровному дыханию; боль в сломанном носу отдавалась в костях всего тела.

— Повторяю, — неумолимо произнес Кристофер. — Что изучают в этой лаборатории?

Молодой человек быстро заморгал, давая понять, что готов говорить, и Сара медленно отняла ладонь от его рта, но не опустила руку на случай, если ему взбредет в голову звать подмогу.

— Как... как вам удалось... добраться сюда... живыми? — простонал Джонас.

— Похоже, ты меня не понял, — вздохнул Кристофер и занес кулак над его носом.

— Стойте, стойте! Не надо... — На лбу молодого человека блестели капли пота, глаза расширились от страха, он не сводил взгляда с кулака, как побитая собака в ожидании нового удара.

— Что... изучают... в этой... лаборатории? — медленно, сквозь зубы процедил Кристофер.

— Это экспериментальный научный центр. Здесь изучают космическое излучение. — Замолчав, Джонас увидел, что журналист нахмурился, и поспешил добавить: — Мы хотим поймать... призрачную частицу.

Кристофер ждал какой-нибудь околонаучной белиберды, рассказа о самых смелых экспериментах в подтверждение каких-нибудь бредовых идей, но в том, что сказал помощник Дэвисберри, не было ничего нелепого или смешного. За призрачной частицей ученые всего мира охотились уже лет семьдесят.

Сара, ничего в этом не смыслившая, взглянула на него, требуя объяснений.

— Они пытаются разгадать величайшую загадку Вселенной, — пожал плечами Кристофер. — Не знаю, как это попроще объяснить... Например, когда ты смотришь на небо, звезды, океан и даже на меня вот в этот самый момент, ты видишь всего лишь четыре процента того, что существует.

— Как это?

— На девяносто шесть процентов Вселенная состоит из невидимой материи, которая проходит сквозь стены, наши тела, землю, камни, металлы. Нам кажется, что ее нет, но на самом деле именно она управляет законами Вселенной. Без этих девяноста шести процентов пока еще никем не исследованной материи невозможно было бы объяснить вращение звезд и галактик. Проблема вот в чем: астрономы и физики знают, что она существует, но понятия не имеют о ее структуре и даже не понимают, что это такое, потому что никому еще не удалось заполучить образец для анализа. Она ускользает от всех измерительных приборов. Ее невозможно ни увидеть, ни зафиксировать датчиками. Дело темное, в общем, и эту материю обозначают именно так: темная или призрачная. А состоит она из призрачных частиц, которые обычно называют нейтрино.

— И какая тут связь с тем, что мы нашли на острове, в лаборатории твоего отца?

Кристофер снова повернулся к Джонасу — тот лежал с закрытыми глазами и норовил потерять сознание.

— Зачем вам понадобилась призрачная частица?

Молодой человек приоткрыл глаза, и Кристофер на всякий случай приблизил кулак к его носу. Когда Джонас ответил на вопрос, интонации его слабого голоса свидетельствовали: он глубоко убежден в том, что говорит, поэтому сомневаться в его правдивости не приходилось.

— Мы... абсолютно уверены, что призрачные частицы, нейтрино, составляющие темную материю... это человеческие души.

Кристофер безвольно опустил руку.

— Души?.. — повторил он.

— Да. Именно поэтому никому и не удается их поймать. Нейтрино — призрачные частицы в буквальном смысле, это призраки умерших людей и тех, что еще не родились, а только ждут своего воплощения в земной жизни.

Кристофер лишился дара речи, Сара выглядела озадаченной.

— Как вы пришли к такому выводу? — спросила она.

Теперь Джонас дышал слабо и прерывисто — похоже, он действительно мог в любой момент отключиться.

— Благодаря графортексу и записи... посмертных видений, — пробормотал он едва слышно.

— Мы в курсе насчет пяти точек, — сказал Кристофер.

Помощник Дэвисберри открыл глаза шире — в них изумление смешалось со страхом:

— Вы кого-то уби...

— Мы сделали то, что понадобилось, — перебила Сара. — Объясните, в чем связь между этими пятью точками и тем, что вы сказали о частицах темной материи и человеческих душах.

— Зачем вам это знать? — измученно спросил Джонас, еще пытавшийся сопротивляться.

Кристофер поводил перед ним кулаком, и молодой человек машинально попробовал отвернуться. Лишние страдания ему были не нужны, к тому же он понимал, что его слова уже ничего не изменят для грандиозного проекта. Так даже лучше — чем дольше ему удастся продержать сына Натаниэла Эванса и его подружку здесь, тем меньше у них будет возможностей помешать запуску нового модуля.

— Группа астрономов составила трехмерную карту распределения темной материи в космическом пространстве. Мы проанализировали эти данные... и... — Джонас бросил взгляд на дверь в конце коридора — из-за нее вдруг донеслись аплодисменты. — И в одной из областей предельной концентрации темной материи нашли пять звезд, чье расположение в точности соответствует рисунку из пяти точек на распечатках графортекса, которые получены в момент смерти испытуемых. Ни в каком другом уголке Вселенной подобного рисунка из пяти звезд не зафиксировано. Только в этом скоплении.

На сей раз даже Сара, позабыв о своей обязанности присматривать за пленником, отвлеклась и потрясенно уставилась на Кристофера — тот ответил ей таким же ошалелым взглядом.

— Темная материя состоит из душ, — подытожил Джонас. — Вечная жизнь существует. Священные книги мировых религий говорят правду.

Кристофер попытался взять себя в руки, чтобы не сорваться в метафизическую пропасть, которая только что перед ним разверзлась.

Теперь аплодисменты за дальней дверью звучали громче, как будто внушительная группа людей кого-то поздравляла.

— Что там происходит? — насторожилась Сара.

Джонас торжествующе заулыбался:

— Очень скоро мы станем первыми, кто поймает частицу темной материи!

— Каким образом?

— Мы вложили деньги, время и знания в создание революционного модуля — ловушки для нейтрино, самой мощной и точной из всех спроектированных на планете. Только она способна изолировать и зафиксировать одну-единственную частицу из многих миллионов, каждую секунду пронизывающих ваш ноготь. Это происходит прямо сейчас, а вы даже не подозреваете.

— И что потом? — наклонился к нему Кристофер. — Что вы будете делать, когда поймаете нейтрино?

Свет в коридоре замигал, и сидевшая на полу троица ощутила дрожь земли. Джонас улыбнулся еще шире:

— Мы докажем, что нейтрино — это душа человека, и мир изменится навсегда.

— Где хранятся результаты ваших исследований? — спросила Сара.

Джонас указал подбородком на ту самую дверь в конце коридора:

— В кабинете Марка Дэвисберри, директора... В том зале наверху, на галерее, еще одна дверь. Идите, если хотите, но вы уже ничему не сможете помешать.

— Какой пароль для входа в его компьютер?

— «Прометей», — выдохнул Джонас.

Даже не посоветовавшись с Кристофером, Сара нажала на блуждающий нерв пленника, и тот потерял сознание. Они вдвоем оттащили бесчувственное тело под лестницу и зашагали к двери, из-за которой недавно доносились аплодисменты.

Глава 48

Марк Дэвисберри стоял на галерее, и сверху ему был виден весь гигантский зал экспериментального научного центра. Помещение со сводчатым потолком занимало 82 метра в длину — почти что футбольное поле шириной с четырехполосную автостраду, — а сводчатый потолок возносился на уровень четырехэтажного дома. В центре зала была установлена металлическая сфера — диаметр 8 метров, вес 6000 тонн, поверхность состоит из многих тысяч восьмиугольных фотодетекторов, являющих собой самую чувствительную в мире сеть для ловли нейтрино.

Время от времени на поверхности сферы вспыхивали огоньки — сигналы о том, что в сеть попалась электрически заряженная или нейтральная частица. Данные немедленно анализировались, чтобы можно было исключить электроны, протоны и прочие частицы, известные науке, — ученым нужно было только загадочное нейтрино, которое до сих пор ни разу не появилось на экране ни одного из дюжины запущенных в мире нейтринных детекторов.

Вокруг сферы два десятка человек в строительных касках восхищенно взирали на шедевр высоких технологий, который позволит им навсегда остаться в истории.

Главный инженер поднял вопросительный взгляд к создателю всего этого титанического проекта. Марк Дэвисберри, преисполнившись торжественности момента, сделал глубокий вдох и заговорил:

— Коллеги и друзья, подвижники науки и первооткрыватели! Сегодня ваши труды подошли к завершению. Через несколько часов, а может быть, минут начнется новый этап в истории всего человечества.

Он кивнул главному инженеру, стоявшему рядом с пультом управления, и тот нажал на зеленую кнопку. Лампы в центре зала погасли — вся электроэнергия была направлена в нейтринный детектор. Сфера зажужжала, пол завибрировал. Исследовательская команда, до сих пор молчавшая, затаив дыхание, дружно разразилась радостными возгласами.

А Марк Дэвисберри вспомнил себя совсем молодым — как он стоял на коленях в маленькой деревенской церквушке в Пенсильвании, молился и вдруг почувствовал в самой глубине своего естества трепет души и понял, что она всегда была и всегда будет. И еще вспомнил, как его трясло от бешеного энтузиазма, нахлынувшего в тот день, когда он принял решение курировать и финансировать сумасшедший проект Натаниэла Эванса, представленный на рассмотрение в ЦРУ. Потом перед глазами замелькали картины первых экспериментов на людях, перемежавшихся ночными бдениями над Книгами мертвых. Затем появились первые существенные результаты исследований. Пять точек, бессонные ночи в попытках понять, что это; карты созвездий, гениальная догадка о темной материи и вот, наконец, доказательство, которое все изменит — вознесет религию на высшую ступень, сделает ее главной в жизни общества и заменит человеческие страхи надеждой.

Короткий и громкий звуковой сигнал вырвал его из размышлений. Как и все исследователи, присутствовавшие сегодня здесь, он был в курсе, что этот сигнал означает.

Главный инженер не отрывал взгляда от экранов и уже приступил к проверке, затем запустил повторный анализ данных, чтобы не возникло ни малейшей ошибки. Вся исследовательская команда ждала его вердикта.

Наконец он поднял голову — глаза блестели от невыразимых эмоций, и Марк Дэвисберри победно сжал кулаки: всего за несколько минут их новый модуль, в который вложено столько труда, продемонстрировал поразительный результат. Гигантская сфера только что поймала нейтрино, и случилось это впервые в истории. Но пока цель достигнута лишь частично — остается последний тест. Нужно расшифровать электрический код этой частицы темной материи и убедиться, что он имеет доступное человеческому пониманию выражение.

Предстоит небывалый опыт, основанный на всех достижениях научной мысли.

— Приступаем к анализу, — взволнованно дал отмашку Дэвисберри, спускаясь по ступенькам с галереи.

Специалист, ответственный за программу декодирования, сел перед компьютером, остальные обступили его и теперь заглядывали друг другу через плечо. Он набрал на клавиатуре несколько команд, и весь экран в мгновение ока заполнился столбиками единиц и нулей.

— Оно посылает сигнал... — пробормотал специалист, округлив глаза. — Нейтрино посылает сигнал!

Марк Дэвисберри тоже успел подойти к компьютеру и стоял, прижимая ладонь ко рту, не смея поверить в чудо, происходившее прямо перед ним. Два десятка сотрудников вокруг, мужчин и женщин, крестились, сжимали в кулаках распятия, кто-то тихо читал молитву.

Серии единиц и нулей на экране исчезли, остался мигающий курсор в пустой строке — компьютер ожидал команды к декодированию. Марк Дэвисберри торжественно поднял палец и нажал на клавишу Enter. На экране появился индикатор процесса — измерительная шкала медленно заполнялась зеленым цветом по мере расшифровки.

Через несколько минут можно будет прочитать «послание» от только что пойманной частицы темной материи — декодер переведет всю содержащуюся в ней информацию на доступный язык. И это беспрецедентное открытие докажет существование бессмертной души.

Зеленая полоса приблизилась к отметке «50%», атмосфера наэлектризовалась, всю исследовательскую группу уже трясло от нетерпения, даже Марк Дэвисберри, обычно демонстрировавший выдержку при любых обстоятельствах, сейчас нервно покусывал костяшку большого пальца.

«70%». Всем казалось, что в воздухе не хватает кислорода. Одной даме сделалось дурно, она собралась было лишиться чувств, но коллеги не дали ей упасть, подхватили с двух сторон, при этом не отрывая взглядов от шкалы.

«96%». Марк Дэвисберри зажмурился и перестал дышать. Сотрудники вокруг него невольно подались к экрану монитора. И тут громко прозвучал звуковой сигнал окончания дешифровки.

Бизнесмен не решался открыть глаза. Вокруг слышалось взволнованное дыхание людей, кто-то прошептал: «Боже мой... получилось... Вечная жизнь... существует...»

— Сэр, взгляните на это! У нас есть доказательство, что частица — живая и наделена сознанием!

— Господь обещал спасение, — прошептала какая-то женщина с невероятным облегчением, — и мы спасемся...

Марк Дэвисберри двумя руками оперся о компьютерный стол, словно боялся упасть от головокружения. Он достиг цели.

Сотрудники уже радостно переговаривались в полный голос, обнимались, поздравляя друг друга, радостно восклицали. Дэвисберри посмотрел на них, чувствуя, как в груди поднимается волна ликования, потом перевел взгляд на экран монитора — и ликование сменилось беспокойством. Мощный компьютер расшифровал фрагмент памяти нейтрино — человеческой души, пойманной в высокотехнологичную сеть. И то, что старик прочитал, заставило его похолодеть от ужаса.

«Нет, невозможно! — пронеслось в голове. — Это какая-то ошибка... Неправда!»

У него подогнулись колени. Дрожащей рукой Марк Дэвисберри уже собирался запустить повторное декодирование, но сфера в центре зала начала издавать один за другим звуковые сигналы — детектор сообщил о поимке еще пяти нейтрино.

Толпа зашумела с удвоенным энтузиазмом и окружила сферу, а Дэвисберри, оставшись около панели управления и содрогаясь от страха, дал команду проверочной расшифровки информации из первой частицы и одновременно начал извлечение памяти из пяти новых.

Результаты неумолимо появлялись на экране, и лишь непомерная гордыня не позволила мертвенно-бледному Марку Дэвисберри упасть в обморок на виду у сотрудников.

— Господи, прости меня и помилуй, — пробормотал он и уже хотел призвать всех к порядку, потребовать замолчать и прекратить этот балаган, а потом сообщить им о чудовищном поражении... но передумал. Ошибка была слишком серьезной и неисправимой.

Посреди всеобщего ликования, пока сотрудники, опьяненные мнимым успехом, радовались и поздравляли друг друга, никем не замеченный Марк Дэвисберри побрел к лестнице на галерею и поднялся в свой кабинет.

* * *

Кристофер и Сара воспользовались суматохой, сопровождавшей запуск нового модуля, который оказался гигантским нейтринным детектором, чтобы осторожно проникнуть в зал. Присев за тележками со строительными материалами, они дождались момента, когда Марк Дэвисберри закончил произносить речь и спустился с галереи, чтобы присоединиться к группе ученых, затем тайком от всех проскользнули к металлической лестнице и поднялись в его кабинет. Никто их не заметил.

В кабинете они с помощью полученного от Джонаса Кенстона пароля вошли в директорский компьютер и начали загрузку данных с жесткого диска на флеш-накопитель. Кристофер, склонившись к монитору, следил за уровнем выполнения процесса, а Сара, притаившись у большого окна кабинета, выходившего в зал с модулем, продолжала снимать на видео все происходившее в нескольких метрах внизу.

— По-моему, они скоро закончат, — предупредила она Кристофера.

— Давай же, давай! — попытался он подбодрить компьютер — пока загрузилось всего пятьдесят шесть процентов.

Вскоре Сара услышала шаги по ступенькам — кто-то поднимался на галерею. Встав у двери, она сделала журналисту знак спрятаться под столом.

Загрузка должна была закончиться через несколько секунд, Кристофер уже взялся за торчавшую из системного блока флешку, готовый ее выдернуть, когда дверь кабинета начала открываться. Входивший положил руку на край створки — Сара схватила ее, резко дернула на себя, и в кабинет, потеряв равновесие, ввалился седовласый старик в деловом костюме. На ногах он не устоял — сразу грохнулся на пол, и Сара зажала ему рот ладонью.

Старик замычал от боли и неожиданности, и она уже собиралась вырубить его, надавив на блуждающий нерв, но Кристофер вмешался:

— Подожди! Вы Марк Дэвисберри?

Старик моргнул в знак подтверждения.

— Моя напарница уберет руку от вашего рта. Но если вы вдруг решите позвать на помощь, она сломает вам шею. Это понятно?

Бизнесмен перевел взгляд с Кристофера на Сару и обратно — до сих пор он был уверен, что сын Натаниэла Эванса и его подружка мертвы, — затем еще раз опустил и поднял веки.

Сара медленно отвела ладонь.

— Послушайте меня внимательно, — нервно продолжил Кристофер. — Я делаю это не ради славы, денег или какой-либо другой личной выгоды. Я делаю это, чтобы вернуть своего приемного сына. Его похитили. Скажите мне, какие результаты дал ваш последний эксперимент, — это необходимо, чтобы спасти восьмилетнего мальчика.

Дэвисберри отрицательно покачал головой.

В ту же секунду пискнул компьютер — Кристофер обернулся к монитору и удостоверился, что загрузка данных окончена. Сару это тоже отвлекло, и она не уследила за Дэвисберри, который мгновенно воспользовался обстоятельствами — оттолкнул ее, вскочил и, подбежав к письменному столу, выхватил из ящика пистолет.

— Кристофер! — крикнула Сара, увидев, что старик целится в него.

Дэвисберри тотчас перевел ствол на нее. Он метил в лоб, но рука дрогнула, и пуля лишь оцарапала щеку Сары, которая рефлекторно шарахнулась в сторону, чтобы уйти с линии выстрела. Она упала, опрокинув низкий столик, а когда ей удалось подняться на ноги, Дэвисберри в кабинете уже не было.

Кристофер тем временем вытащил флешку из порта, но так нервничал, что выронил ее, и она завалилась за стол.

Марк Дэвисберри промчался вниз по ступенькам, обогнул толпу возбужденных сотрудников, еще не пришедших в себя от счастья, и бросился бегом к бронированной двери в дальней стене огромного зала. На ходу достал из кармана увесистый ключ и, не с первого раза попав, вставил его в замочную скважину, повернул, оглянулся, окинув последним взглядом свою исследовательскую команду, и захлопнул тяжелую створку за собой. Лишь несколько человек это заметили и озадаченно посмотрели вслед директору.

В небольшом помещении, куда попал Дэвисберри, было пусто, только магнитное считывающее устройство висело на противоположной от входа стене. Бизнесмен приложил к экрану свой пропуск, и часть стены отъехала в сторону, открыв нишу, в которой была еще одна замочная скважина. Вставив в нее ключ, Дэвисберри испустил глубокий вздох:

— Господи, прости меня. Я так ошибался...

И повернул ключ в замке.

Первый взрыв грянул рядом с гигантской сферой, и от него тряхнуло всю лабораторию. В открытую дверь кабинета Дэвисберри ворвалась волна тепла, обдав Сару и Кристофера. Внизу, в зале, бушевало пламя, лежали окровавленные, обожженные тела ученых, огонь пожирал сеть из фотодетекторов на поверхности модуля.

Сара бросилась к журналисту, который навалился боком на стол и шарил между ним и стеной на полу в поисках упавшей флешки.

— Кристофер, надо уходить!

Прогремел второй взрыв, волной воздуха вышибло стекло в кабинете, Кристофер откатился к краю стола и наконец нащупал флешку. Сара помогала ему подняться, когда раздался третий взрыв, еще ближе к галерее, и волна опрокинула их на пол. Кристофер упал на спину, а на стол обрушилась и раскололась часть потолочной бетонной плиты, которая пошла трещинами от сотрясения. Обломок придавил ногу журналиста — и его крик потонул в грохоте нового взрыва. Глядя вверх, он видел, как трещины на потолке угрожающе ветвятся и расширяются. Сара тем временем пыталась поднять тяжелый кусок бетона, чтобы вызволить Кристофера, но не могла сдвинуть его и на полсантиметра.

Очередной взрыв сотряс стены, обломки бетона градом хлынули с потолка в огромном зале, похоронив под собой гигантскую ловушку для нейтрино. Было ясно, что еще немного, и от подземного научного центра ничего не останется.

— Больше нет времени, Сара! Возьми флешку и уходи! — закричал Кристофер. — Ты должна спасти Симона! Поклянись, что ты его спасешь!

Сара снова взялась за обломок бетона, зарычав от бессильной ярости, но обломок не сдвинулся с места. Она понимала, что не справится.

А взрывы все не умолкали, и каждый следующий мог прикончить их обоих; вся подземная конструкция грозила вот-вот сложиться как карточный домик.

Кристофер сунул Саре в руку флешку и ключи от машины. Она крепко сжала их пальцами; в глазах стояли слезы. Сара повторяла себе, что это не может быть правдой, такого просто не должно с ними случиться, потому что она не переживет.

— Спаси моего племянника. Скажи ему, что я его люблю... Скажи, что мы с его мамой и папой всегда будем думать о нем и заботиться.

Сара уже не видела лица Кристофера, потому что слезы катились быстрым потоком. Она обняла его и поцеловала.

— Не забывай смотреть на звезды, — прошептал он дрожащими губами. — В этой жизни я уже не успею, но там, в космосе, у меня будет целая вечность для того, чтобы каждый миг повторять... я люблю тебя.

Очередной обломок упал, задев руку Сары и разодрав кожу.

Кристофер оттолкнул ее, она разжала объятия и бросилась прочь из кабинета.

Глава 49

Впоследствии Сара не могла вспомнить, как ей удалось добраться до лифта, который поднял ее из шахты на поверхность живой и почти невредимой. В памяти осталось лишь то, как она бежала, падала, когда под ногами тряслась земля, потом вставала и снова падала много раз.

Как только дверца лифта открылась с металлическим лязгом, Сару, выпавшую из кабины, подхватил санитар и помог дойти до машины скорой помощи. По дороге он все расспрашивал, как она себя чувствует, но Сара не могла говорить.

На парковке, которая совсем недавно была пустой, теперь теснились пожарные машины и блестели каски целой армии спасателей.

— Присядьте, — сказал санитар, когда они добрались до «скорой», — я вас осмотрю.

Она не сопротивлялась, плохо понимая, что происходит вокруг.

Санитар посветил ей в глаза фонариком, проверив реакцию зрачков, и надел на руку автоматический тонометр.

— У вас сердечный ритм повышен, но давление в норме. Вы сильная, — заключил он. — Посидите, пожалуйста, здесь. Полиции понадобятся ваши показания. Хорошо?

Сара машинально кивнула и осталась сидеть неподвижно. Поблизости кто-то кричал командным голосом, раздавая указания, мелькали силуэты пожарных и санитаров — ей все это было безразлично.

— Мадам, что там случилось? — раздался над ухом взволнованный женский голос, в котором звучало радостное возбуждение.

Сара подняла голову — прямо на нее смотрел объектив телекамеры. Журналистка, задавшая вопрос, совала ей в нос микрофон и ждала ответа с фальшивым сочувствием на лице. Но Сара лишь вяло отмахнулась — мол, оставьте меня в покое — и отошла от съемочной группы. Телевизионщики бодро потрусили искать других свидетелей катастрофы.

В полном оцепенении Сара провела несколько минут, потом вдруг услышала крик спасателя — он сообщал коллегам, что лифт поднимается. Она бросилась ко входу в шахту. Четверо пожарных вынесли из кабины две пары носилок, на которых лежали обожженные, окровавленные тела. Когда вся группа проходила мимо Сары, она узнала в раненых двоих туристов, которые спускались в музей вместе с ними. Те, кто их вытащил, переговаривались между собой, и один пожарный сказал, что внизу больше нет выживших.

К Саре подошел молодой полицейский.

— Со мной все в порядке, — рассеянно обронила она.

— Нам нужны ваши показания, мэм.

Оживленное движение на парковке усилилось, но теперь все суетились вокруг спасенных. Сара безо всякой надежды посмотрела на открытый вход в шахту. Лифт опять начал опускаться — пожарные еще не покончили с огнем под землей.

Она взглянула на полицейского и лаконично ответила на все его вопросы, притворившись туристкой, желавшей осмотреть достопримечательность. Она, дескать, понятия не имеет, почему под землей все вдруг затряслось и возник пожар, и думает лишь о том, как бы поскорее вернуться домой. Полицейский все записал в блокнот, а под конец попросил документы. Сара протянула паспорт, парень его внимательно изучил и вернул, сказав, что завтра от нее ждут более подробных показаний в полицейском участке города Соудена. Затем он попрощался и пошел опрашивать других выбравшихся из шахты.

Сара, измученная и опустошенная, сжала в кармане флешку. Жизнь Симона Кларенса теперь зависела только от нее, хотя собственная жизнь потеряла для Сары ценность — невыносимо было ходить, дышать, думать, говорить. Но она дала обещание.

Сара взглянула на часы. Самолет до Парижа, на который они с Кристофером собирались успеть, должен был вылететь через два часа, а до Миннеаполиса — три с половиной на машине. Она опоздала, но все равно надо было ехать, покупать билеты на ближайший рейс. Нечеловеческим усилием воли Сара заставила себя дойти до арендованного внедорожника, ждавшего под американским флагом. Двигаясь как автомат, она прошла мимо съемочной группы телевизионщиков — журналистка докладывала зрителям о серии взрывов в Соуденской подземной лаборатории и о чудовищных разрушениях. Согласно первым показаниям нескольких сотрудников, выбравшихся живыми, во взрывах может быть виновен известный бизнесмен Марк Дэвисберри, которого полиция как раз сейчас допрашивает. Сам он тоже получил множественные ожоги и травмы.

Сара села за руль, вставила ключ в замок зажигания и разревелась — уже не могла сдерживаться. Наплакавшись, призвала себя к порядку и собралась завести мотор, но среди спасателей вновь возникло оживление, несколько человек побежали к лифту. Сквозь клубы пыли, поднятые на парковке, ей удалось разглядеть, как из кабины в руки подоспевших спасателей вывалились двое. Она сейчас же вылезла из машины и, ускоряя шаг, пошла к ним. Первого человека сразу уложили на носилки. На нем был разорванный и обожженный белый халат, испачканный кровью и землей. Когда спасатели торопливо прошли с носилками мимо Сары, она разглядела лицо жертвы — незнакомое.

Сердце забилось сильнее, она бросилась бежать к лифту, но рассмотреть второго раненого все никак не могла — его окружили пожарные и врачи.

— Мэм, стойте! — окликнул ее полицейский. — Вам туда нельзя!

Но Сара, проигнорировав запрет, в несколько прыжков преодолела последние метры, отделявшие ее от спасательной команды, растолкала специалистов и упала на колени рядом с сидевшим на земле мужчиной. Он медленно поднял голову, и Сара задохнулась от радости.

Со слезами на глазах она прижалась лбом ко лбу Кристофера и почувствовала, как его ладонь легла ей на затылок.

Врач, который хотел было ее прогнать, понял, что никакая медицинская помощь не поставит его пациента на ноги быстрее, чем эта женщина, и молча продолжил делать свою работу.

Одежда Кристофера висела лохмотьями, лицо было в ссадинах, но нога, к счастью, оказалась цела — вместо перелома сильный ушиб.

— Сколько времени осталось? — прошептал он.

— До рейса один час тридцать пять минут.

Оба прекрасно понимали, что не успеют в аэропорт. И обоим в голову пришла одна и та же спасительная идея при виде машины скорой помощи.

Как они и надеялись, «скорая» домчала их до Миннеаполиса меньше чем за час. По дороге санитары наложили на ногу Кристофера повязку, а он переслал Лазарю видео, которое Сара сняла в гигантском зале Соуденской подземной лаборатории на церемонии запуска нейтринного детектора. Лица участников трудно было разглядеть, зато голоса и звуки записались отлично.

Через пятнадцать минут, в течение которых Кристофер обливался холодным по́том, телефон зазвонил.

— А что насчет руководителя проекта? — спросил Лазарь. Теперь его сиплый голос казался сухим шелестом — он быстро слабел.

— Человека, который с середины шестидесятых годов финансировал и организовывал секретные эксперименты над вами и другими людьми, зовут Марк Дэвисберри. И если он еще не умер от полученных травм, остаток жизни ему суждено провести в тюрьме.

— Вы можете это доказать, Кристофер?

— Включите любой американский информационный канал.

Лазарь, не прерывая мобильного соединения, запустил на ноутбуке новости CNN — Кристофер услышал из динамика телефона характерную быструю речь американских репортеров.

А старика охватило странное волнение, которому он и сам удивился, когда на экране возникло лицо одного из его палачей. Фотография Марка Дэвисберри находилась в углу кадра, на фоне заснятых телевизионщиками полицейских и врачей, окруживших носилки с окровавленным телом. Диктор за кадром говорил о том, что Марк Дэвисберри, некогда занимавший высокий пост в ЦРУ, а ныне известный промышленник, сделавший состояние на производстве медицинского оборудования, назван главным подозреваемым по делу о взрывах, в результате которых только что был полностью разрушен экспериментальный научный центр в Соуденских рудниках.

— Город Ницца, улица Сен-Пьер-де-Ферик, дом сто тридцать, — прозвучало из динамика телефона, и Лазарь дал отбой.

Кристофер застыл с открытым ртом — Саре пришлось несколько раз спросить, что сказал Лазарь, прежде чем он отреагировал.

— Старик назвал адрес в Ницце. Мы победили, Сара!

Она порывисто обняла его и положила голову на плечо, а Кристофер как заведенный бормотал себе под нос: «Улица Сен-Пьер-де-Ферик, дом сто тридцать», — чтобы не забыть.

Когда «скорая» въехала в Миннеаполис, Кристофер попросил высадить их и подписал официальный отказ от медицинской помощи. Они с Сарой поймали такси и через полчаса уже бежали по посадочной галерее к борту AF 93021 Миннеаполис—Париж.

И лишь когда самолет оторвался от земли, Сара воспользовалась передышкой, чтобы расспросить Кристофера, каким чудом он выбрался живым из рудников.

Оказалось, один из членов исследовательской команды Дэвисберри уцелел — огонь до него не добрался, а от обломков потолка спасла защитная каска. В панике он почему-то бросился наверх, в кабинет директора, решив, что там должен быть запасной выход, и увидел придавленного куском бетонной плиты Кристофера. По дороге ученый прихватил топор с пожарного щита, воспользовался древком как рычагом и вызволил его, а потом они, помогая друг другу, добрались до выхода из шахты — последние метры уже Кристоферу пришлось тащить того, кто его спас.

Сара, пока он рассказывал, смотрела в иллюминатор на кучевые облака, ей было стыдно, что не она спасла Кристофера.

— Ты ничем не могла мне помочь, — ласково сказал он и накрыл ее руку ладонью. — Ничем. Я сам попросил тебя уйти, так что не вздумай себя упрекать. Я всем тебе обязан.

Их пальцы переплелись. И хотя Кристофер знал, что тревога за Симона отступит, лишь когда ему позволят наконец прижать мальчика к груди, сейчас, вопреки всему, он испытывал безбрежное счастье, сидя рядом с женщиной, которая ради них рисковала собой.

Через несколько мгновений Сара заглянула ему в лицо и долго рассматривала, будто подсчитывала ссадины и синяки, а потом кончиками губ осторожно коснулась каждой ранки на коже. И снова крепко сжала его ладонь.

В течение всего полета они ощущали взаимную поддержку и тепло друг друга, но нервное напряжение не отпускало. Обоим не давал покоя вопрос, сдержит ли Лазарь слово, вернет ли он Симона живым.

ГЛАВА 50

Когда самолет, на который они пересели в Париже, приземлился наконец в Ницце, Кристофер чувствовал себя хуже некуда: нервы совсем разыгрались, усталость за время короткого отдыха не исчезла, к этому добавилась изнуряющая жара французского юга, да еще им попался особенно болтливый таксист.

— Миленький квартальчик, — с напевным южным выговором прокомментировал он, услышав адрес и выруливая с парковки аэропорта. — Не знаю, бывали вы там или нет. Улица Сен-Пьер-де-Ферик — это на холмах, там шикарные виллы. То есть когда-то были шикарными, сейчас многие заброшены, и куда только хозяева смотрят...

— Мы устали, — отрезала Сара. — Будем благодарны, если довезете нас как можно быстрее.

— Да без проблем! Какой у вас интересный акцент. У моей свояченицы есть подруга норвежка, вот очень похоже. Вы, часом, не из Скандинавии, нет? Из Норвегии или типа того?

Сара молча отвернулась к окну. Со второго раза таксист понял намек, но еще какое-то время бормотал банальности о различиях между северянами и южанами и о пресловутой нелюдимости жителей холодных стран.

Сара и Кристофер не стали поддерживать разговор даже из вежливости. Кристофер, прижимавший к боку портфель с флешкой и всеми бумажными документами, найденными на острове, в лаборатории отца, с каждой секундой все сильнее беспокоился о Симоне, а Сара больше не находила слов, чтобы его утешить.

Проехав по шоссе, машина свернула на косогор. С обеих сторон узкой дороги теперь простирались запущенные фруктовые сады, в глубине которых стояли виллы, казавшиеся необитаемыми.

Сара, заметив табличку с номером 120, попросила шофера остановиться.

— Но вам же нужен сто тридцатый дом, разве нет?

— Остановите здесь!

— Ладно, ладно! Что вы так нервничаете? Я ж просто не хотел, чтобы вы пешком тащились, но, в конце концов, это ваше дело, как скажете...

Они расплатились и вышли, с облегчением отпустив болтуна.

Солнце уже садилось, облака над горами заповедника Меркантур переливались красным и оранжевым, словно охваченные пожаром.

— Дай мне документы, — сказала Сара.

— Зачем?

— Лазарь из тех, кто убивает не задумываясь. Ничто не помешает ему отдать приказ нас прикончить и забрать документы с трупов. Нужно спрятать портфель где-нибудь здесь и сразу заявить старику, что у нас их при себе нет и что, пока мы не получим Симона и не уйдем все трое живыми и здоровыми, он их не получит.

Кристофер должен был признать, что совершенно забыл об осторожности; единственное, о чем он мог сейчас думать, — это как бы поскорее увидеть мальчика. Так что отдал Саре документы без возражений. Она, оглядевшись и удостоверившись, что на улице, кроме них, нет ни души, засунула портфель под куст у ветхой изгороди.

— Ну все, теперь пора.

Вилла под номером 130 оказалась одной из немногих с освещенным фасадом. За высоким частоколом и буйной растительностью мало что было видно, однако, судя по всему, участком Лазарь владел обширным. Сара заметила видеокамеру, но Кристофер уже нажал на кнопку интерфона и, не дожидаясь, когда кто-нибудь откликнется, заговорил первым:

— Сразу вас предупреждаю: документы в надежном месте. Сначала я получу Симона, а потом вы получите то, что вам нужно.

Ответа не последовало.

Сара осторожно толкнула приоткрытую створку ворот. За ними оказалась величественная аллея, обсаженная стройны ми флорентийскими кипарисами и усыпанная белой галькой. Она привела их к вилле из тесаного камня, стоявшей на пригорке посреди огромного фруктового сада. Было тихо, лишь скрипели камешки под ногами и где-то в зарослях стрекотали цикады, аккомпанируя беспечным трелям соловья. Погода была ясная, но из-за горизонта уже наползали темно-серые грозовые тучи.

Два марша лестницы из белого камня вели к террасе под аркой, характерной для барочной архитектуры. Поднявшись по широким ступеням, Кристофер потянул на себя резную дверь, и она открылась.

В холле, выложенном белым мрамором, царила идеальная чистота. На стенах между закрытыми дверями висели гобелены; изогнутая лестница вела на второй этаж. Кристофер собирался броситься по кругу, распахивая двери и выкрикивая имя Симона, но вдруг услышал медленный ритмичный шум — тот самый, на фоне которого из динамика каждый раз звучал голос Лазаря. Это поднимался и опускался поршень аппарата искусственного дыхания, который был установлен, судя по всему, где-то на втором этаже.

Взбежав по лестнице, они оказались в коридоре, и Сара сразу посмотрела налево, направо — здесь, как и в холле, никого не было. Шум аппарата искусственного дыхания доносился из-за ближайшей приоткрытой двери.

— Есть кто-нибудь? — громко спросил Кристофер.

Никто не отозвался.

Сара толкнула створку, и та медленно открылась, явив взорам большую комнату, выстеленную гранатовым ковром и оклеенную обоями с арабесками. В распахнутое окно рвался свежий ветер, и к мерному шуму аппарата примешивался шелест листвы старой липы.

На кровати, повернув голову к окну, лежал худой старик с облепившими череп редкими седыми волосами.

— Лазарь? — окликнул его Кристофер.

Старик не пошевелился. Тогда журналист, даже не огля-девшись, подбежал к кровати. Сара, не потерявшая, в отличие от него, осторожности, внимательно осмотрела в помещении каждый уголок.

— Лазарь! — выпалил Кристофер, и у нее сжалось сердце — судя по его интонации, нужно было готовиться к худшему.

Она тоже подошла к кровати, и все стало ясно. Кристофер принялся трясти неподвижного старика за плечи:

— Где Симон?! Сволочь! Отвечай!

Но старик не открыл глаза и никак не отреагировал — болтался в руках Кристофера, как тряпичная кукла.

Тем не менее дыхательный аппарат работал — Лазарь был еще жив, но, возможно, впал в кому и унес с собой в беспамятство их последний шанс вернуть Симона. На бескровных губах застыла безмятежная полуулыбка.

— Симон! — во все горло закричал Кристофер, не зная, в какую сторону направить этот призыв. — Симон! Это я! Где ты?! — Он бросился открывать шкафы, выдергивать ящики, перевернул в комнате все вверх дном в поисках хоть намека на то, где искать мальчика.

Сара, сохранившая хладнокровие, тем временем внимательно осмотрела лежавшего без сознания Лазаря. На двух пальцах его правой руки были очень старые татуировки: роза ветров и кинжал. «Это знак русской преступной группировки «Воры в законе», — подумала она. — Вероятно, помимо советской разведки, Лазарь был тесно связан с криминальным миром, что объясняет, как бывший подопытный ЦРУ сбежал из психиатрической больницы во Франции, обзавелся виллой и годами находил деньги и людей для поиска своих палачей».

Сара приподняла простыню, укрывавшую тело старика. На торсе тоже была татуировка — Богородица с блаженно улыбающимся Младенцем. Точно такая же улыбка играла на губах Лазаря, и она определенно свидетельствовала о том, что этот жестокий человек, в прошлом совершивший, наверное, немало преступлений, уходит с миром, в согласии со своей совестью. Возможно, все дело было в том, что он наконец достиг цели, составлявшей смысл его жизни, — палачи понесли возмездие, он отомстил им за десятилетия страданий и теперь может спокойно уйти, тем более что ему известно о бессмертии души. Но Саре показалось, что в улыбке Лазаря есть нечто большее — какое-то великодушие.

Она еще раз осмотрела тело. Левый кулак был сжат под простыней. Сара осторожно разогнула его пальцы, высвободила из них смятую записку и расправила ее.

— Кристофер...

Но журналист уже был в соседней комнате — хромая, метался из угла в угол, вытряхивал содержимое шкафов, заглядывал под кровати, простукивал стены и громко выкрикивал имя Симона.

Сара подбежала к нему и развернула перед носом записку.

— Что это?! — возмутился Кристофер оттого, что его заставляют терять время.

— Послание, которое нам оставил Лазарь.

— «За первым гобеленом в холле слева от входа», — вслух прочитал журналист.

Сара показала ему ключ, который был завернут в записку.

Издали накатывал с неба глухой рокот — приближалась гроза. Они спустились по лестнице. Кристофер спешил изо всех сил, не обращая внимания на боль в ушибленной ноге; он первым устремился к гобелену, закрывавшему стену снизу доверху, и так дернул ткань, что чуть не сорвал ее. За гобеленом была потайная дверь с замочной скважиной. Когда подоспела Сара и отперла замок, оказалось, что вниз ведет служебная лестница, и Кристофер незамедлительно помчался по ступенькам. В маленьком коридоре с запыленным паркетом обнаружились две каморки для прислуги, обе запертые. Тот же ключ подошел к одной из дверей.

Кристофер переступил порог. Сердце норовило выскочить через горло, в ушах оглушительно гудела кровь.

Ставни в комнате были закрыты, пахло пылью и затхлостью, белесый свет исходил от поставленного на пол электрического фонаря, рядом валялся на боку деревянный игрушечный поезд, а в углу сидел, прижимая к себе белого плюшевого медведя и опустив голову, взъерошенный мальчик.

— Симон...

Мальчик, прерывисто задышав, крепче стиснул медведя, худые плечики задрожали; он не решался поднять голову. Кристофер, у которого от слез защипало глаза, хромая, приблизился.

— Малыш, это я... Все закончилось, злые люди ушли. Я здесь...

Симон наконец медленно поднял лохматую голову, Кристофер присел рядом с ним на корточки, но пока не осмеливался обнять мальчика — боялся его напугать еще больше.

Симон некоторое время пристально смотрел на него, словно никак не мог понять, сон это или реальность.

— Ты молодец, отлично держался, — улыбнулся Кристофер. — Ты такой сильный!

Мальчик вдруг порывисто вскочил, выронив плюшевую игрушку, обхватил дядю за шею и уткнулся лицом ему в плечо.

Сара молча наблюдала за ними — у нее перехватило горло от эмоций.

За ставнями вдруг громыхнуло так, будто молния ударила прямо над виллой, а в следующую секунду на крышу обрушился поток дождя.

Подхватив племянника на руки, Кристофер понес его в холл. Сара попыталась вызвать по телефону такси, но ей сказали, что придется подождать, пока гроза закончится. И они, теперь уже никуда не опаздывая, уселись в кресла в холле и терпеливо ждали. Симон заснул от избытка переживаний и оттого, что наконец почувствовал себя в безопасности, а Кристофер все гладил его по вихрастой голове, словно до сих пор не верил, что это ему не снится.

На улице уже бушевали потоки воды, шквалистый ветер, завывая в ставнях, неистово рвал плотную завесу ливня, пригибал долговязые кипарисы к земле, испытывая их на прочность.

— Флешка и документы! — спохватился Кристофер.

Сара тоже совсем забыла про портфель, спрятанный под кустом у соседней изгороди, и сразу бросилась к входной двери.

— Стой, это опасно! — всполошился он, но было поздно.

За несколько секунд Сара промокла до нитки, будто с головой окунулась в бассейн. Она побежала по аллее, расплескивая глубокие лужи, а когда дорога пошла под уклон, ее чуть не сбил с ног бурный поток.

Кристофер из окна в холле видел, как она убегает все дальше, растворяясь в дождевой пелене, и думал, что эта женщина не похожа ни на одну из тех, кого он встречал в жизни.

Кое-как добравшись до того места, где она оставила портфель, Сара обнаружила, что все кусты возле изгороди выворотило и унесло потоком, землю размыло до камней, ничего не осталось, кроме бурлящей воды. Она сбежала по склону холма в надежде, что портфель за что-нибудь зацепился или его выбросило на незатопленный участок, но внизу поток устремлялся в широкое жерло сточной трубы. На всякий случай Сара подобралась поближе к ней, осмотрела окрестности — ни портфеля, ни разбросанных бумаг нигде не было.

Пришлось возвращаться на виллу ни с чем.

Увидев ее с пустыми руками, Кристофер подумал, что все доказательства беспрецедентного открытия теперь полностью уничтожены, но, возможно, оно и к лучшему. Тем более что в тот момент не было и не могло быть ничего важнее Симона, мирно спавшего у него на коленях.

Окончания грозы они ждали в уютном молчании. Сара с ласковой улыбкой смотрела на малыша, прижимавшегося во сне к дяде. А через полчаса наконец приехало такси, и они первым делом отправились в больницу, чтобы Симона обследовали врачи. По дороге, когда мальчик проснулся, Кристофер попросил его не рассказывать правду, если в больнице кто-нибудь спросит, где он провел последние несколько дней, и пообещал, что позже они все спокойно обсудят, когда уже будут дома.

В больнице мальчика сразу увела в кабинет медсестра, для которой они наспех сочинили историю — мол, гуляли в заповеднике Меркантур, устроили пикник, поссорились немного и не заметили, как мальчик исчез, потом искали его целый час и нашли в слезах под старым деревом; вроде бы с ним все в порядке, но они решили удостовериться, что не пропустили какой-нибудь ушиб, укус насекомого или что-то в этом роде. Медсестра смерила их укоризненным взглядом и ласково позвала Симона за собой, а Сара с Кристофером остались ждать в приемном покое с другими родственниками пациентов. На них никто не обращал внимания — одни листали потрепанные журналы, другие уткнулись в экраны смартфонов.

Кристофер купил в автомате кофе и один стаканчик протянул своей спутнице. Некоторое время они молча потягивали горячий крепкий напиток, разглядывая людей вокруг.

— Наверное, это банально, то, что я хочу сказать, но у меня какое-то странное чувство из-за того, что придется вернуться к обычной жизни, — задумчиво проговорил Кристофер. — Как мы теперь будем жить среди людей, которые... не знают того, что знаем мы? Привычный порядок вещей уже не восстановится...

Сара положила голову ему на плечо.

— По опыту могу сказать, что унылая повседневность — лучшее лекарство от всего, — изрекла она, хотя и сама не очень-то в это верила.

— Спасибо, что так мило мне врешь.

— Это не совсем ложь. Заботы о ребенке тебя отвлекут.

Кристофер обнял ее за плечи и прижал к себе:

— Если врачи не оставят Симона в больнице, снимем номер в отеле и хорошенько отдохнем перед возвращением в Париж... Да?

Сара, смущенно потупившись, высвободилась из его объятий.

— Мне... мне нужно вернуться в Осло для отчета. Теперь у меня есть ответы на все вопросы, я знаю, кто виновен в смерти пациента Четыре-Восемь-Восемь. Расследование окончено, но, чтобы закрыть дело, понадобится много бумажной работы и формальностей. К тому же мне придется объясняться перед начальством за свое отсутствие на службе. Еще я дам свидетельские показания, и это избавит тебя от неприятностей. Чем быстрее мы с этим разберемся, тем лучше, а то местные полицейские не дадут тебе покоя. Проводишь меня в аэропорт?

— Это твоя любовница? — Симон, заметно повеселевший, выскочил к ним из кабинета и указывал пальцем на Сару.

— Она... э-э... — растерялся Кристофер, но его спасла подошедшая вслед за мальчиком медсестра.

— Физически Симон здоров, — сообщила она. — Нет никаких внешних повреждений. Но нас беспокоит его психическое состояние...

Кристофер, подхватив мальчика на руки и крепко обняв его, признался медсестре, что он приемный отец родного племянника, родители Симона погибли год назад в автокатастрофе и он до сих пор не оправился от этого, чем и объясняется его психическое состояние. Медсестра, ласково улыбнувшись Симону, обратила строгий взгляд на Кристофера и тихо сказала ему, что ребенок и так настрадался, а потому заслуживает более внимательного и ответственного приемного отца. Напоследок она с упреком посмотрела на Сару и удалилась с глубоким неодобрительным вздохом.

Кристофер покорно выслушал отповедь и не стал оправдываться — в конце концов, в словах медсестры была доля истины.

— Так она твоя любовница или нет? — снова спросил Симон, не сводя с Сары задумчивого взгляда.

— Прости, малыш, ты спал, и я не успел вас познакомить. Это Сара. И наше с тобой страшное приключение благополучно закончилось во многом благодаря ей...

Симон понимающе кивнул и удивленно нахмурился, когда Сара повернулась и он рассмотрел обожженную часть ее лица.

— А где твоя бровь?

— Я... э-э....

— У Сары очень много талантов, — пришел на помощь Кристофер, — но она совсем не умеет выщипывать брови. Это ее единственный недостаток.

Сара широко улыбнулась — Кристофер впервые увидел ее такой, с веселыми, сияющими глазами, и даже растерялся.

Она это заметила.

— Да-да, улыбаться я умею. И смеяться тоже.

— Но ты все время была ужасно серьезной и грустной. Это из-за меня?

— Нет, ты тут ни при чем. Я так реагирую на смену часовых поясов, — сказала Сара и подмигнула Симону.

— Ты поедешь к нам домой? — спросил мальчик с надеждой.

— Нет, мне нужно вернуться к себе, в Норвегию. У меня там много работы.

Кристоферу отчаянно хотелось сказать, что это всего лишь отговорка, и спросить, почему она его покидает на самом деле. Возможно, если бы на месте Сары была какая-нибудь другая женщина, он пустил бы в ход все свое обаяние, чтобы убедить ее остаться. Но если он что-то и успел понять за время, проведенное с Сарой, — это что она не терпит принуждения и не любит, когда лезут ей в душу. Поэтому он с уважением отнесся к ее выбору и не считал себя вправе спорить.

— Мы посадим Сару на самолет, а потом поедем домой отдыхать.

Симон тоже казался разочарованным, но и он возражать не стал.

В такси, которое уносило их к аэропорту, мальчик опять заснул, уютно устроившись на дядиных коленях.

В терминале вылетов Кристофер настоял на том, чтобы проводить Сару до зоны посадки, взял на руки сонного Симона и захромал рядом с ней.

Внутренний голос требовал наплевать на самоотречение и умолять ее остаться, потому что каждая женщина, выбирая между любовью и уважением, предпочтет любовь. Внутренний голос кричал, что он должен еще раз признаться ей в своих чувствах — сейчас, в нормальной обстановке, а не в пожаре под землей, — но Кристофер сомневался. Он боялся отпугнуть Сару своей откровенностью, думал, что тогда она точно улетит и уже не вернется. На принятие решения у него оставалось несколько минут.

Сара купила билет на ближайший рейс. У паспортного контроля она замедлила шаг.

У Кристофера участился пульс, неловкие слова теснились на языке. Он не знал, как правильно высказать то, что нужно. А нужно было сказать, что она — самая удивительная и самая великодушная женщина в его жизни, что никогда и ни к кому он не испытывал ничего подобного и что не хочет с ней расставаться до конца дней.

Сара смотрела так, будто слышала мысли, проносившиеся у него в голове. Она подошла ближе и взяла его за руку:

— Я все понимаю, но не могу сейчас остаться. Мне нужно разобраться с собственным прошлым, прежде чем я начну строить новую жизнь, Кристофер. И я не знаю, сколько времени это займет. Не жди меня.

— Оставь нам хоть один шанс, Сара.

— Если я не справлюсь со своими проблемами сама... сделаю тебя несчастным. — Она чуть сильнее сжала пальцы Кристофера, поднялась на цыпочки и поцеловала его в губы, погладив по щеке. Потом потрепала Симона по вихрам и чмокнула в лоб. — Кристофер, ты замечательный приемный отец.

— Сара! — Прижимая к себе спящего племянника одной рукой, он попытался второй удержать женщину, которую не мог отпустить.

А Сара, страдая от необходимости поступить так, как лучше будет для них обоих, посмотрела на него в последний раз печальными глазами.

— Если не в этой жизни, значит, в другой мы будем вместе, — тихо сказала она.

— Я буду ждать тебя в этой!

Сара нежно улыбнулась ему и, не оглядываясь, зашагала к стойке паспортного контроля. На мгновение Кристоферу показалось, что она замедлила шаг, но уже через пару секунд ее скрыла толпа других пассажиров.

Он простоял на месте еще минут десять в надежде снова ее увидеть.

— Она улетела? — спросил Симон.

Кристофер вздрогнул — он не заметил, что мальчик уже проснулся у него на руках.

— Да.

— Насовсем?

— Не знаю...

— А ты ее любишь?

— Да.

— Тогда почему ты ее отпустил?

Кристофер глубоко вздохнул:

— Как раз потому, что я ее люблю.

Симон задумчиво положил голову ему на плечо.

— Я хочу домой.

— Да, малыш, мы возвращаемся.

Глава 51

Полгода спустя

Кристофер, сидя за столом перед экраном ноутбука, дописал письмо и отправил его по электронной почте. Из ванной слышался шум воды — Симон чистил зубы перед сном. Последние шесть месяцев мальчик спал в дядиной постели, прижимаясь к нему, часто просыпался посреди ночи с криком и плакал. Каждый раз Кристоферу приходилось включать свет и успокаивать племянника — говорить, что он дома и все хорошо, ему просто приснился кошмар, здесь нет никаких злодеев. А сегодня вечером, впервые за полгода, Симон сказал, что будет спать один, в своей комнате.

— Как там дела с чисткой зубов, копуша? — крикнул Кристофер из гостиной.

— Шейчаш жакончу! — отозвался он с полным ртом зубной пасты.

— Ложись скорее, завтра у нас важный день.

— Я хочу сказку! Про хорька, который ошибся домом! — заявил Симон, вбежав в гостиную.

— Опять? Я же вчера ее тебе рассказывал. К тому же ты ведь уже большой мальчик, зачем тебе сказка для малышей?

— Ну она же такая смешная! И мне нравится, как ты показываешь хорька, и корову, и хрюшку... Ну расскажи, расскажи!

Кристофер вздохнул, и Симон озадаченно уставился на него:

— Почему ты такой грустный? Опять из-за Сары, которая помогла тебе меня найти? Она все не отвечает?

— Я не грустный! Просто устал, потому что не высыпаюсь. Не очень-то сладко спится, когда у тебя под одеялом липучка в форме мальчика. Живо в постель!

Симон захихикал:

— Тебе больше понравится липучка в форме рыжей тети, да?

— Ого! А ты жутко повзрослел всего за пару месяцев. Ладно, беги в свою комнату. Я сейчас приду.

Мальчик умчался. Кристофер в очередной раз проверил почту — последние полгода он заглядывал туда чуть ли не каждый час в надежде получить послание от Сары. Но кроме нескольких официальных документов, касавшихся расследования, которые она переслала ему через коллег, никаких вестей от нее не было.

С сожалением закрыв ноутбук, Кристофер остановил взгляд на внушительной стопке бумаг, накопившейся на столе. Несмотря на то что Сара уладила почти все формальности, ему пришлось неоднократно давать показания в полиции. А еще он занимался похоронами отца и матери, разбирался с наследством, записал Симона к детскому психологу, пытался справиться в одиночку с собственными проблемами, вернулся к работе и изо всех сил старался обеспечить племяннику спокойную, размеренную и безопасную жизнь.

— Эй, ты где?! Я все жду-жду...

Кристофер вздрогнул. С тех пор как они с Сарой вернулись из Америки, с ним часто случались такие вот «приступы отсутствия» — он выпадал из реальности, не замечая, как идет время. И хотя он старался держаться молодцом, так или иначе недавние события сильно на него повлияли, и если пережитой страх и кровавые сцены постепенно изглаживались из памяти, то от головокружительного научного открытия, свидетелем которого он стал, нельзя было просто так отмахнуться, а поговорить было не с кем.

Иногда Кристофер останавливался посреди улицы и смотрел на прохожих — они куда-то спешили или прогуливались, болтали или спорили о делах, не ведая о том, что в каждом из них записана история Вселенной, и даже не догадываясь, что нас окружают бессмертные души, миллионы и миллионы душ незримо витают в воздухе, проходят сквозь людей ежесекундно и что их собственная душа после смерти тела станет частью невидимой и безграничной темной материи.

— Кристофер! — нетерпеливо позвал Симон.

Он поднялся и пошел в детскую, освещенную приятным, успокаивающим сиянием ночника. Сел на краешек кровати и рассказал Симону его любимую сказку, смешно изобразив всех персонажей. Видеть, как мальчик хмурится или улыбается, представляя себе каждую сценку, и звонко хохочет над забавными моментами, было счастьем.

Когда сказка подошла к концу, Кристофер приглушил свет ночника, поправил одеяло и чмокнул племянника в лоб. Мальчик посмотрел в окно — со дня возвращения он просил не закрывать ставни. В полумраке спальни ярче проступали звезды на небе.

— Как ты думаешь, мама, папа, дедушка и бабушка где-то там, среди звезд, и смотрят на нас?

Кристофер тоже поднял глаза к переливающемуся искорками небосводу и улыбнулся:

— Думаю, да, дорогой.

— А раньше ты говорил, что не знаешь. Почему теперь говоришь по-другому?

Он удивился, что Симон запомнил тот давний разговор, состоявшийся больше года назад.

— Раньше я и правда не знал.

— А сейчас откуда знаешь?

— Я хорошенько поискал ответ — и нашел.

— Как ключи от машины, которые ты все время теряешь?

Кристофер улыбнулся:

— Да, почти. Можешь спать спокойно, за тобой всегда будут присматривать те, кто тебя любит.

Мальчик поплотнее закутался в одеяло. Кристофер еще раз поцеловал его в лоб и хотел встать, но Симон уцепился за его свитер.

— Хочешь, чтобы я еще немного посидел с тобой?

Мальчик покачал головой, и тогда Кристофер понял. Он снял свитер и отдал его Симону, а тот, скатав свитер в клубок, прижал его к груди, как любимую игрушку, и безмятежно закрыл глаза.

Кристофер взволнованно смотрел на мальчика, пока он не задремал, затем на цыпочках вышел из комнаты и закрыл дверь. Посидел немного на диване в гостиной, чувствуя безбрежную радость оттого, что у него теперь есть сын, и в то же время остро ощущая свое одиночество. Потом принял душ, прихватил с полки научно-фантастический роман и лег в постель. На двадцатой странице он заснул.

Через час Кристофера разбудил звуковой сигнал мобильного телефона — пришло сообщение. Телефон лежал на столе, вставать ужасно не хотелось, и, повернувшись на другой бок, Кристофер собрался было опять заснуть, но помешало странное чувство, что происходит нечто важное. Со вздохом поднявшись с дивана, он добрел до стола. Экран в темноте светился голубоватым светом, извещая о том, что получено MMS с незнакомого номера. «Опять реклама», — проворчал Кристофер, но все же открыл сообщение. И сердце чуть не разорвалось. Он подумал, что все это ему снится.

На экране открылась фотография Сары в шерстяной шапке, из-под которой выбивались рыжие пряди, и в толстом вязаном шарфе. Нос у нее чуть-чуть покраснел от мороза, а светло-голубые глаза сияли. Она сделала селфи так, чтобы хорошо видно было правую часть лица — обожженная кожа уже зажила, а бровь и ресницы отросли. Под фотографией было написано:

«Если еще не поздно, теперь моя очередь тебя ждать. Приезжай. P. S. Ничего, что я не выщипала брови?»

Кристофер включил в гостиной все лампы, чтобы убедиться — это не сон. И только теперь, не отрывая глаз от фотографии Сары, он позволил головокружительному и прекрасному чувству, которого до встречи с ней никогда не испытывал, а потом старательно прятал в самой глубине сердца, вырваться на волю.

ЭПИЛОГ

Одежды служителя церкви прошуршали по коридору, который вел к камерам заключенных, отбывающих пожизненный срок. Пастор с сединой на висках остановился у нужной двери, поправил на шее фиолетовую столу[1] и покрепче прижал к себе Библию. В его тяжкую обязанность входило выслушивать исповеди чудовищ в человеческом обличье, и эти чудовища порой даже осмеливались просить отпущения грехов.

Надзиратель, сопровождавший его, заглянул в глазок, хлопнул заслонкой, нашел в связке ключей подходящий и отпер замок с металлическим скрежетом.

— Дэвисберри, к вам священник, — сказал он, открыв дверь, и сделал пастору знак, что тот может войти. — Постучите, когда закончите. Я вас выпущу.

Дверь с лязгом захлопнулась, опять проскрежетал замок, и по камере раскатилось эхо, как в пещере. Пастор сделал несколько шагов вперед, окинув взглядом медицинское оборудование.

Марк Дэвисберри лежал на кровати, прерывисто и шумно дыша. Половину лица и бо́льшую часть тела скрывали бинты. Ожоги и травмы, полученные под землей, медленно его убивали.

Казалось, он не заметил вошедшего — помутневшие неподвижные глаза смотрели в потолок. Тогда пастор пододвинул к кровати табурет, сел и принялся терпеливо ждать.

---

[1] С т о л а — шелковая лента с нашитыми крестами, элемент облачения католических и протестантских священников, использующийся, помимо прочего, при исповеди.

— Стало быть, они вам сказали, что я не сегодня завтра умру? — наконец хрипло прошептал заключенный.

Священник смущенно кашлянул.

— Меня зовут отец Александр Финн. Врач сообщил мне, что ваше тело быстро слабеет в последние дни. Да, скоро вы предстанете перед Господом, но пока у вас есть время покаяться и попросить прощения.

Дэвисберри растянул рот в улыбке.

— Что вас развеселило? — опешил пастор.

— Предвкушаю благодарность Господню.

Священник нервно облизнул тонкие губы.

— Вы убили шестьдесят человек, когда взорвали Соуденские рудники. Погибли невинные мужчины и женщины, сотрудники научного центра и простые посетители музея...

— Ничтожные побочные потери, по сравнению с тем, что мне удалось таким образом спасти.

— И что же вы спасли?

— Вас, Бога, церковь, религию, человечество!

— Убив невинных? — Пастор двумя руками вцепился в Библию.

Бывший бизнесмен покачал головой.

— На полную исповедь не рассчитывайте, но одно признание я сделаю, — сказал он. — Всю свою жизнь я трудился во славу христианской веры, потратил целое состояние, чтобы доказать атеистам, как они ошибаются. Хотел убедить их, что священные книги глаголят правду — душа человеческая обретет спасение и вечную жизнь лишь благодаря вере в Господа. Я мечтал о том, что религия утвердится в обществе как истина в последней инстанции и единственная власть. И я все для этого делал, не ведая, что тем самым, наоборот, готовлю ее сокрушительное поражение, своими руками рою человечеству могилу, веду мир к хаосу и упадку.

— Не уверен, что понимаю вас...

— Да и ладно. Господь меня поймет. Он знает, как чудовищно я заблуждался. Однако порой нам дано узреть истину лишь на краю пропасти. Всю дорогу к этой пропасти истина стояла у меня перед глазами, а я был слеп!

Пастор поерзал на табурете и расправил концы фиолетовой столы.

— Позвольте уточнить. О какой истине вы говорите?

Прежде чем ответить, Дэвисберри глубоко задумался.

— Я полагал, что религии нужны доказательства, иначе она потеряет свои позиции в обществе. Думал, если люди будут доподлинно знать, что душа спасётся и получит бессмертие лишь благодаря вере в Бога, тогда они посвятят Ему все свои помыслы и будут славить Его каждый день. Я искал научное подтверждение тому, что лишь вера дарует вечную жизнь. Как же я ошибался! В итоге было доказано нечто прямо противоположное: душа бессмертна независимо от веры! Каждая душа! Вот вам истина! Бессмертие души никак не связано с вашими земными убеждениями. Никак!

— Успокойтесь, сын мой... Объясните лучше, что привело вас к такому выводу.

— Из шести пойманных душ — призрачных частиц, фрагменты закодированной памяти которых мне удалось расшифровать, — ни одна не принадлежала верующему человеку. Никто из шестерых при жизни на земле не почитал Бога. Эти мужчины и женщины, как выяснилось из мнемонических отпечатков, были атеистами и не питали ни малейшего уважения к какой бы то ни было религии! — Дэвисберри задохнулся и принялся жадно, с хрипами глотать воздух. Затем он снова надсадно заговорил: — Бессмертие души обеспечено любому, будь он верующий или атеист! Вот эту жестокую правду мне предстояло поведать миру! Вы понимаете, какая бы тогда случилась катастрофа? Зачем верить и вести праведную жизнь, если тебе и так гарантировано вечное блаженство? Зачем Бог, если душа спасётся и без Него? Люди решили бы, что больше нет необходимости ни в самодисциплине, ни в смирении, ни в страхе перед Судом Божьим. Что бы они ни делали, о чём бы ни думали на протяжении своих земных лет, смерть не станет для них пределом существования. Только представьте себе, в какой хаос, разврат и анархию погрузилось бы тогда человечество! И виной тому было бы моё открытие, если бы я рассказал о нём всему миру.

Пастор Финн несколько секунд обдумывал услышанное. Не то чтобы он сразу поверил словам умирающего, но они его глубоко взволновали.

— Значит, вы хотите сказать, что убили шестьдесят человек ради того, чтобы защитить... Бога?

— Нет, Он не нуждается в защите. Я хотел защитить человечество. Ради всего человечества я пожертвовал теми людьми. Ради человечества уничтожил результаты исследований, чтобы сохранить тайну. Потому что без религии, без веры в Бога человечество пришло бы к безвластию и вырождению, оно попросту исчезло бы с лица земли давным-давно! Веру необходимо уберечь, люди должны продолжать думать о спасении души и понимать, что земные деяния зачтутся им на Небесах. Ведь они верят в Бога по одной-единственный причине, отец мой.

— Вы имеете в виду желание обрести надежду и смысл? — предположил пастор. — Или любовь?

— Нет, отец мой. Однако я не стану высмеивать вашу наивность... а может быть, лицемерие, кто вас знает. Я и сам долгое время был наивен, но потом прозрел и должен был признать: люди верят в Бога не потому, что это дарит им чувство вселенской любви или радости. Они верят исключительно из страха. — Дэвисберри на мгновение закрыл глаза. — Без страха нет веры. Без опасения исчезнуть навсегда в момент смерти нет нужды принимать религию. Бог становится бесполезным.

Пастор почувствовал, как по его виску медленно ползет капля пота. Он машинально прижал Библию к себе, начал было мысленно читать молитву, но вдруг ощутил дурноту.

— Вы сами не верите в то, что говорите, сын мой. Вы же всю свою жизнь посвятили служению Богу...

Дэвисберри снова слабо улыбнулся, а будь у него силы — расхохотался бы во все горло.

— Ладно, я вам докажу. Прямо сейчас. Я отказываюсь от отпущения грехов. Мне не нужно прощение.

— Но... вы понимаете последствия?

На этих словах сердце умирающего замедлило биение.

— Мне не нужно прощение, — чуть слышно повторил он. — Я знаю, что душа моя будет жить вечно, и не важно, грешная она или праведная...

За всю свою бытность священником пастор Финн впервые испытывал растерянность и сомнения. Смутная улыбка все еще кривила губы Марка Дэвисберри.

— Если вы питаете любовь к роду человеческому, отец мой, никому не говорите о том, что сегодня узнали от меня, иначе станете виновником конца света.

Веки старика закрылись, грудная клетка перестала подниматься и опускаться.

Пастор Финн некоторое время сидел без движения, словно оцепенев от услышанного. Затем постарался совладать с собой и начал осенять крестным знамением голову мертвеца, но не докончил — безвольно уронил руку. Поеживаясь от неприятного ощущения, он постучал в дверь, призывая надзирателя. Тот отпер замок, а потом долго смотрел вслед ступившему за порог священнику, бледному и не сказавшему ни слова.

Божий человек медленно удалялся по коридору, чувствуя на языке горький привкус истины.

От автора

Бóльшая часть сведений, раскрытых в этом романе, — подлинные факты, не раз становившиеся предметом журналистских расследований.

Вы можете сами в этом удостовериться, например заглянув в Интернет. Там, помимо прочего, можно найти полный официальный доклад комиссии американского сената, обнародованный 3 августа 1977 года; в нем подробно рассказывается о секретных экспериментах, проводившихся в рамках программы «МК-Ультра». Многочисленные сайты содержат информацию о военной истории загадочного острова Вознесения, а также о печальном прошлом психиатрической больницы «Гёустад».

Разумеется, в своих изысканиях я не ограничивался сбором материала в Сети — добрые старые книги послужили мне надежными источниками по другим темам. В сочинениях Карла Густава Юнга я ознакомился с концепцией архетипов и коллективного бессознательного, а в его биографии нашел подтверждение тому, что он был секретным агентом ЦРУ под кодовым обозначением 488. Кроме того, я мог бы посоветовать вам прочитать научные исследования, посвященные темной материи, однако имейте в виду — вы рискуете угодить во власть головокружительного страха.

Уж я-то знаю, что это такое, — за время работы над романом мне не раз приходилось бороться с различными страхами. Поэтому хочу поблагодарить всех тех, кто помогал мне их преодолеть. В первую очередь — мою жену Каролину, чьи любовь, энтузиазм и доверие неисчерпаемы; они проявляются не только в повседневности, но и когда она становится моей первой читательницей. Спасибо Еве и Жюльетте, нашим дочерям, придающим смысл всему, что я делаю. Моей матери за веру в меня. Брату за неизменную поддержку. Отцу за то, что с нетерпением ждет окончания каждой книги, которую я начинаю писать. И моим друзьям за то, что они были рядом все четыре года работы над «Криком», за их свежий взгляд и полезные советы. Спасибо всем моим бета-читателям за потраченное время и великодушие.

И наконец, выражаю безмерную признательность команде литературной «скорой помощи» издательства «ХО» за то, что это произведение увидело свет. Спасибо их главному хирургу Бернару Фиксо, который удалял недоброкачественные образования, пока книжка окончательно не выздоровела; его верному анестезиологу Эдит Леблон, которая нежно заботилась о том, чтобы пациент поменьше страдал, и Каролине Риполл, искусной акушерке, которой удалось сделать роды этого романа почти таким же приятным моментом, каким было его зачатие.

А еще всем вам — за то, что проявили интерес и прочитали до последнего слова.

Для возрастной категории 16+

Литературно-художественное издание

Николя Бёгле

КРИК

Роман

Ответственный редактор *Л.И. Глебовская*
Художественный редактор *Е.Ю. Шурлапова*
Технический редактор *Н.В. Травкина*
Корректор *А.В. Максименко*

Подписано в печать 08.02.2019.
Формат 60×90¹/₁₆. Бумага офсетная. Гарнитура «Петербург».
Печать офсетная. Усл. печ. л. 26,0. Уч.-изд. л. 23,58.
Тираж 2 000 экз. Заказ № 5070.

ООО «Центрполиграф»
111024, Москва, 1-я ул. Энтузиастов, 15
E-MAIL: CNPOL@CNPOL.RU

WWW.CENTRPOLIGRAF.RU

ОАО «Тверской полиграфический комбинат»
170024, г. Тверь, пр. Ленина, 5